우루과이라운드

협상 대책 관계부처
회의 2

우루과이라운드

협상 대책 관계부처 회의 2

한국학술정보

| 머리말

　우루과이라운드는 국제적 교역 질서를 수립하려는 다각적 무역 교섭으로서, 각국의 보호무역 추세를 보다 완화하고 다자무역체제를 강화하기 위해 출범되었다. 1986년 9월 개시가 선언되었으며, 15개 분야의 교섭을 1990년 말까지 진행하기로 했다. 그러나 각 분야의 중간 교섭이 이루어진 1989년 이후에도 농산물, 지적소유권, 서비스무역, 섬유, 긴급수입제한 등 많은 분야에서 대립하며 1992년이 돼서야 타결에 이를 수 있었다. 한국은 특히 농산물 분야에서 기존 수입 제한 품목 대부분을 개방해야 했기에 큰 경쟁력 하락을 겪었고, 관세와 기술 장벽 완화, 보조금 및 수입 규제 정책의 변화로 제조업 수출입에도 많은 변화가 있었다.

　본 총서는 우루과이라운드 협상이 막바지에 다다랐던 1991~1992년 사이 외교부에서 작성한 관련 자료를 담고 있다. 관련 협상의 치열했던 후반기 동향과 관계부처회의, 무역협상위원회 회의, 실무대책회의, 규범 및 제도, 투자회의, 특히나 가장 많은 논란이 있었던 농산물과 서비스 분야 협상 등의 자료를 포함해 총 28권으로 구성되었다. 전체 분량은 약 1만 3천여 쪽에 이른다.

2024년 3월

한국학술정보(주)

| 일러두기

· 본 총서에 실린 자료는 2022년 4월과 2023년 4월에 각각 공개한 외교문서 4,827권, 76만여 쪽 가운데 일부를 발췌한 것이다.

· 각 권의 제목과 순서는 공개된 원본을 최대한 반영하였으나, 주제에 따라 일부는 적절히 변경하였다.

· 원본 자료는 A4 판형에 맞게 축소하거나 원본 비율을 유지한 채 A4 페이지 안에 삽입하였다. 또한 현재 시점에선 공개되지 않아 '공란'이란 표기만 있는 페이지 역시 그대로 실었다.

· 외교부가 공개한 문서 각 권의 첫 페이지에는 '정리 보존 문서 목록'이란 이름으로 기록물 종류, 일자, 명칭, 간단한 내용 등의 정보가 수록되어 있으며, 이를 기준으로 0001번부터 번호가 매겨져 있다. 이는 삭제하지 않고 총서에 그대로 수록하였다.

· 보고서 내용에 관한 더 자세한 정보가 필요하다면, 외교부가 온라인상에 제공하는 『대한민국 외교사료요약집』 1991년과 1992년 자료를 참조할 수 있다.

| 차례

정 리 보 존 문 서 목 록

기록물종류	일반공문서철	등록번호	2019080080	등록일자	2019-08-13
분류번호	764.51	국가코드		보존기간	영구
명 칭	UR(우루과이라운드) 협상 대책 관계부처회의, 1989-91. 전4권				
생 산 과	통상기구과	생산년도	1989~1991	담당그룹	다자통상
권 차 명	V.3 1991.2-6월				
내용목차	* 대외협력위원회, UR 대책 실무위원회 등				

0001

경 제 기 획 원

통조삼 10502- (28   503-9149   1991. 2. 20.

수신 외무부장관 (통상국장)

제목 UR대책 실무위원회 소회의 개최

　　'91년 우루과이 라운드 협상전망 및 아국의 협상대책 재점검을 위해 UR협상 의제를 직접담당하고 있는 주요부처 국장회의를 다음과 같이 개최코자 하니 참석하여 주시기 바랍니다.

다   음

가. 일   시: '91. 2. 22(금)   15:00-17:00

나. 장   소: 경제기획원 소회의실 (1동 721호)

다. 참석범위: 경제기획원   대외경제조정실 (회의주재)

　　　　　　　　　　"   제2협력관

　　　　　　　　외 무 부   통상국장

　　　　　　　　재 무 부   관세국장, 경제협력국장

　　　　　　　　상 공 부   국제협력관

　　　　　　　　농림수산부   농업협력통상관

　　　　　　　　특 허 청   기획관리관

라. 논의내용: ㅇ 91년도 협상전망

　　　　　　　ㅇ 주요분야별 협상동향 및 대응방안 검토

　　　　　　　ㅇ 협상그룹조정에 따른 협상체제 조정방안

마. 아울러 각부처는 회의시 논의할 주요의제에 대한 협상대책 및

　　추진계획을 작성하여 회의시 제출하여 주시기 바랍니다. 끝.

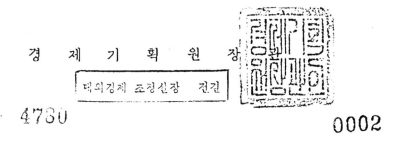

경 제 기 획 원 장

대외경제 조정실장 전결

4730   0002

1991. 2. 22.

통 상 기 구 과

양 교 재	통 상 기 구 과	91 년 2 월 22 일	담 당	과 장	국 장	차관보	차 관	장 관
			김봉주					

0003

1. 회의 의제

○ 91년도 협상 전망

○ 주요분야별 협상 동향 및 대응방안 검토

○ 협상그룹 조정에 따른 협상 체계 조정 방안

~~○ 제2차 3개년 수입자유화 계획 수립(잠정)~~

2. 91년도 협상 전망

가. 협상 현황

○ 농산물 분야에서 협상 교착 타개 노력 성과 별무
  - EC의 CAP 개혁 추진중이나 개혁 방안에 대한 합의 도출 실패
  - 미.EC간 의견 접근 노력 진전 별무
  - 던켈 사무총장의 교착 타개 노력 성과 별무
    . 1.31-2.2간 미, 호주, 카나다, 일본, EC등 주요국 개별 접촉

○ 미 행정부 Fast-track 시한 연장 노력 전개
  - Hills 무역대표, 대의회 접촉 강화
  - 미 통상정책 및 협상 자문위원회, 의회 제출용 UR협상 평가
    보고서(안) 논의(2.14)

○ Dunkel 사무총장, 7개협상 분야별 주요국 비공식 회의 재개 및 TNC
  회의 소집 예정
  - 농산물 및 섬유(2.20), 서비스 및 규범제정(2.21), 분쟁해결(2.22),
    시장접근(2.25)
  - TNC 실무급 공식회의(2.26)
    . 각 분야별 회의 결과 종합 Take Note
    . 시한은 명시하지 않고 UR 협상의 연장을 공식 결정 예정

0004

- 농산물분야 기술적인 세부 협상 그룹회의(2.27) 및 섬유분야 기술적인 세부 협상그룹 회의(3.5) 개최 예정

나. 협상 전망

o 분야별 협상 재개에도 불구, 실질적인 협상은 난망시
- 상기 협상 그룹별 회의 재개는 Fast-track 연장과 관련한 미 행정부의 입지 강화가 그 주된 목적이라는 관측
- 각 참가국은 본국대표들을 파견치 않을 전망

o 실질적이고 본격적인 협상은 미국의 Fast-track 시한 연장 문제가 확정된 후에야 가능시
- 그 이전에는 주로 기술적인 사항에 대한 협상은 가능 예상
- 농산물 분야의 실질 협상은 EC의 CAP 개혁 등으로 늦어질 가능성이 있으며, 대신에 서비스, TRIPS등 분야에서 선진국들이 협상을 서두를 가능성은 있음

o 본격 협상 개시후 4-6개월 이내에 협상이 완결되어야 할것이라는 전망
- 미 대통령 선거의 해인 내년까지 협상을 지연할 경우 선거 쟁점화할 위험

3. 주요 분야별 협상 동향 및 대응 방안 검토

가. 협상 동향

(1) 농산물 분야

o EC의 CAP 개혁 노력 추진중이나 난항 계속

o Andriessen EC 집행위 부위원장, Hills 무역대표가 제안한 3개 협상 요소에 대한 구체적 약속 거부

○ 2.20 Dunkel 사무총장, 농산물 분야 주요국 비공식 회의 개최,
하기 요지 성명 발표

- 협상 참가국은 시장접근, 국내보조, 수출경쟁 3개 협상 요소에
대한 구체적이고 구속력 있는 약속(Specific binding commitment)과
위생 및 검역 규제에 대한 합의 도출을 위해 협상하는데 동의

- 상기 협상 촉진을 위한 기술적 작업(technical work) 즉각
개시 및 필요시 고위정책 결정 당국자간 협의 병행

- 89.4. 제네바 TNC 중간 평가 합의사항에 기초한 농산물 교역
개혁 추구

- 2.27. 협의 재개최 및 동 협의시 논의될 4개 협상 요소별 기술적
사항에 대한 잠정 의제 제의

. 국내보조, 시장접근, 수출경쟁, 위생 및 검역 규제등

- 상기 4개 협상 요소별 개도국 관심사항 및 식량 안보 관련사항
검토

(2) 여타 분야

○ 브랏셀 각료회의 이후 진전 별무

○ 다만 서비스, 시장 접근등 분야에서 부분적으로 양자협의 진행
- 서비스 : 1.31. EC 주관 복수국간 협의, 1.21부터 주요 참가국간
양자협의(2.11-12 한.미 양자협의)
- 시장접근 분야 : 2.4부터 주요 참가국간 양자협의
(2.7. 한.미 양자협의)

나. 대응방안

(1) 분야별 협상 대응 방향

○ 농산물, 서비스, 무세화 분야의 경우 1.9 대외협력위원회 결정
내용에 의거 세부 입장 정립

○ 여타 분야의 경우 기존 입장으로 대처

0006

(2) 전체 협상 대응 방향

- ㅇ 아국 관심분야에서 보다 공세적 입장으로의 변경 검토
  - 농산물 분야에서의 전향적 입장 재검토 방침 감안
  - 세이프가드, 반덤핑등 분야

- ㅇ 향후 강대국의 양자적 압력 가능성을 감안, UR 협상에서 아국 입장 정립 필요
  - 통신, 유통, BOP 협의 결과 이행, 정부조달 협정 가입등

- ㅇ 최종 협상에 대비, 전체 협상 분야간 이해 균형 도모 및 총괄 조정 기능 강화
  - 협상 득실에 대한 대국민 설득 측면에도 긴요

- ㅇ 각 협상 분야별 전문가를 자문역으로 활용, 협상력 강화

- ㅇ 주 제네바 대표부 지원 강화, 현지 협상력 제고
  - 본부대표 파견, 예산 지원등

4. 협상그룹 조정에 따른 협상 체제 조정 방안

- ㅇ Dunkel 사무총장, 현행 15개 협상그룹을 7개 협상그룹으로 재조정 예정
  - 농산물
  - 서비스
  - 섬 유
  - 규범제정(세이프가드, 반덤핑, 보조금, 갓트조문, 선적전 검사, 원산지 규정등)
  - 분쟁해결.최종의종서
  - TRIM.TRIPS
  - 시장접근(관세, 비관세, 천연자원, 열대산품)

0007

ㅇ 국내 협상 체제 조정 방안

  - 당분간 기존의 대응체제로 계속 대응이 바람직

    . 협상의 계속성 유지

    . 당분간 상기 협상그룹 재조정에 따른 협상 형식의 변화등 추이

      관망 필요

0008

UR對策　實務委員會　會議資料

1991. 2. 22

經 濟 企 劃 院

0009

目   次

0010

Ⅰ. 우루과이 라운드協商 動向과 展望

1. 協商動向

- 브랏셀 閣僚會議 以後 各國은 美行政府의 議會에 대한 迅速
  處理權限(Fast-track Authority)의 時限인 2月末을 UR協商의
  實質的인 時限으로 여기고 協商妥結 努力을 경주

  ○ 1월중 美國,EC,日本등 主要國 頂上間의 접촉, 美國,EC,
    케언즈그룹 高位通商實務者間의 회합, 던켈 GATT 事務
    總長의 各國巡訪등 協商妥結 努力을 경주

  ○ EC는 共同農業政策(CAP)의 改革을 추진하는 한편 農産物
    協商에 대한 旣存立場을 다소 완화하며, 美國,케언즈그룹
    등 農産物 輸出國들이 協商目標를 낮춰 2月末까지 協商
    妥結에 호응할 것을 촉구

- 1月 15日 제네바에서 再開된 貿易協商委員會(TNC) 회의는
  主要國家間 事前折衷이 충분히 없는 가운데 개최되어 던켈
  GATT 事務總長의 協商現況 評價와 協商進行 計劃에 대한
  설명후 우리나라,일본,스위스 代表의 發言을 끝으로 간단히
  종료되고 協商進展에 대한 결정적 계기를 제공치 못함.

- 1月17日 걸프戰爭 발발이후 戰爭으로 인한 各國의 關心分散
  으로 協商이 集中的으로 이루어지지 않으나 市場接近分野 및
  서비스分野 兩者協議, 또는 複數國家間 協議등 協商進展을
  위한 움직임은 계속됨.

0011

- 2월초 던켈 GATT事務總長은 主要國들간의 事前意見 折衷을 기초로 미국, EC, 케언즈그룹 國家들과 연쇄접촉을 하여 農産物協商의 基礎를 마련코자 하였으나 合意導出에 실패

    o EC의 共同農業政策(CAP) 改革 및 農産物協商의 立場變化에 대한 기대가 컸으나 EC의 共同農業政策 改革에는 內部 意見調整을 위해 상당한 期間(6개월이상)이 소요되며, 農産物 輸出國들은 EC의 農産物 協商에 대한 立場修訂이 미흡하다며 수용치 않음.

    o 美國과 EC간에 農産物協商 기초마련을 위한 政治的 努力이 추구되었으나 國內補助, 國境保護, 輸出補助 세분야에 대한 具體的 減縮을 約束하라는 美國의 要求를 EC가 수용치 않음으로서 進展없이 協商終了 (2월13일)

- 던켈 事務總長은 美國과 EC間에 農産物協商에 대한 妥協이 이루어질 경우 이를 기초로 農産物協商 및 UR協商全般을 本格 推進할 計劃이었으나 美,EC間에 妥協을 이루지 못해 일단 모든 國家가 受容할 수 있을 정도로 상당히 완화된 妥協案을 提示하고 2月 20日 農産物協商을 再開

    o 餘他重要分野에 대해서도 會議를 연속적으로 開催하고 2月 26日경 TNC會議를 開催하여 分野別 會議結果를 보고할 計劃

                    〈協　商　日　程〉
    2.20(水)　　農産物　　　　　　　纖維
    2.21(木)　　서비스　　　　　　　規範制定
    2.22(金)　　TRIPs, TRIMs　紛爭解決 및 最終議定書
    2.25(月)　　市場接近

o 農産物協商에 대한 具體的 妥協이 없는 狀態에서 UR協商이 再開되고 있으나 실질적 진전은 기대하기 곤란하며 協商再開는 美行政府의 議會에 대한 Fast Track Authority延長申請을 돕기위한 것이라는 분석도 있음

0012

2. 向後 協商展望

- 이제 2月末 協商時限은 意味가 없어졌으며 美行政府는 조만간 議會에 Fast-track Authority의 2年間 延長을 要請할 것으로 관측됨.

  o Fast Track Authority 延長申請時 延長事由로 美.멕시코間 自由貿易地域(FTA) 締結만 提示할지 모른다는 일부 우려도 있으나 UR協商도 포함될 展望

  o 保護主義 性向이 강한 美議會가 Fast Track Authority 延長을 허용할 것인지 不確實하나 걸프戰爭으로 인한 協商의 어려움을 감안할때 許容이 可能하리라는 견해가 우세

- 브랏셀 閣僚會議以後 UR協商 時限을 특별히 정한바는 없으나 각국은 美行政府의 Fast-track Authority 時限인 2月末을 UR協商의 실질적 時限으로 인식하였으나 이제 Fast-track Authority 時限이 延長될 경우 UR協商의 時限도 새로이 論議되어야 할 狀況

  o 금년 가을 또는 年末까지 UR協商期間을 延長하는 方案, 또는 時限없이 協商을 繼續하는 方案등이 非公式的으로 거론되고 있음.

- 協商期間이 연장될 경우 各國은 충분한 시간을 갖고 지난 4년간 協商進展 結果를 토대로 UR協商의 원만한 타결을 도출해 넬것으로 豫測되나 時限延長에 따라 協商努力이 緩和되고 協商期間中 通商環境이 악화될 우려도 있음.

  o UR協商이 강력하게 추진되고 있을 때 잠잠하던 美議會의 行政府에 대한 保護主義的인 壓力은 UR協商이 느슨해 질 경우 또다시 得勢할 展望

0013

Ⅱ. 서비스協商 動向과 對應方案

1. 서비스협상의 最近動向

가. 브랏셀 TNC會議 結果

- 서비스協定의 制定과 관련하여 MFN 일탈問題, 勞動力移動 問題, 分野別 附屬書의 制定問題등 주요한 爭點事項에 대하여 實質的인 論議가 이루어지지 않음.

  O 農産物 協商의 膠着狀態가 커다란 影響을 주었으며 특히 金融分野 附屬書에 市場開放과 內國民待遇 義務를 强化 하는 問題등에 대해서는 先.開途國間 尖銳한 對立狀態가 계속되었음.

- 讓許協商과 관련하여 先進國들의 적극적 공세로 스위스, 미국, 일본, 호주, EC, 홍콩, 카나다, 스웨덴, 뉴질랜드등 9개국이 自國의 Offer List를 提出하였음.

  O 同 國家들의 世界서비스交易에서 차지하는 비중은 약 80%수준에 달함.

나. 브랏셀 TNC會議 이후의 動向

- 서비스一般協定에 대한 논의는 일단 保留되어 있는 狀態 이지만 '91.1월 중순이후 Offer List를 提出한 國家들을 중심으로 讓許協商에 대한 論議는 活潑하게 진행되고 있음.

  O 現在까지 Offer List를 제출한 國家는 14個國임

0014

- 특히 美國은 我國을 포함하여 Offer List들을 제출한 各國
  들과 個別的인 兩者協議를 진행하고 있음.

  o 美國은 各國의 Offer List에 대한 疑問事項을 명확히
    하고 동시에 迅速處理權限 (Fast-track Authority)의
    延長에 대한 美議會의 同意를 얻기위한 手段의 일환으로
    동 兩者協議를 集中的으로 추진

  o 我國과의 兩者協議(2.11)에서 美國은 我國이 짧은 時日內
    에 비교적 充實한 Offer List를 GATT에 제출한 것에 대해
    큰 의미를 부여하는 한편 自國의 追加的인 關心分野로서
    法務서비스, 保健서비스, Leasing, Franchising, 保險
    仲介業 등을 제기하였음.
    — 충암 내그에 ·충박

- 한편 EC는 美國이 進行하고 있는 兩者協議方式과는 달리
  Offer List를 제출한 모든 國家와 기타 讓許協商에 關心이
  있는 國家등이 참여하는 複數國間協議(Plurilateral
  Consultation)를 추진

  o 1.31 개최된 第1次 複數國間 協議에서 各國의 Offer List
    에 대한 疑問事項 등이 綜合的으로 도출되었으며 同協議
    結果를 바탕으로 2.27 제2차 複數國間 協議를 진행할
    豫定임.

다. 向後展望

- 향후 서비스協商에 대한 展望은 全體的인 UR協商日程과
  맞물려 있으나 2.26경에 개최될 것으로 예상되는 TNC會議
  를 통해 UR協商이 公式延長될 경우 곧이어서 後續協商이
  進行될 展望임

0015

- 다만 美國 및 EC가 주관이 되어 지난 1~2월 동안 進行한 讓許協商의 基礎 協議結果에 비추어 볼때 서비스協定의 制定은 별도로 하더라도 各國의 讓許計劃表(Offer List)를 최종적으로 확정하기 까지에는 상당한 時間이 所要될 展望

  o 各 서비스業種의 定義 및 分類, Offer List에 明示한 事項에 대한 法的解釋, 市場接近과 內國民待遇의 구분 등 技術的으로 解決해야 할 과제가 많음.

- 한편 美國은 금번과 같은 個別的인 兩者協議를 各國과 1~2回 더 가진후 이를 바탕으로 本格的인 讓許協商을 추진할 의도를 갖고 있으며 EC도 Offer List를 제출한 國家들이 共同으로 참여하는 複數國間 協議를 繼續해서 진행할 展望임.

2. 我國의 對應方案

가. 讓許協商에의 철저한 對應

- 國內서비스市場의 具體的인 開放을 가져오는 讓許協商에 대비하여 '91.1.22일 開催된 UR/서비스協商 對策會議에서 확정한 다음과 같은 讓許協商 對應方案을 차질없이 추진

  o 총괄적인 調整機能은 經濟企劃院이 담당하고 分野別協商 책임자는 각 該當業種의 主務部處 擔當課長으로 구성하며 每會議 때마다 一貫性있게 참석

  o 協商日程에 맞추어 사전에 我國의 讓許計劃表에 대한 解說資料, 我國의 讓許計劃表에서 제외시킨 分野에 대한 對策資料, 相對國에 대한 Request List, 서비스交易 統計 등을 작성하고 勞動力移動 讓許範圍 등을 설정

0016

o 讓許協商을 계기로 對內競爭 體制를 構築하고 國際競爭力을 強化할 수 있는 産業構造의 先進化 方案을 강구하며 法令 및 制度의 改善作業을 지속적으로 추진

나. 서비스協定의 마무리 制定作業에 적극참여

- 分野別 附屬書를 포함한 서비스一般協定에 대한 協商이 再開되는 것에 대비하여 我國의 立場을 愼重하게 再檢討

  o 協商의 마무리 段階에서 美國등 主要交易 相對國과의 원만한 通商關係의 유지에 도움이 되는 동시에 我國의 실리도 확보할 수 있는 방향으로 我國의 立場을 伸縮的으로 가져감.

- Framework 또는 分野別 附屬書 制定 作業에 各部處의 擔當 公務員外에 分野別 研究責任者 및 전문적인 法律專門家가 協商에 一貫性있게 참여하여 막바지 協商過程에서 우리立場 反映에 努力함

  o 특히 서비스交易을 둘러싸고 국가간의 紛爭이 發生할 경우에 대비하여 法律的인 專門家의 活用을 制度化하는 方案을 강구

0017

Ⅲ. 協商그룹별 擔當部處

- 旣存의 15個 協商그룹이 7個로 調整됨에 따라 我國協商體制의 調整必要性 대두

- 새로운 協商그룹이 2個이상의 旣存協商그룹 議題를 취급할 경우 당분간 기존 協商그룹 擔當部處 모두가 共同代表로 協商에 임하되 향후 TNC會議結果, 協商 그룹 運營狀況을 관찰하고 제네바 代表部 狀況등을 고려하여 主務部處 再調整

기 존		변 경 (안)	
협상그룹	담당부처	협상그룹	담당부처
농산물	농림수산부	농산물	농림수산부
섬 유	상공부	섬 유	상공부
서비스	경제기획원	서비스	경제기획원
분쟁해결	외무부	분쟁해결.최종의정서	외무부
관 세	재무부	시장접근	재무부, 상공부
비관세	상공부		
TRIPs	경제기획원→특허청	TRIPs, TRIMs	재무부, 특허청
TRIMs	재무부		
세이프가드,비관세	상공부	규범제정(세이프가드	외무부, 상공부,
보조금	재무부	원산지규정, 선적전	재무부
GATT조문	외무부	검사, 보조금, GATT	
M T N	외무부	조문, 반덤핑등)	
천연자원	상공부	-	
열대산품	농림수산부	-	
GATT기능	외무부	-	

0018

우루과이라운드協商 中間評價報告書 發刊計劃(案)

表題: 우루과이라운드協商 우리는 어떻게 對處했는가?

1. 發刊目的

- 우루과이라운드協商 종료후 UR協商白書 發刊 必要

  ○ UR協商 내용을 關係人들에게 널리 알림으로써 協商結果에 적절하게 對處할 수
  있도록 도모

  ○ UR協商에서의 我國對處 전략을 기술함으로써 향후 多者間協商 參加者가 協商
  參考資料로 활용할 수 있도록 도모

- UR協商 白書는 UR協商 종료후 發刊이 바람직

  ○ 協商이 종료되어야 協商結果에 대한 評價 및 구체적 對處방안 제시 가능

  ○ GATT事務局등 關聯機關에서 發刊되는 關聯文書, 書籍등 參照可能

- 現段階에서는 協商推進經緯 및 我國의 對應에 대한 中間評價報告書 發刊이 바람직

  ○ UR協商은 이미 4년이상 진행되는등 長期에 걸쳐 추진되고 있어 協商參加者의
  補職變動도 발생하므로 대부분 協商參加者가 同一業務를 담당중인 現段階에서
  記錄을 作成하고 關聯書類를 정비하는 것이 바람직

  ○ 현재 UR協商은 1년 延長可能性이 거론되는등 다소 소강상태에 있으므로 현
  단계에서 그동안 我國이 協商을 위해 어떤 對策을 수립했고 行政的으로는
  어떻게 對處하여 왔는가에 대한 報告書를 작성함으로써 我國의 協商對策을
  再檢討하고 향후 協商에 참고하는 것이 바람직

  ○ 本 協商對策報告書는 次後에 UR協商 白書의 한 부분으로 轉載

2. UR協商對策 中間評價報告書 內容

제1부: 우루과이 라운드 協商 (총론)

제1장 우루과이 라운드 出帆背景 및 準備
- 동경라운드에서 푼타델에스테 閣僚會議 前까지

제2장 우루과이 라운드 協商의 進展
- UR協商 進展을 3단계로 구분하고 각 段階別로 다음사항 기술
  ① 全體協商進展 추이
  ② 我國의 協商對應
    * 協商對應에 대한 評價도 기술
  ③ 國內主要動向

1) 초기 協商段階
- 푼타델에스테 閣僚會議에서 몬트리올 中間評價會議 및 제네바 閣僚會議 ('89.4)까지
2) 본격 推進段階
- 제네바 閣僚會議 이후 브랏셀 會議 以前까지
3) 最近의 우루과이 라운드 協商進展
- 브랏셀 閣僚會議 및 그이후

제3장 協商對應評價 및 향후 推進課題
- 현단계에서 暫定評價

제2부: 分野別 協商經緯 및 成果
- 각 協商分野別로 協商經緯, 背景, 우리의 對應을 기술
  ○ 協商成果는 現段階를 基準으로 간단히 기술

제1장 關稅協商

제2장 農産物協商

    - - - -

    - - - -

0020

3. 報告書 作成責任

가. 全體 감수

- UR對策 實務委員會에서 UR協商 白書 및 中間評價報告書 作成을 위한 Task Force를 구성하여 遂行토록 함.
  - ○ 간사: 경제기획원

나. 총론중 各 段階別 UR協商

- 出帆背景 및 準備: 재무부
- 푼타델에스테 閣僚會議~최근: 경제기획원,외무부,상공부,대외경제정책연구원

다. 協商對應評價 및 향후 推進課題

- 전반: 경제기획원, 대외경제정책연구원
- 協商分野別: 각부처

라. 分野別 協商經緯 및 成果

- 所管議題에 대해 作成: 경제기획원, 외무부, 재무부, 상공부, 농림수산부, 대외경제정책연구원

4. 發刊時期

- UR協商對策 報告書: 4월중
  - ○ 각부처는 所管分野에 대해 4월중 원고집필 완료
- UR協商 白書: UR協商 종료 2개월후
- 協商對策報告書 發刊후 協商종료시까지 協商白書 發刊을 위한 자료 수집

5. 行政 考慮事項

- 원고집필 手受料 支給方案
- 執筆方向, 形式에 대한 關聯者會議

  〈UR協商 白書 參考資料〉
- 동경라운드의 전모 (재무부, 1989, 日書 번역)
- The Tokyo Round (GATT, 1979)
- GATT 事務局에서 發刊한 UR協商 進展狀況 報告書 등
  - ○ 주 제네바 대표부 등을 봉해 수집

0021

UR協商 白書 全體目次(案)

제1부: 우루과이 라운드 協商 (총론)

    제1장 우루과이 라운드 出帆背景 및 準備

    제2장 우루과이 라운드 協商의 진전

        1) 초기 協商段階

        2) 본격 推進段階

        3) 브랏셀 閣僚會議에서의 終結失敗

    제3장 우루과이 라운드의 結實 (* UR협상 종료후 작성)

제2부: 分野別 協商經緯 및 成果 (* 성과부분은 UR협상종료후 상세히 작성)

    제1장 關稅協商

    제2장 農産物協商

        - - - -

        - - - -

제3부: UR協商의 評價 및 앞으로의 課題 (* UR협상 종료후 작성)

0022

28   우루과이라운드 협상 대책 관계부처 회의 2

報 告 畢

1991. 2. 23.
通 商 局
通 商 機 構 課(8)

長 官 報 告 事 項

題 目 : UR 對策會議 開催

UR 協商의 再開 및 美國의 Fast-track 時限 延長 움직임등과 關聯한
UR 對策會議가 아래와 같이 開催 되었음을 報告합니다 .

1. 會議 槪要

   ○ 91.2.22.(金) , 經濟企劃院

   ○ 經企院 對調室長(會議 主宰)외 關係部處 局長 7名 參席

2. 論議 內容

   ○ UR 協商 對策 樹立

   - 3.1(金) 開催 農産物 分野 細部協商그룹 會議에 農林水産部 信任
      農業協力通商官 派遣 豫定

   - 2.26(火) 開催 TNC 會議 및 美 行政府의 Fast-track 期限 延長 움직임을
      보아가면서 向後 協商 對策 樹立키로 決定

   - 農林水産部에서 11조2항(C)의 適用 希望 國家들간의 協力 方案을
      具體的으로 마련키로 合意

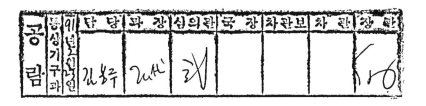

0023

o   現行 15個 協商그룹이 7個 協商그룹으로 再調整時 對策

  - 經濟企劃院 調整(案) 內容

      . 農産物 - 農林水産部

      . 纖維 - 商工部

      . 서비스 - 經濟企劃院

      . 紛爭解決.最終議定書 - 外務部

      . 市場接近 - 財務部, 商工部

      . TRIPs.TRIMs - 財務部, 特許廳

      . 規範制定 (세이프가드, 原産地規定, 船積前 檢査, 補助金,

        GATT 條文, 反덤핑등) - 外務部, 商工部, 財務部

  - 상기 조정안에 대한 具體的인 협의는 없었으며, 向後 보다 具體的인 조정

     內容이 나올때 再次 論議키로 合意.   끝.

0024

長官報告事項

報 告 畢

1991. 2. 23.
通 商 局
通商機構課(8)

題 目 : UR 對策會議 開催

UR 協商의 再開 및 美國의 Fast-track 時限 延長 움직임등과 關聯한
UR 對策會議가 아래와 같이 開催 되었음을 報告합니다.

---

1. 會議 槪要

   ○ 91.2.22.(金), 經濟企劃院

   ○ 經企院 對調室長(會議 主宰)외 關係部處 局長 7名 參席

2. 論議 內容

   ○ UR 協商 對策 樹立

      - 3.1(金) 開催 農産物 分野 細部協商그룹 會議에 農林水産部 新任
        農業協力通商官 派遣 豫定

      - 2.26(火) 開催 TNC 會議 및 美 行政府의 Fast-track 期限 延長 움직임을
        보아가면서 向後 協商 對策 樹立키로 決定

      - 農林水産部에서 11조2항(C)의 適用 希望 國家들간의 協力 方案을
        具體的으로 마련키로 合意(農林水産部 課長級 實務陣 3개반 관련국 출장,
        협의 및 정보수집 豫定)

0025

ㅇ 現行 15個 協商그룹이 7個 協商그룹으로 再調整時 對策

- 經濟企劃院 調整(案) 內容

  . 農産物 - 農林水産部

  . 纖維 - 商工部

  . 서비스 - 經濟企劃院

  . 紛爭解決.最終議定書 - 外務部

  . 市場接近 - 財務部, 商工部

  . TRIPs.TRIMs - 財務部, 特許廳

  . 規範制定 (세이프가드, 原産地規定, 船積前 檢査, 補助金,
    GATT 條文, 反덤핑등) - 外務部, 商工部, 財務部

- 상기 조정안에 대한 具體的인 협의는 없었으며, 向後 보다 具體的인 조정
  內容이 나올때 再次 論議키로 合意.   끝.

0026

UR對策 實務委員會 小會議

1991. 2. 22.

1. UR協商展望

2. 2月26日 TNC 會議 및 그 이후 協商參加 方案

3. 主要分野別 協商動向 및 對應方案 點檢
   - 서비스協商
   - 農産物協商
   - 其   他

4. 協商그룹 調整에 따른 我國協商體制 調整方案

5. UR協商 中間評價報告書 發刊 計劃

0027

경 제 기 획 원

봉조삼 10502- 145   503-9149   1991. 2. 26.

수신 수신처참조

제목 UR대책 실무위원회 회의결과 봉보

  '91.2.22(금)에 개최된 UR실무대책위원회 회의시 논의내용 및 결정
사항을 별첨과 같이 봉보하오니 해당부처는 소관사항을 차질이 없이 추진
하여 주시기 바랍니다.

  첨부: UR대책 실무위원회 회의결과 1부.   끝.

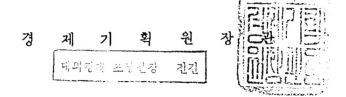

                      경 제 기 획 원 장

수신처: 외무부장관(봉상국장), 재무부장관(관세국장, 경제협력국장),
         농림수산부장관(농업협력봉상관), 상공부장관(국제협력관),
         북허청장(기획관리관).

                                              5204

                                                        0028

UR對策 實務委員會 會議結果

1. 會議槪要

- 日　時: 1991. 2. 22(금)　16:00-18:00

- 場　所: 經濟企劃院 小會議室

- 參席者: 경제기획원　대외경제조정실장 (회의주재)
　　　　　　　　　　　　제2협력관
　　　　　　　外　務　部　통상국장
　　　　　　　財　務　部　관세국장(대리참석), 경협국장(대리참석)
　　　　　　　農林水産部　농업협력통상관
　　　　　　　商　工　部　국제협력관
　　　　　　　特　許　廳　기획관리관

2. 主要論議 內容 및 決定事項

가. 協商動向 및 展望

- 2월20일 農産物協商 非公式會議를 시발로 7개協商 分野別로 會議가 開催되며 2월26일에는 分野別 會議結果 청취를 위주로 하는 貿易協商委員會(TNC)가 開催될 예정

  ○ 最近의 協商再開는 美行政府가 議會에 대해 Fast Track Authority 延長申請하는 것을 돕기위한 목적이 큼.

  ○ 美行政府는 조만간 Fast Track Authority의 2년간 延長을 要請할 것으로 관측됨.

0029

- UR協商期間은 延長될 展望이며 실질적인 協商은 美議會의
Fast Track Authority 延長의 同意時限인 5월말이후 부터
가능할 展望

나. 2月26日 TNC會議 對策

- 2月26日 TNC會議는 던켈 事務總長의 協商그룹別 進展狀況에
대한 간단한 報告中心으로 進行될 展望이며 他國도 현지대사
위주로 參席할 計劃이므로 我國도 제네바 대표부를 중심으로
會議에 대처

  ○ 農産物協商그룹 Technical Meeting이 3월1일 開催豫定인
  바 同會議에는 農水産部 局長 參加

다. 分野別 協商對策

(1) 서비스協商

  - 我國은 1월15일 GATT事務局에 我國의 讓許計劃表를 제출
  하였고 2월11일에는 美國과의 兩者協議 실시
    ○ 讓許計劃表를 제출한 국가들 중심으로 美國은 兩者協議
    를, EC는 複數國家간 協議를 추진중에 있음.

  - 서비스協商은 작업량이 많아 금년중 協商이 本格的으로
  推進될 展望이므로 協商對策樹立 및 協商推進徹底

  - 美國은 도.소매업등 流通分野, 金融分野에 큰 관심을 갖고
  UR協商 뿐아니라 雙務次元에서도 開放擴大를 강력요구하므
  로 我國의 철저한 對策樹立 필요

0030

(2) 農産物協商

　　- 2월20일 農産物分野 非公式會議가 開催되고 던켈 事務總長
　　　은 자기책임하의 意見書(Statement)를 발표

　　　　ㅇ 던켈 事務總長의 statement는 '90.7 드쥬의장 草案이나
　　　　　'90.12 헬스트롬 仲裁案보다는 후퇴내지는 완화된 것으
　　　　　로 보이며, 實質的으로는 '89.4 中間評價會議 시점으로
　　　　　복귀하였다고 評價될 수 있음. 다만 國內補助, 市場
　　　　　開放, 輸出補助의 3가지 分野에 대한 各各의 具體的인
　　　　　약속에 대한 協商推進에 EC가 同意한 것은 EC가 global
　　　　　approach를 양보한 것으로 보아 多少의 成果가 있었다고
　　　　　할수 있음.

　　- 國內生産 統制時 輸入制限을 허용하는 GATT 11조 2(C)항
　　　發動要件 緩和를 위해 利害를 같이하는 國家와 積極的인
　　　協力關係 도모

　　　　ㅇ 캐나다, 日本, 오스트리아, 스위스등 GATT 11조 2(C)항
　　　　　改定을 제안한 國家와 共同步調를 취하는 方案을 農林
　　　　　水産部는 강구하여 經濟企劃院 및 外務部와 協議토록함.
　　　　　다만, 施行過程에서 我國이 UR協商에 非協調的이라는
　　　　　인식을 주지 않도록 時期 및 方法을 신중히 결정토록함.

　　- 89년10월 GATT 國際收支(BOP)條項 卒業時 약속한 輸入
　　　自由化豫示 計劃은 가능한한 당초 약속대로 3월말까지
　　　향후 3년간의 自由化豫示計劃 樹立發表

　　　　ㅇ UR協商이 妥結될 경우 輸入自由化豫示 計劃에 포함된
　　　　　品目이라도 UR協商結果에 따라 단계적으로 關稅化를
　　　　　推進해 나갈수 있도록 GATT事務局 및 關係局과 接觸.
　　　　　協議토록 함.

0031

o 輸入自由化豫示計劃 제시와 관련 經濟企劃院으로서는
　關聯局室 意見을 수렴하여 農水産部와 협조토록 할
　예정임.

(3) 知的所有權 協商

  - EC는 韓國이 美國에만 부여한 知的所有權 소급보호를 EC측
    에도 적용해 줄것을 강력요구하는 바, 향후 韓.EC協議時에
    성의있는 答辯을 提示하여야 할 상황

    o 韓國은 韓.EC간 知的所有權 問題를 UR/知的所有權協商
      타결이후로 미루어 왔으나 UR協商이 遲延됨에 따라
      EC와의 雙務協議에 대한 對應方案 마련 필요

라. 其 他

  - UR協商이 再開되며 協商그룹이 기존 15개에서 7개로 調整됨
    에 따라 我國의 協商체제 調整必要性 대두

    o 새로운 協商그룹이 2개이상의 기존協商그룹 議題를
      취급할 경우 당분간 기존 協商그룹 擔當部處 모두가
      共同代表로 協商에 임하되 향후 TNC會議結果, 協商그룹
      運營狀況을 관찰하고 제네바 대표부 상황등을 고려하여
      主要部處 再調整 檢討

  - UR協商 종료후 UR協商 白書를 발간하되, 현단계에서는 我國
    의 協商對策樹立 및 行政的인 對應過程을 중심으로 UR協商
    中間評價報告書를 발간하는 計劃을 樹立하되 細部內容은
    추후 具體的으로 決定키로 함.

0032

'92-'94 農林水産物
輸入自由化 豫示 推進計劃(案)

1991. 3.

農 林 水 産 部

報 告 順 序

Ⅰ. 推進背景

○ '89. 10 GATT/BOP(國際收支)委員會 合意事項

  ─ 輸入制限品目에 對해서는 '92~'97期間中 輸入自由化 計劃을 2回에
     걸쳐 例示

    · '92~'94計劃 : '91.3月 까지 GATT通報

    · '95~'97計劃 : '94.3月 까지 GATT通報

    · '97以後에도 自由化가 안되는 品目 : GATT規定一致

  ─ 一般的으로 均衡되게 開放品目을 年度別로 配分

  ─ 計劃 樹立時 交易相對國의 關心事項에 對해서도 最大한 適切한 考慮

○ 한편, 현재 進行中인 UR/農産物協商에서는 GATT/BOP協議結果와는
   다른 方式의 農産物 輸入開放論議가 進行中

  ─ GATT/BOP協議에 따른 輸入開放은 現行關稅水準으로 自由化해야
    하나 UR協商에서는 國內外 가격차만큼은 關稅로 轉換한 後 日時
    에 開放하고 段階的으로 關稅引下

  ─ 현재 UR/農産物協商이 再開되었으나 美國과 EC의 立場對立이
    해소되지 않고 있어 앞으로 상당한 진통예상

○ 이에 따라 農林水産部는 2차 農産物 輸入自由化 豫示計劃('92~'94)
   案을 작성하여 關係部處協議推進(3月末 最終案 確定豫定)

  ─ BOP 豫示計劃關聯協議會('91.2.12)및 UR實務對策委員會('91.2.22)
    등을 통하여 關係部處 意見收斂

─ 2 ─

0035

Ⅱ. 推進上의 問題點 및 先決課題 檢討

1. 問題의 提起

對內的 問題

○ 지금까지 UR妥結이 BOP義務 履行보다 有利한 것으로 弘報해 왔으나 UR이 進行중인데도 '92~'94自由化 豫示를 해야하는 必要性 및 當爲性에 對한 對農民 說得의 어려움.

  — 秋穀收買, UR등 諸般事情으로 不安한 農漁村의 輿論을 說得하는 問題 提起

○ '92~'94豫示後 UR이 妥結될 境遇 未 開放豫示 品目이 關稅化 (Tariffication)로 갈수 있는지 與否 不分明

  — UR을 受容, 關稅化로 갈수 있더라도 BOP義務 履行을 完全히 포기하고 UR을 選擇하는데 대한 判斷 및 이와 關聯된 統一된 政府立場이 아직까지 未定立

對外的 問題

○ 그동안 對外的으로 說明해 온 自由化 履行約束을 通商摩擦을 惹起하지 않고 무리없이 實行하는 問題

○ 美國, 濠洲, 카나다, 뉴질랜드, EC等 主要交易 相對國에서 GATT 를 통해서 傳達해 온 關心品目의 適正水準 反映 可能與否

— 3 —

0036

2. 主要爭点別 先決課題

> UR協商이 進行中인데 BOP義務를 履行해야 하는 問題

<關係部處 實務協議 結果>

○ BOP義務 履行과 UR履行中 어느 것이 有利한가에 대하여 通商關係 辯護士, 專門家等의 意見을 구한바 있으나 明白한 答辯은 없음.

　－ 品目에 따라서는 關稅化로 갈수 있는 UR이 有利

　－ '97以後에도 繼續 制限할 수 있는 品目이 있다는 側面에서는 BOP가 有利

○ 한편 政府가 明示的으로 UR을 選擇한다는 決定을 내린바는 없으나 그간 UR協商(Offer提出等)過程에서 UR義務 履行에 對한 意思表示 및 弘報가 BOP보다 훨씬 많이 됨.

　－ 1次 Offer에서 猶豫期間은 BOP義務 履行條件을 受容한 것이고 履行期間中 關稅化는 UR方式을 受容

　－ 修正案은 猶豫期間(BOP槪念)撤回하고 長期履行期間 確保를 推進

○ 그럼에도 不拘하고 UR協商도중 BOP義務履行을 하기 위해서는

　－ 먼저 當面한 BOP義務履行의 不可避性에 對한 政府와 國民의 共同認識을 전제로

　－ UR이 妥結되면 BOP義務履行을 포기하고 UR義務를 履行한다는 政府의 統一된 立場定立과

　－ 이에 對한 當爲性을 國民들에게 說得할 수 있는 論理가 同時에 展開되어야 함.

－ 4 －

0037

<對策方向>

  (1) 當面한 BOP義務履行은 計劃대로 推進

  (2) UR履行問題에 對한 政府立場의 定立

    ○ UR이 妥結되면 BOP義務履行은 全面 返納하고 UR로 가겠다
      는 統一된 政府入場의 早速 定立(새로운 意思決定이 必要함)

  (3) 對國民 說明論理의 定立

    ○ UR協商이 進行中이고 未妥結狀態이나 BOP豫示가 臨迫한
      現視點에서 두가지 義務를 조화시키되 한가지(UR履行)를
      分明히 選擇하는 說明論理의 定立

     — BOP義務履行보다 UR이 유리하기 때문에 UR履行을 原則
       으로 하되

     — UR은 GATT規範(BOP 包含)을 對替하는 새로운 規範이
       기 때문에 이 새 規範이(UR)이 이루어지기 전까지는
       BOP義務履行이 不可避하다는 점을 強調

     ⇨ BOP義務를 履行하면서도 그간 政府가 主張해 온 UR履行
       이 有利하다는 論理의 一貫性을 일단 維持할 수 있음.

    ※ 未決課題 : 만일 UR에서 我國立場이 전혀 反映되지 않을
       경우 BOP義務履行이 갖는 利點으로 인한 非難素地 尙存

— 5 —

0038

BOP豫示 對象品目의 範圍 및 主要國 關心品目 反映問題

○ 輸入自由化 留保品目 現況

- 現在 總輸入制限 農林水産物은 403個임

    ┌ 輸出入期別 公告上의 制限品目＝273個品目

    └ 統合公告(特別法上制限)品目＝130個品目

單位：個(HS 10單位 基準)

	計	輸出入公告制限	統合公告 制限
計	403	273ㄴ	130
○ 農畜産物	274	159	115
一 農 産 物	183	81	102
一 畜 産 物	91	78	13
○ 林 産 物	7	7	—
○ 水 産 物	122	107	15

註 1」GTT/BOP 義務履行 對象品目은 輸出入公告制限 273個임.

— 6 —

0039

<關係部處 協議結果>

○ GATT/BOP義務履行 對象品目은 輸出入公告 制限對象品目(273
個)이고 對農民 說得側面에서도 統合公告 制限品目(特別法 制限
130個)開放은 問題가 있음.

○ 輸出入公告 制限品目만 對象으로 年度別로 均分(Even Manner)
하되, 美國, EC등 主要交易相對國 關心品目을 適切히 反映해 주
는 것이 必要함.

― 美國, 캐나다, 濠州등 關心品目 : 93個, EC 關心品目 : 54個

○ 統合公告 制限品目을 除外하는 것은 BOP義務履行 側面에서도
問題가 없고 對農民 說得側面에서도 바람직함.

○ 단, 全體 開放政策 推進이라는 側面에서 볼때 統合公告 制限品目
을 一切 손대지 않는 것이 꼭 바람직한가 하는 問題는 別途로
檢討할 必要가 있음.

<推進方向>

○ 금번 豫示計劃에서는 輸出入公告 制限品目 273個중 120~130個
水準을 3個年에 均分開放 豫示하는 方向으로 하고 統合公告 130
個 品目에 대해서는 別途로 檢討

― 統合公告 制限品目은 UR/農産物 協商結果를 受容하는 方向으
로 檢討

○ 美國, 캐나다, 濠州등 關心品目(93個) 및 EC 關心品目(54個)
適正水準 反映

'94以前 UR妥結時 未 開放豫示品目 關稅化 可能性 檢討

<關係部處 實務協議 結果>

○ '92~'94 豫示後 UR妥結이 될경우 未開放된 豫示品目이 關稅化
로 갈 수 있는지 與否가 現在로서는 不分明

○ '92~'94 3個年 自由化計劃을 豫示하면서 UR妥結時 未開放 豫示
品目에 대해서는 關稅化로 가겠다는 조건을 提示한다면 GATT
에서도 受容할 可能性이 크다고 봄.

(단, GATT에서도 이를 公式化하고 明確한 意見提示를 할 立場
이 아닐 것임)

─ 이를 위해서는, GATT에 우리 立場의 事前 傳達, 豫示計劃
發表時 UR妥結에 따른 關稅化 意思表明과 함께 實際로 通商
外交努力 强化 必要

─ '91.1.15 TNC會議에서 美側質疑時 未 開放品目에 대하여는
關稅化로 가는 것이 妥當하다는 意思表示를 한바 있음.

※ 지금段階에서 그러한 意思表示를 하는 것은 問題를 일으킬 素地
가 있으며 UR妥結時 자연스럽게 關稅化로 가는 方法도 提起

○ 3個年 單位로 豫示하지 않고 1年單位로 豫示하는 方案도 檢討해
볼 수 있으나 通商摩擦惹起 素地

<推進方向>

○ UR協商이 妥結되면 自由化 未履行分에 대해서는 UR協商結果에
따라 關稅化 履行등 意見을 달아서 GATT에 通報
─ 事前에 GATT에 我側立場 傳達(3月中)
─ 發表時 關稅化 意見을 달아 GATT通報(3月末)
○ 關聯 外交努力 强化(外務部등 關係部處 積極 協調)

─ 8 ─

0041

補 完 對 策 마 련

< 關係部處 協議結果 : 現況 및 問題點 >

○ '89~'91豫示때는 農漁村發展 綜合對策과 同時에 發表하여 農民
  說得이 可能하였으나 現在는 새로운 支援對策 마련에 어려움이
  많음.

  - 差額補償등 直接被害 補完對策 擴大등이 어려움에 따라 對農民
    說得이 困難

  - 代替作目 開發의 隘路

○ 農漁村發展 綜合對策등 旣存 支援對策도 投資擴大 意志가 缺如
  되어 實踐意志가 없는 計劃이라는 非難이 일고있음.

  - 農民들은 可視的인 支援對策 要望

○ 그러나 그동안의 UR論議등으로 開放政策 推進의 不可避性에 대
  한 農民들의 認識은 相當水準으로 提高

< 推進方向 >

○ '89~'91經驗을 土臺로한 補完對策의 發展

○ 主要品目別 競爭力提高 方案 마련

○ 現場爲主의 技術對應弘報 戰略樹立

○ 投資計劃은 農漁村發展綜合對策 補完時 및 7次 5個年 計劃등에
  反映

— 9 —

0042

Ⅲ. 自由化豫示 및 補完對策 推進方向

1. 豫示品目의 選定

가. 一般原則

○ 國內 農漁業, 農漁民에게 미치는 影響이 적은것부터 段階的
으로 開放

- 國內에 미치는 影響이 큰 品目은 國際競爭力 提高對策 推進
등 事前 準備期間을 거쳐 '95以後 自由化 檢討

○ 輸出入公告 制限品目 273個중 '92～'94期間중 120～130個
水準 選定(統合公告 130個 品目에 대해서는 別途 檢討)

○ 年度別로 均分하고 利害當事國 關心品目도 適切히 反映

나. 細部 選定基準

○ 國內生産이 되지 않거나 生産比重이 낮아 農家에 미치는 影響
이 미미한 品目

○ 國際競爭이 可能한 品目으로 國內影響이 적은 品目

○ 國際的으로 交易이 거의없거나 輸入可能性이 낮은 品目

○ 國內資源 保護를 위하여 輸入이 必要한 品目

다. 自由化 品目選定 內譯(輸出入公告 制限品目)

'92~'94檢 示最 目數 調整內譯 : 當初 試案 98個品目 ~ '92

現在 調整 115個品目

區　　　　分		'92~'94 自由化計劃(案)							
		當　　初(案)				現在調整(案)			
		計	'92	'93	'94	計	'92	'93	'94
輸出入公告 制限	273個 品目	98	26	32	40	115	42	39	34
農　産　物	81	33	7	8	18	36	15	11	10
畜　産　物	78	23	6	10	7	27	11	10	6
林　産　物	7	1	1	—	—	1	—	1	—
水　産　物	107	41	12	14	15	51	16	17	18

主要國 關心品目 反映內譯

	關心品目數 (A)	現在反映內譯 (B)	B/A
美國, 카나다, 濠州, 뉴질랜드	93	33	35.5%
E　　C	54	11	20.3%
關 心 品 目 計 (共通關心)	110 (37)	41 (3)	

— 11 —

0044

○ 國內生産이 되지 않거나 生産比重낮아 農家에 미치는 影響이 거의 없는 品目 : 21個

　─ 其他 穀物(기장, 피등), 糖蜜(사탕수수 抽出物), 설탕ㄴ, 其他 신선 果實(매실, 앵두, 석류等), 도토리等 其他견과류, 其他 採油種子(달맞이꽃 種子, 小麥의 배아 等), 其他 非揮發性 食用油(달맞이꽃 種子油 等), 면양고기, 其他 植物性 産物(꽃가루等) 육분, 호프, 생강, 홍차 等

　　註 1」설탕에 대해서는 아직까지 상공부의 공식의견 없음

○ 輸入品과 어느정도 價格 및 品質競爭이 可能한 品目으로서 影響이 적은것 : 24個

　─ 新鮮 배, 복숭아, 冷凍果實類(감귤, 포도等), 통조림(사과, 감귤, 포도), 복숭아 쥬스, 통조림(잣, 호도), 사과, 배의 설탕調製品等 其他 果實 調製品, 따로 분류되지 않은 우유, 均質化 調製 貯藏肉, 其他 家禽類의 肉 調製品, 蛋白質 濃縮物, 濁酒, 其他 穀物醱酵酒 等 酒類

○ 國際的 交易이 거의 없거나 輸入 可能性이 낮은 品目 : 19個

　─ 돼지, 사슴, 其他 소(肉牛, 젖소를 除外한 물소, 코뿔소等)等 家畜, 소의 혀, 돼지고기(新鮮·冷藏), 닭고기, 동물의 위, 卵黃, 우유(시유), 두부, 其他 生絲

○ 國內 資源保護를 爲해 輸入이 必要한 品目 : 51個

　─ 鹽藏조기, 복어, 송어, 其他 觀賞用 활어, 고래고기, 상어, 문어, 붕장어, 서대, 전갱이, 정어리, 돔, 아귀, 갑오징어, 해삼, 새우, 其他 水生動物, 其他해초류 等

─ 12 ─

0045

| 區 分 | 計 | '92-'94 | | | '95以後 |
		'92	'93	'94	
計	110 41	12	10	19	69
共 通	37 ①	3 ⓐ	1	1	1	34
		其他家禽類의 肉調製品	均質化 調製 貯臟肉(離乳食, 환자식等)	新鮮·冷藏돼지 고기	麥芽, 마늘(乾 燥), 포도, 오 렌지, 쇠고기, 冷凍돼지고기, 치즈等
美 國 카나다 濠 洲 뉴 질 랜 드	56 ② /1	30 ⓑ	8	8	14	26
		糖蜜(사탕수 수 抽出物, 사탕수수以外 抽出物), 호 프(분상·펠리 트), 소의혀, 其他 冷凍면 양고기(3), 魚類의 연육	其他果實, 견 과類(冷凍), 사 과 (조제), 其他 牛乳, 벌꿀調製品 (로얄제리), 冷凍넙치, 新 鮮새우, 其他 冷凍魚肉, 魚 卵	배, 복숭아, 其他 감귤류 調製品, 두부, 其他 蛋白質 농축물, 어린 면양고기(냉 동), 오징어 (훈제), 뱀장 어, 서대, 문 어(冷凍), 其 他 冷凍게, 魚卵(2), 其 他 魚類의 피 레트(冷凍)	練乳, 冷凍명 태(피레트, 魚肉除外)魚 卵, 전복 等

— 15 —

0046

區　分	計	'92－'94				'95以後
			'92	'93	'94	
E　C	17 ③ /2	8 ⓒ	3	1	4	9
			其他　醱酵酒, 리큐르류,　알 코올성　合成 調製品	복숭아　쥬스	포도즙,　其他 酒類,　돼지고 기(2)	고추(新鮮), 마늘(新鮮, 貯 臟),　其他菜 蔬, 其他 감귤 類, 乳製品等

주/1. 美國, 카나다, 濠洲 뉴질랜드 關心品目 總計：①＋②＝93個

　　→'92～'94에 33個(ⓐ＋ⓑ)反映

　2. EC關心品目 總計：①＋③＝54個

　　→'92～'94에 11個(ⓐ＋ⓒ)反映

調整結果에 對한 檢討

O 10個　程度　追加選定必要(農・畜・水協等　生産者團體　意見도

反映豫定)

O 主要國　關心品目　擴大必要(특히　共通關心品目　擴大時　反映幅

增加率이 커짐)

— 14 —

0047

'92~'94自由化 豫示計劃(案)에서 除外된 158個 品目 內譯

― '95以後 開放에 對備 事前 競爭力提高 對策等이 必要한 品目 ―

| 農 産 物 | : 45個 品目

○ 穀物類(3) : 麥芽(3)
○ 薯　類(3) : 매니옥(3)
○ 菜　蔬(10) : 고추(3), 마늘(4), 양파(2), 其他菜蔬(1)
○ 果實類(15) : 사과(2), 감귤類(9), 포도(2), 단감(1), 과즙음료(1)
○ 其他(14) : 鑵絲類(7), 참깨(2), 땅콩(1), 綠茶(2), 酒類(2)

| 畜 産 物 | : 51個 品目

○ 家　畜(2) : 소(2)
○ 肉　類(22) : 쇠고기(11), 돼지고기(9), 닭고기(2)
○ 酪農製品(24) : 粉乳(7), 연유(4), 버터(2), 치이즈(5), 유장(2),
　 其他牛乳(1), 乳糖(1), 커어드(1), 버터밀크(1)
○ 其他(3) : 천연꿀(1), 인조꿀(1), 조란(1)

| 林 産 物 | : 6個 品目

○ 밤(2), 잣(2), 대추(2)

| 水 産 物 | : 56個 品目

○ 명태(5), 오징어(4), 고등어(4), 갈치(3), 꽁치(3), 방어(2),
　 넙치(3), 장어(3), 전복(1), 새우(3), 김(3),
　 冷凍·乾燥조기(2), 멸치等 重要魚類(20)

― 15 ―

0048

2. 補完對策 樹立 및 推進計劃

```
┌─────────────────┤ 推 進 方 向 ├─────────────────┐
│                                                          │
│  ○ '89~'91 開放品目에 對한 補完對策 發展                │
│                                                          │
│  ○ '92~'94 開放에 따른 補完對策講究                     │
│                                                          │
│  ○ 主要品目 '95以後 開放 또는 UR妥結에 對備 品目別 競爭力提高 │
│    對策樹立推進                                          │
│                                                          │
│  ○ 農漁村發展 綜合對策等 旣存對策 支援體系 補强(財政投資 擴充) │
│                                                          │
└──────────────────────────────────────────────────────┘
```

○ 補完對策 樹立時 農漁民意思 反映

○ 差額報償等 直接被害 報償方針 定立(對象品目, 物量, 單價等)

　－ '89~'91開放品目 : 콩, 옥수수, 釀造用 포도, 油菜等

　－ '92~'94開放對象 : 一部品目

○ 關稅等 開放補完措置 手段 最大限 活用

　－ 國內外價格差 賦課條項(關稅法 第16條)의 積極活用

　－ 彈力關稅(割當關稅, 季節關稅. 調整關稅等)運用擴大

○ '95以後 開放 또는 UR妥結에 對備한 品目別 競爭力提高 對策 積極推進

○ 間接被害 補完對策 財源 擴充(農安基金等)

○ 構造調整 投資計劃은 農發對策 補完時 및 7次 5個年 計劃等에 持續的으로 反映推進

Ⅳ. 弘報 및 主要日程 推進計劃

| 推進方向 |

○ 發表時點을 基準으로 事前·事後로 區分하여 弘報

○ 國內外 弘報 同時推進

○ 主要 內部日程 推進狀況에 따라 進行狀況 수시 弘報 및 輿論收斂

○ 時點別로 主要弘報對象에 對한 弘報力點事項 浮刻努力

○ 關係部處는 물론 靑瓦臺·黨·總理室等과도 有機的인 意見交換

　 및 共感帶 擴散

○ 各種 外交經路를 通하여 主要交易相對國에 我國入場을 傳達

　 並行推進(事前·事後)

○ 自由化計劃 發表와 同時 關聯弘報가 蹉跌없이 이루어질 수 있도

　 록 弘報資料 事前製作, 配布完了

日程別 推進計劃

<發表前> : 弘報, 意見收斂, 內部日程 推進

日 時	主 要 日 程	重 點 事 項	主 管
'91. 3初	經濟長官會議	○ '92~'94 自由化豫示 및 補完對策	EPB
	公 聽 會	○ UR協商과 BOP와의 關係定立	農村經濟
		○ BOP豫示의 不可避性	研究院
		○ 自由化品目의 選定基準	
	輸入開放 補完	○ 公聽會 結果 說明	農林水産部
	對策審議會	○ 主要懸案問題에 對한 意見交換	
		○ 未解決課題等에 對한 解決方向 設定	
'91.3中旬	輸入開放補完	○ 輸入補完對策審議會 結果說明	農林水産部
	對策特別委	○ 言論機關, 生産者團體, 農漁民團體,	
		消費者團體等 廣範圍한 意見收斂	
	對外協力委員會,	○ 政府(案)에 對한 確定節次를 內部的	EPB
	輸入開放補完	으로 進行	農林水産部
	對策審議會, 産		商工部
	業政策審議會等		
	總理, 副總理	○ 政府方針 樹立時 黨과도 意見 交換	農林水産部
	報 告 및 黨政		
	協 議 等		
'81.3 末	大統領報告‧	○ 政府方針 確定	EPB
	發表	○ 國會說明	外務部
		○ 利害當事國 說明	農林水産部
		○ GATT通報	

※ 發表以前까지 : leaflet, 問答集, 記者團用 配布資料, 農振廳의 地域別 技
   術對應 弘報資料 및 國外弘報 資料, 訓令 送付 完了

— 18 —

<發表後> : 體系的, 段階的 弘報

○ 1次的으로 直接的인 利害當事者인 對農漁民 弘報에 力點을 두고 推進

　－ TV, 新聞等 言論報道媒體를 活用하여 持續的으로 弘報

　－ 主要日刊紙 論說委員, 經濟部長 事前說明 先行(次官 및 次官補等)

○ 主要農業關聯團體 代表等 召集, 說明會 開催

○ 農林水產關聯 組職에 對한 集中敎育을 通한 全 農水產公職者 弘報
　要員化(특히 農·畜·水協) : 局長級 巡廻講義

○ 政府의 重點弘報事項으로 管理(EPB, 公報處 協調)

○ 市·道知事 또는 擔當局長 會議召集 敎育實施(內務部系統을 通한
　弘報推進)

○ 市郡別 技術的 對應方案 樹立과 이를 바탕으로 한 現場위주 弘報
　推進(道振興院長 會議召集 및 農振廳 系統을 通한 弘報)

○ 對外弘報 努力強化(外務部, 在外公館等 協調)

　－ 駐韓 外交關係官 召集, 說明會 開催

　－ 在外公館을 通한 主要 交易相對國에 對한 我國入場 傳達(事前에
　資料 및 訓令送付)

○ 輸入自由化 品目의 輸入實績 및 自由化 以後의 政府 對應狀況도
　수시 弘報하므로써 農漁民의 不安感 解消

－ 19 －

0052

HS 번호	품 목 명	HS 번호	품 목 명
1104-12-0000	귀리(압착,플레이크)	1211-20-9900	인삼(기타)
1104-19-0000	곡물(기타/압착,플레이크)	1212-20-2090	미역(기타)
1104-21-0000	보리(기타)	1212-20-3090	못(기타)
1104-22-0000	귀리(기타)	1212-20-9090	해초류(기타)
1104-23-0000	옥수수(기타)	1214-90-1000	사료용 근채류
1104-29-1000	율무(기타/가공)	1214-90-9000	사료용 근채류(기타)
1104-29-9000	곡물(기타)	1302-19-1210	홍삼정
1105-10-0000	감자(분,조분)	1302-19-1220	홍삼정분
1105-20-0000	감자(플레이크)	1302-19-1290	홍삼엑기스(기타)
1108-11-0000	밀(전분)	2106-90-3021	홍삼차
1108-12-0000	옥수수(전분)	2106-90-3029	홍삼조제품(홍삼차외기타)
1108-13-0000	감자(전분)	2301-10-1000	육의분.조분.펠리트
1108-14-0000	매니옥(카사바/전분)	2301-20-1000	어류의 분.조분.펠리트
1108-19-1000	고구마(전분)	2301-20-9000	수생동물의 분.조분.펠리트
1108-19-9000	전분(기타)	2306-90-1000	참깨유박
1108-20-0000	이눌린	2308-90-0000	사료용 식물성 부산물
1201-00-0000	대두	2309-90-1090	배합사료(기타)
1202-10-0000	낙화생(미탈각)	2309-90-2010	단미사료.보조사료(무기물,
1202-20-0000	낙화생(탈각)		광물질 주원료)
1209-91-0000	채소종자	2309-90-2020	단미사료.보조사료
1209-99-3000	연초종자		(향미재 주원료)
1209-99-9000	종자(기타)	2309-90-2090	단미사료.보조사료(기타)
1211-20-1100	수삼	2309-90-9000	사료용조제품(기타)
1211-20-1210	백삼(본삼)	2401-10-1000	잎담배(황색종/주맥미제거)
1211-20-1220	백삼(미삼)	2401-10-2000	잎담배(버어리종/ 〃)
1211-20-1240	백삼(잡삼)	2401-10-3000	잎담배(오리엔트종/ 〃)
1211-20-1310	홍삼(본삼)	2401-10-9000	잎담배(기타/ 〃)
1211-20-1320	홍삼(미삼)	2401-20-1000	잎담배(황색종/주맥제거)
1211-20-1330	홍삼(잡삼)	2401-20-2000	잎담배(버어리종/ 〃)
1211-20-2210	홍삼분	2401-20-3000	잎담배(오리엔트종/ 〃)
1211-20-2220	홍삼타브렛	2401-20-9000	잎담배(기타/ 〃)
1211-20-2290	홍삼분말(기타)	2401-30-1000	담배부산물(잎의 주맥)
1211-20-9100	인삼잎.줄기	2401-30-2000	담배부산물(잎부스러기)
1211-20-9200	인삼종자	2401-30-9000	담배부산물(기타)

0053

송(생각요)

경 제 기 획 원

봉조이 10520-180   (503-9147)   1991.3.12.

수신 수신처 참조
제목 우루과이 라운드 농산물협상 대책회의 결과통보

우루과이 라운드 농산물협상 국내보조 실무회의 참석과 관련
('91.3.11-3.15) 하여 개최한 대책회의결과를 별첨과 같이 알려드리니
업무에 참고하시기 바랍니다.   끝.

첨부: 우루과이 라운드 농산물협상 대책회의 개최결과 1부.

경 제 기 획 원 장관

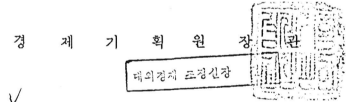

수신처: 외무부장관(통상국장), 농림수산부장관(농업협력통상관)

6635   0054

UR／農産物協商　對策會議　開催結果

Ⅰ. 會議 開催槪要

- 日　時: '91.3.8, 14:30 - 16:00
- 場　所: EPB　대외경제조정실장실
- 參　席: E P B　　대외경제조정실장(회의주재)
        "　　제2협력관
        "　　통상조정2과장
  외 무 부　통상심의관
  농림수산부 농업협력통상관
        "　　국제협력과장

Ⅱ. 主要 協議內容(기술적 쟁점사항에 대한 협상대책방향설정)

1. UR／農産物 國內補助관련 기술적 쟁점회의참가대책 ('91.3.11-15간 개최)

가. 農業補助金規律範圍決定

- 減縮對象政策을 확정하고 나머지는 許容政策으로 분류

- GATT補助金規定보다 農業補助金規律이 보다 강하게 규율 되지 않아야 한다는 입장견지

나. 許容對象政策에 대한 監視,規制

- 減縮對象政策의 범위를 엄격히 하는 조건으로 감축대상 정책에 대한 限度設定은 수용

- 그러나 農業開途國들의 농업에 대한 투자확대의 필요성을 감안하여 許容對象政策의 상한은 설정하지 않는 방향으로 대응

0055

다. 許容對象政策의 範圍 및 條件

- 包括的인 槪念인 NTC를 사용하지 않고 허용대상정책을 예시
  하는 방향으로 對處

  ○ 農業構造 및 下部構造改善政策
  ○ 食糧安保, 地域間 均衡發展, 環境保全등과 같은 농업의
    非交易的機能達成에 필요한 적정수준의 농업유지목적의
    政策
  ○ 開途國의 農業 및 農業開發과 관련된 政策
  ○ 投資支援
    * 단, 허용대상정책에 포함시킨 농업구조 및 하부구조
    개선대책,투자지원에 대해서는 보다 구체화하여 제시

- 許容對象政策의 기준설정에 대해서는 GATT보조금관련규정의
  기준보다 엄격한 基準이 설정되어서는 않된다는 입장견지
  ○ GATT16조에서 1차산품에 대해서는 공산품보다 완화된
    補助金規律基準을 설정

라. AMS活用을 통한 國內補助 減縮條件

- 소액보조에 대한 減縮義務免除 입장견지
- AMS計算方法에 대해서는 우리에게 유리한 방법이 채택
  되도록 대처
  ○ 市場價格支持 계산시 國境保護效果가 포함되지 않는
    방향으로 대응
  ○ 國內基準價格은 우리에게 유리한 가격이 채택되도록
    노력(추후 상세검토후 의견제시)
  ○ AMS計算에서 수입통제비율 및 輸入比率반영되도록 대처
    (식량안보 및 수입국 우대조건)
  ○ 품목별 또는 품목군별 계산방법을 혼합하여 사용하는
    방안제시
  ○ 인플레이션을 고려한 實質價値로 表示

0056

- 關係部處對策會議에서 기합의된바와 같이 보조금, 관세
  상당액 삭감비율은 UR協商의 결정에 따르되 開途國 優待
  原則에 따라 보다 장기간의 <u>履行期間을 부여하여야 한다는</u>
  立場을 주장

- 다른의제와의 일관성유지를 위해 地方政府의 補助金支給도
  규율대상에 포함되어야 한다는 입장견지

마. GATT規律 및 原則強化

  - 現行 GATT體制가 유지되는 방향으로 對處

2. 我國의 UR/農産物協商에 대한 정확한 立場을 關係國에 전달

  - '91.1.15 TNC會議에서 아국이 農産物協商에서 신축적으로
    임하겠다는 입장을 표명한데 대해 關係國에서 잘못이해하고
    있는 狀況

  - ㅇ 쌀을 제외한 其他品目에 대해서는 협상의 Framework을
    수용할 방침이며 쌀에 대해서도 最小市場接近의 보장을
    수용할 것이라는 인식을 갖고 있음

  - 我國의 立場에 대한 정확한 이해를 돕기 위해 農林水産部
    高位級(次官)을 단장으로 대표단을 구성하여 關係國巡訪을
    추진하되 구체적인 계획을 關係部處協議를 통해 마련

경 제 기 획 원

봉조삼 10502- 278   503-9149   1991. 4. 26.

수신 수신처참조

제목 대외협력위원회 안건 검토

　　　'91.5월초 개최예정인 대외협력위원회의 보고안건으로서 당원이 잠정적
으로 작성한 「UR협상관련 국내후속대책 추진상황 및 향후대책」(안)을 별첨과
같이 송부하니 소관부처에서는 동안건에 포함될 ① 추가적인 과제의 선정,
② 현재의 추진상황,③ 과제 및 소관부처의 적정성 등을 중심으로 검토하여
그 의견을 '91.5.1까지 기일 엄수하시어 회신하여 주시기 바랍니다.

　　첨부: UR협상관련 국내후속대책 추진상황 및 향후대책 1부.　　끝.

경 제 기 획 원 장

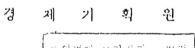

수신처: 국가안전기획부장(제2차장), 외무부장관, 재무부장관, 법무부장관,
　　　　　농림수산부장관, 교육부장관, 문화부장관, 상공부장관, 동력자원부
　　　　　장관, 건설부장관, 보건사회부장관, 노동부장관, 교통부장관,
　　　　　체신부장관, 과학기술처장관, 공보처장관, 특허청장, 항만청장,

11884

0058

UR 농산물 협상 관련 대책 실무회의 개최

1. 일시 및 장소 : 5.2.(목) 16:00, 경기원 대조실장실

2. 참석범위

   o 경제기획원 대조실장, 제2협력관

   o 외 무 부 통상국장

   o 상 공 부 국제협력관

   o 농 수 산 부 농업협력통상관

3. 회의 안건

   o 농수산부 보고

      - GATT 11조 2항 C 개선 관련 아측 입장

      - Country List 관련 한.미 양자협의 대책

      - BOP 관련 갓트 이사회 결과

   o 경기원 보고

      - TPRM 관련 부처간 업무분장

      - UR 협상 구조 재편성에 따른 부처간 업무분장.   끝.

0059

Country List 관련 한.미 양자협의 대책

1991. 5. 2.
통상기구과

1. 미측 희망일자 및 장소

ㅇ 5.18(토), 제네바

※ 농산물 협상 : 5.13-17

2. 대 책

ㅇ 농산물 협상 참가 대표단이 한.미 양자협의도 참가

- 단, C.L.은 품목별 전문지식이 요구되므로 미측 관심사항을 사전 파악하여 충분한 자료준비 및 대비 필요.   끝.

0060

갓트 11조 2항(C) 관련 카나다 제안 요지 및 대책

1991. 5. 2.
통상기구과

1. 카나다 제안 요지

가. Coverage

o 생산 또는 유통 통제중인 fresh products와 동 fresh products를 중량 또는 가격면에서 50% 이상 함유하고 있는 가공산품

o 생산 또는 유통 통제중인 fresh products로 전환될 수 있는 가공산품

o 합의된 품목

o 상기 3개 coverage 이외의 품목으로서 수입제한 없이는 당해 정부의 생산 또는 유통통제의 효율성을 저해할 수 있기 때문에 패널 의견에 따라 통제 가능한 여타품목
  - 혼합산품(mixtures), 신상품, 동종산품 포함(단, 경쟁산품은 제외)
    . 동종산품 예 : cane sugar, beat sugar
    . 경쟁산품 예 : 버터, 마아가린

나. 생산통제

o 생산 또는 유통 통제 물량을 당해년도 초에 체약국단에 통보
  - 단, 국내생산 또는 유통물량의 최소 X%(카나다 제안 : 95%) 이상을 통제 필요

o 199X.1.1. 현재 해당품목 순수입국만 11조 2항(C) 원용 가능
  (11조 2항(C) 원용직전 과거 3년간의 평균 수출수준 이상의 수출은 불가)

0061

o 최소 시장접근 보장

   - 수입실적이 있는 경우

     . 과거 3년간의 수입과 국내생산 비율

   - 과거 3년간의 수입실적이 비관세 장벽으로 인해 대표적이 아닐경우

     . 국내생산의 최소 X% (카나다 제안 : 5%) 이상

   - 수입실적이 미미하거나 전무할 경우

     . 국내생산의 최소 X% (카나다 제안 : 1%) 이상

   - 수입쿼타는 상기 3개 기준에 따라 매년 조정

2. 대 책

o 아국의 11조 2항(C)원용 가능성에 대비, 국명 나열의 공동 제안국으로 참여 필요

   - 일본, 카나다 : 국명 나열의 공동제안에 적극적

   - EC : 원칙적으로 지지하나 순수입국만 11조 2항(C) 원용 가능하다는
            내용에 대하여는 반대

   - 북구 : 원칙적으로 지지.   끝.

0062

BOP 관련 대책

1. 갓트이사회(4.24)시 관심국 발언 요지

가. 공통사항

- BOP 협의 결과와 UR 협상은 별개
  - 단, EC의 경우 BOP 협의 결과와 UR 협상 결과 연계에 이의가 없다는
    입장(4.12. 농수부 농업협력통상관, EC 집행위 관계관 면담 결과)
- 관심품목 반영 저조
  - 관심품목 추가 자유화 요망
- 수입자유화 품목에 대한 품목별 구체적 수입제도 설명 필요
- 추가 협의 요망 및 갓트상 권리 유보

나. 국별 이의 제기사항

1) 미 국
- 자유화 품목중 약 75%가 교역 상대국의 이익과 거의 관련이 없는 품목
- 미국 관심품목중 자유화 품목이라도 92년 : 8개, 93년 : 11개,
  94년 : 14개 품목이 반영되어 자유화가 지연
- 자유화 품목의 향후 관세율에 대한 정보 결여
  - 양허품목의 경우 양허관세, 비양허 품목의 경우 현행 관세율
    적용 기대
- 자유화 품목에 대한 또다른 수입규제 자제 요망
  - 해당 품목에 대한 동.식물 검역, 식품안전 규제가 동 품목이
    수입자유화되기 훨씬 이전 시행되길 기대하며, 동 규제는
    국제적으로 인정된 관례에 합치되는 과학적 근거에 입각하길 요망

1

0063

o BOP 품목중 갓트 분쟁해결 절차에 따라 합의된 품목(쇠고기)은 BOP 협의 결과에 따른 예시 계획 품목과는 무관

o 추가 협의의 목적
   - 자유화 예시 계획 개선
   - BOP 협의 결과 이행과 관련된 포괄적 정보 제공

2) 카 나 다

o 아국 제출 갓트문서 표지에 있는 "phase out restrictions"의 구체적 의미 설명 필요

3) 호   주

o 관심품목 반영 저조
   - 낙농제품, 천연꿀, 신선 과일, 육류등

4) 뉴질랜드

o 관심품목 반영 저조
   - 치즈등 낙농제품, 냉동 오징어, 사과

o 94년에 자유화될 냉동 양고기의 정의 명료화

2. 대 책

가. 기본 방향

o 현단계에서 양보 곤란한 사항은 기존 입장 견지
   - 추가 자유화 문제, BOP 협의 결과 및 UR 협상 결과 연계 문제

o 여타 사항에 대하여는 추가 협의시 아국 입장 상세 설명을 통해 상대측 오해 불식

2

0064

나. 세부 입장

o 추가 자유화, BOP와 UR 연계 문제

  - 기존 입장에 따라 대처

  - 단, BOP와 UR 연계문제 관련 상대측 반응을 보아가며 UR 협상 타결
    전후 해당 품목별 협의 가능함을 시사

o 수입자유화 품목에 대한 수입제도 설명

  - 품목별 수입제도(동.식물 검역, 식품안전규제 제도 포함) 상세를
    상대측에 설명, 오해 불식

o BOP 품목의 관세율 문제(미측 제기사항)

  - UR 협상 타결전까지는 양허품목에 대하여는 당연히 양허 관세를
    적용하되, UR 타결후에는 양허 관세에 대한 UR 협상 결과에
    합치시킬 수 있는 권리는 유보

  - 비양허 품목은 원칙적으로 현행 관세를 적용하되, 극소수 품목
    (예 : 설탕)에 한해 관세 인상 계획임을 사전 설명
    (단, UR 타결후에는 UR 협상 결과에 합치)

o 추가 협의 문제

  - 상대측이 구체적 협의 일자를 제시해 올 경우 적극 검토.   끝.

3

갓트/무역정책 검토 제도(Trade Policy Review Mechanism)

1991. 5. 2.
통상기구과

1. 성 격

○ 각국의 무역정책에 대한 정기적이며 집단적인 평가와 검토

- 개별국에 대한 갓트 회원국의 집단적인 무역정책 검토는 갓트 창설이래 최초로 실시되는 제도

○ UR의 GATT 기능 강화 그룹에서 '89.4 조기수확 분야로 채택

- '89.12부터 미국, 호주, 모로코등 자발적 참여국가를 대상으로 실시중

○ 각국의 무역정책 및 관행의 명료성 증대와 이해를 통한 다자간 무역 체제 기능의 원활화 도모

- TPRM의 결과는 특정 GATT상 의무 이행의 강제 또는 새로운 의무부과 의도로 사용되지 않음

2. 실시 방법

○ 검토 주기

- 4대 교역국(미국, 일본, EC, 카나다) : 2년
- 아국등 16개국(5위-20위) : 4년
- 기타국 : 6년

○ 검토 내용 : 무역정책의 Framework 형태별 무역정책 실시, 대내외 경제환경등

○ 검토 근거 : 검토 대상국 보고서 및 사무국 보고서

1

0066

o 검토 기관 : GATT 특별이사회

o 검토 효과 : 이사회 검토 결과는 즉시 공표되고 차기 총회에서 보고됨

o 시   행 : UR 종료시까지 잠정적 시행 및 종료시 보완

3. 국별 실시 실적 및 실시 계획

o 실시 실적

- '89.12월 : 호주, 미국, 모로코

- '90.4월 : 스웨덴, 콜롬비아

- '90.7월 : 카나다, 일본, 홍콩, 뉴질랜드

o 실시 예정(계획 확정)

- '91.4월 : EC, 헝가리, 인도네시아

    (당초 90.12월까지 실시 예정이었으나 UR 협상 진행으로 연기)

- '91.6월 : 방글라데시, 칠레, 태국

- '91.9월 : 노르웨이, 스위스, 나이제리아

- '91.12월 : 알젠틴, 오스트리아, 핀란드, 가나, 싱가폴, 미국

o 92년 상반기 실시 희망국 : 이집트, 한국, 우루과이

4. TPRM 준비 관련사항

o TPRM 실시 준비작업 소요기간

- 6-8개월 소요

- 많은 인력 및 시간소요 (일본의 경우 외무성에 4인 전담반 구성)

o 보고서 준비 절차

- 사무국, 국별보고서 작성 제출 시한 통보

2

0067

- 사무국 보고서 작성

  . 사무국 방문단(2-3인), 검토대상국 방문(통상 1주일 정도 체류)

  . 방문 2-3주전 질문사항 목록제시(질문 목록 : 수십 페이지의 방대한 양)

  . 방문기관 : 정부관련부처, 중앙은행, 경제단체등

o 보고서 제출

  - 국별 보고서, 검토회의 12주전까지 사무국에 제출

  - 국별 보고서 및 사무국 보고서를 검토회의 4주전까지 체약국에 배포.

  끝.

3

0068

TPRM 실시 대비 부처별 업무분장

1. 외무부 안 (91.4.12. 관계부처에 송부)

o 아국 보고서 작성

- 총괄 : 경제기획원 (연구기관 협조)

- 분야별 자료 작성 : 관계부처

- 갓트사무국과의 협의등 대외교섭 : 외무부

o 사무국 보고서 작성

- 갓트사무국과의 협의등 대외교섭 : 외무부

- 사무국 질문사항 답변서 작성 : 경제기획원(관계부처 협조)

- 사무국 방문단 일정 주선 : 외무부(관계부처 및 관계기관과 협조)

o 관련제도, 관행 정비 보완 : 경제기획원(관계부처와 협조)

o 검토 회의(특별이사회) 대비

- 대책 수립 : 경제기획원(관계부처 협조)

- 회의 참석 : 수석대표(주 제네바 대사)외 관계부처 대표, 연구기관등
  자문위원

2. 다른부처의 이견에 대한 당부 입장

o 아국 보고서 및 사무국 질문사항에 대한 답변서 작성등 실질적 사항을 전담
  또는 총괄할 부처 선정에는 중립적 입장 견지

o TPRM 특별이사회에 참석하는 대표단 구성시 수석대표는 주 제네바 대사 또는
  외무부 본부 간부가 맡도록 추진

0069

ㅇ 사무국 방문단 방한시에 전반적인 일정 주선등 접촉 창구 역할은 외무부가
　전담

첨　부 : 갓트/무역정책 검토 제도 개요.　　　　　끝.

0070

TPRM 실시 대비 부처별 업무분장

1. 외무부 안 (91.4.12. 관계부처에 송부)

o 아국 보고서 작성

  - 총 괄 : 경제기획원 (연구기관 협조)

  - 분야별 자료 작성 : 관계부처

  - 갓트사무국과의 협의등 대외교섭 : 외무부

o 사무국 보고서 작성

  - 갓트사무국과의 협의등 대외교섭 : 외무부

  - 사무국 질문사항 답변서 작성 : 경제기획원(관계부처 협조)

  - 사무국 방문단 일정 주선 : 외무부(관계부처 및 관계기관과 협조)

o 관련제도, 관행 정비 보완 : 경제기획원(관계부처와 협조)

o 검토 회의(특별이사회) 대비

  - 대책 수립 : 경제기획원(관계부처 협조)

  - 회의 참석 : 수석대표(주 제네바 대사)외 관계부처 대표, 연구기관등
             자문위원

2. 다른부처의 이견에 대한 당부 입장

o 아국 보고서 및 사무국 질문사항에 대한 답변서 작성등 실질적 사항을 전담
  또는 총괄할 부처 선정에는 중립적 입장 견지

o TPRM 특별이사회에 참석하는 대표단 구성시 수석대표는 주 제네바 대사 또는
  외무부 본부 간부가 맡도록 추진

0071

o 사무국 방문단 방한시에 전반적인 일정 주선등 접촉 창구 역할은 외무부가
   전담

첨 부 : 갓트/무역정책 검토 제도 개요.   끝.

0072

갓트/무역정책 검토 제도(Trade Policy Review Mechanism)

1991. 5. 2.
통상기구과

1. 성 격

o 각국의 무역정책에 대한 정기적이며 집단적인 평가와 검토

  - 개별국에 대한 갓트 회원국의 집단적인 무역정책 검토는 갓트 창설이래 최초로 실시되는 제도

o UR의 GATT 기능 강화 그룹에서 '89.4 조기수확 분야로 채택

  - '89.12부터 미국, 호주, 모로코등 자발적 참여국가를 대상으로 실시중

o 각국의 무역정책 및 관행의 명료성 증대와 이해를 통한 다자간 무역 체제 기능의 원활화 도모

  - TPRM의 결과는 특정 GATT상 의무 이행의 강제 또는 새로운 의무부과 의도로 사용되지 않음

2. 실시 방법

o 검토 주기

  - 4대 교역국(미국, 일본, EC, 카나다) : 2년

  - 아국등 16개국(5위-20위) : 4년

  - 기타국 : 6년

o 검토 내용 : 무역정책의 Framework 형태별 무역정책 실시, 대내외 경제환경등

o 검토 근거 : 검토 대상국 보고서 및 사무국 보고서

1

0073

o 검토 기관 : GATT 특별이사회

o 검토 효과 : 이사회 검토 결과는 즉시 공표되고 차기 총회에서 보고됨

o 시   행 : UR 종료시까지 잠정적 시행 및 종료시 보완

3. 국별 실시 실적 및 실시 계획

o 실시 실적

- '89.12월 : 호주, 미국, 모로코

- '90.4월 : 스웨덴, 콜롬비아

- '90.7월 : 캐나다, 일본, 홍콩, 뉴질랜드

o 실시 예정(계획 확정)

- '91.4월 : EC, 헝가리, 인도네시아

   (당초 90.12월까지 실시 예정이었으나 UR 협상 진행으로 연기)

- '91.6월 : 방글라데시, 칠레, 태국

- '91.9월 : 노르웨이, 스위스, 나이제리아

- '91.12월 : 알젠틴, 오스트리아, 핀란드, 가나, 싱가폴, 미국

o 92년 상반기 실시 희망국 : 이집트, 한국, 우루과이

4. TPRM 준비 관련사항

o TPRM 실시 준비작업 소요기간

- 6-8개월 소요

- 많은 인력 및 시간소요 (일본의 경우 외무성에 4인 전담반 구성)

o 보고서 준비 절차

- 사무국, 국별보고서 작성 제출 시한 통보

2   0074

- 사무국 보고서 작성

  . 사무국 방문단(2-3인), 검토대상국 방문(통상 1주일 정도 체류)

  . 방문 2-3주전 질문사항 목록제시(질문 목록 : 수십 페이지의 방대한 양)

  . 방문기관 : 정부관련부처, 중앙은행, 경제단체등

o 보고서 제출

  - 국별 보고서, 검토회의 12주전까지 사무국에 제출

  - 국별 보고서 및 사무국 보고서를 검토회의 4주전까지 체약국에 배포.

                                                            끝.

3

0075

UR 협상 구조 재편에 따른 부처간 업무분장

1. 현행 협상 대응체제

○ 아국 입장 통합조정을 위한 UR 대책 실무위원회 설치 운영('86.12)
  - 위원장 : 대조실장
  - 위 원 : 관계부처 관련 국장

○ 15개 협상 분야별로 관련 주관부처 중심으로 협상 참가
  - 경제기획원 : 서비스
  - 외 무 부 : 갓트 조문, 갓트 기능, 분쟁해결, SS/RB, (MTN)
  - 재 무 부 : 관세, TRIMs, 보조금/상계관세
  - 상 공 부 : 비관세, 섬유, 세이프가드, 천연자원, MTN
  - 농림수산부 : 농산물, 열대산품
  - 특 허 청 : TRIPs (91.2. 경제기획원에서 특허청으로 이관)

2. 재편된 UR 협상 구조 및 주관부처

協商 그룹	管掌 分野	主管部處
市場 接近	關稅, 非關稅, 天然資源, 熱帶産品	재무부, 농수산부, 상공부
纖 維	纖 維	상공부
農 産 物	農 産 物	농수산부
規範 制定 및 TRIMs	補助金, 相計關稅, 반덤핑, 세이프가드, 船積前 檢査, 原産地 規定, MTN(技術障壁, 輸入許可節次, 關稅評價, 政府調達), 갓트 條文, TRIMs	외무부, 재무부, 상공부
TRIPs	知的財産權	특허청
制度分野	紛爭解決, 最終議定書, 갓트 機能 强化	외무부
서 비 스	서 비 스	경제기획원

0076

3. 부처간 업무분장 재조정에 관한 당부 입장

o 현행 15개 분야별 주관부처 업무분장 체제 유지가 바람직

  - 막바지 협상에 대비한 부처별 전문성 유지

  - 7개 협상그룹으로 협상구조가 재편 되었으나, 실제 협상은 과거 15개
    분야별 구분이 그대로 유지된다는점 고려

o 7개 협상 그룹별 협상 진행(회의 개최)시 대표단은 협상 주관부처에서
  파견하고 수석대표는 주요 협상 대상분야등을 감안, 적절히 협의, 선정

o 과거 15개 협상그룹 이외의 새로운 분야인 최종의정서는 외무부에서 전담

  - 조약체결에 관한 사항

  - 제도분야 협상그룹의 다른 분야(분쟁해결, 갓트 기능 강화)도 외무부에서
    전담하는 점을 감안.   끝.

0077

UR協商그룹 改編에 따른 國內對應體系 調整(案)

1. 協商對應體系 補完

- '91.4.25 TNC會議에서 7개 協商그룹이 확정됨에 따라 國內
  協商對應體系를 보완하여 제네바대표부의 實務協商擔當官 및
  國內擔當部處를 調整
  - ○ 主된 議題를 담당하고 있는 부처가 새로운 協商그룹을 대표
  - ○ 既存 <u>7個 實務小委를 再構成</u>하여 향후 協商에 本格對應

〈각 協商그룹별 對應體系(案)〉

既存 協商 議題	새로운 協商그룹	實務協商擔當官 (제네바)	國內 對應部署		備 考
			主務部處	關聯部處	
① 관세(재무부)	1. 시장접근	재무관	재무부	상공부, 농림수산부등	
② 비관세(상공부)					
③ 열대산품(농림수산부)					
④ 천연자원(상공부)					
⑤ 섬유(상공부)	2. 섬유	상무관	상공부		
⑥ 농산물(농림수산부)	3. 농산물	농무관	농림수산부		
⑦ GATT조문(외무부)	4. 규범제정 및 부자	┌참사관 상무관 └재무관	~~① 외무부~~ ② 상공부 ~~③ 재무부~~	외무부, 재무부 상공부등	○實務案은 作成되어 있으며 앞으로 Trade off가 中心 課題
⑧ MTN협정(외무부)✕					
⑨ 보조금 및 상계관세 (재무부)					
⑩ 세이프가드(상공부)✕					
⑪ TRIM(재무부)					
⑫ 분쟁해결(외무부)	5. 제도분야	참사관	외무부	상공부	○최종의정서를 새로이 추가
⑬ GATT기능강화(외무부)					
⑭ 지적소유권(특허청)	6. 지적소유권	특허청 파견관	특허청	문화부,상공부 과기처등	
⑮ 서비스(EPB)	7. 서비스	경협관	EPB	서비스협상관련 17개 부처	

註: 기존 7개 **實務小委構成現況**: 關稅(재무부 관세국장: ①, ⑨),부자(재무부 경제협력국장:

⑪), 市場接近(상공부 국제협력관: ②,④,⑤,⑩), 農産物(농림수산부 국제협력관: ③,⑥),

GATT(외무부 봉상국장: ⑦,⑧,⑫,⑬), 知的所有權(특허청 국제협력관: ⑭), 서비스(EPB

제2협력관: ⑮)

0078

2. 向後 協商對策

① 각 協商그룹별로 我國立場의 綜合

- 主管部處를 中心으로 UR대책 實務小委員會 再構成 재구성 ?

- 새로 구성된 7개 協商그룹별로 5월중 實務小委를 개최하여
  그룹별 協商進行狀況 및 我國對應方向 再調整

- 關係部處와의 협의가 필요한 주요쟁점사항은 「UR對策實務
  委員會」 및 「對外協力委員會」에 상정하여 政府方針을
  決定

② 마무리단계에서 我國立場이 일관성을 유지할 수 있도록 각
  協商그룹間 유기적인 協調强化

- 각 協商그룹회의 참가시 「UR對策實務委員會」에서 我國의
  最終立場을 점검.확정

③ 國內補完對策의 本格推進

- 각부처가 추진해오던 國內補完對策을 재점검하고 綜合的인
  차원에서 後續對策 마련과 함께 協商代案 발굴

  ㅇ 현재 經濟企劃院에서 作成한 對策案을 中心으로 關係
    部處 意見 조회중 (5.1 까지) → 5. 10. 대내외시 이경에 재출

◇ 上記方案에 대하여 實務協議가 完了될 경우 5月初 開催
  豫定인 「對外協力委員會」에 上程 政府方針 確定.施行

0079

UR 협상 대책 실무위원회 회의 결과

1. 일   시 : 1991. 5. 2.(목) 16:00-18:00

2. 장   소 : 경제기획원 대조실장실

3. 회의주재 : 경제기획원 대조실장

4. 참 석 자 : 경제기획원 대조실 제2협력관

　　　　　　　외무부 통상국장 (통상기구과장 배석)

　　　　　　　농림수산부 농업협력통상관

　　　　　　　상공부 국제협력관

　　　　　　　재무부 국제관세과장

5. 안건별 논의내용

1) UR 협상 국내 대응 체계

　○ 91.4.25. TNC 회의 결과 7개 협상 그룹으로의 재편에 따라, 국내
　　 UR 대책 실무소위 주무부처도 아래와 같이 개편
　　　- 시장접근 : 재무부
　　　- 섬   유 : 상공부
　　　- 농 산 물 : 농림수산부
　　　- 규범제정 및 TRIMs : 상공부
　　　- 제도분야(최종의정서 포함) : 외무부
　　　- 지적소유권 : 특허청
　　　- 서 비 스 : 경제기획원

　○ 5월중 UR 대책 실무소위 개최, 아국 대응 방안 재조정

0080

2) 국별 무역정책 검토(TPRM) 대비 업무분장

   o 92년 상반기 실시 예정인 대아국 TPRM 관련 아래와 같이 업무분장
     - 국내 총괄 조정 : 경제기획원
     - 대외 교섭 업무 : 외무부
     - 세부 분야별 담당 : 추후 협의 결정

3) BOP 자유화 예시 계획 대책

   o 관계 이해 당사국과의 협의에 응하여, 자유화 방법, 관세율, 검역등
     질문사항에 성의있게 설명

   o 관심품목 반영 미진 주장에 대하여는 자유화 계획 수정이 불가하다는
     사정 설명
     - 이에 대해 당부는 대미 양자관계 악화 방지를 위해 몇개 관심품목의
       추가 자유화 여부 검토 필요성 지적

   o UR 협상 결과에 일치시키는 문제에 대하여도 현재의 논리 계속 유지

4) 갓트 11조 2항(C) 공동 제안 문제

   o 카나다의 갓트 11조 2항(C) 개정 제안에 아국도 국명을 명시하는
     형태로 공동 제안국이 됨.

6) 농산물 협상 C/L 관련 대미 양자협의

   o 미국과의 C/L 양자협의는 가급적 5.20경 서울에서 개최하도록 일단 제의
     - 미측 불응시 미측 제안대로 5.18경 제네바에서 개최

   o 관련 국내 홍보는 미국이 아국 농산물 시장 개방 압력을 행사한다는
     인상 주지 않도록 low key로 실시.   끝.

0081

21111

기 안 용 지

분류기호 문서번호	통기 20644-	(전화: 720 - 2188)	시 행 상 특별취급	
보존기간	영구 . 준영구 10. 5. 3. 1.	장	관	

수 신 처 보존기간	
시행일자	1991. 5. 8.

보 조 기 관	국 장	전 결	협 조 기 관		문 서 통 제
	심의관	추결			
	과 장	추결			
기안책임자		조 현			발 송 인

경 유 수 신 참 조	경제기획원장관 **대조실장**	발 신 명 의	

제 목	대외협력위원회 안건 검토 통보

대 : 통조삼 10502-278

대호 대외협력위원회의 보고 안건으로 귀원에서 작성한 "UR

협상 관련 국내 후속대책 추진 상황 및 향후대책'(안)에 대한 당부

검토 의견을 아래와 같이 통보합니다.

　　1. 국내 후속대책 추진 과제 및 향후대책중 3항 "국제화에

　　　　대한 인식제고 및 대외교섭 능력의 확충"(page 10 하단)

- 1 -

0082

o 마지막항 "통상업무 비중이 높은 재외공관과 경제부처간의
협력관계 강화"를 삭제하고 "통상업무 비중이 높은
통상교섭 거점 공관에는 통상분야 전문 우수인력 우선
배치"로 대체

o 91.3.31 대통령께 보고한 "통상외교체제 강화 방안의
기본지침"에 따라 3.국제화에 대한 인식제고 및 대외
교섭 능력의 확충 추진 대책에 아래 항목 추가

" - 통상외교 체제 강화 추진

o 외무부의 외교 교섭 창구 역할 및 기능 강화

o 관련 경제부처간의 협조 강화

o 정부내 대외통상업무 수행 능력 강화

o 국회와의 협조체제 강화

o 민간업계 연구기관과의 협조 강화"

2. 부처별 추진 과제 및 추진일정 (page 12)

- 2 -

0083

ㅇ (갓트의 기능 강화에 대한 대응체제 정비) 2항 "무역정책

검토 보고서 작성 대책"을 아래와 같이 변경

"2. 아국의 갓트/무역정책검토(TPRM) 실시 대책

- 주관 : 외무부, 경제기획원

- 협조 : 상공부등 관계부처"

ㅇ 주 제네바 대표부 기능 확충 대책의 협조부처

"경제기획원"을 "경제기획원등 관계부처"로 변경.   끝.

- 3 -

0084

16621

기 안 용 지

분류기호 문서번호	통기 20644-	(전화 : 720 - 2188)	시 행 상 특별취급	
보조기간	영구. 준영구 10. 5. 3. 1.	장 관		
수 신 처 보존기간				
시 행 일 자	1991. 5. 13.			

보조 기관	국 장	전 결	협 조 기 관	문 서 통 제
	심 의 관			
	과 장			
기안책임자		조 현		발 이

경 유 수 신 참 조	주 제네바 대사	발 신 명 의	

제 목	UR 대책 실무위원회 회의 결과

91.4.25 UR TNC 회의에서 UR 협상그룹 회의를 조정함에 따라

이에 대한 국내 대응 체제를 마련하고자 표제 회의를 5.2 개최

하였는바, 동 회의 결과를 아래와 같이 통보하니 UR 협상 관련

업무에 참고하시기 바랍니다.

1. 7개분야 실무 소위원회 구성

- 1 -

o 현재 15개 의제별로 운영되어온 국내 협상 대응 체제를

  7개분야로 재조정하여 주관부처를 결정하고 7개분야별로

  실무 소위원회를 재구성하여 협상에 대처토록 함.

  (별첨 UR 협상 국내 대응체제표 참조)

o 주관부처에서는 분야별 실무 소위원회를 조속한

  시일내에 재구성토록 함.

  - 분야별 실무 소위원회 위원장은 소관부처 담당

    국장으로 하고 위원장은 위원회 구성 및 업무를

    종합 조정

  - 위원은 소관분야 관계부처 과장 및 관계 전문가로 구성

  (주요 의제별로 간사를 임명 운용)

2. 부처간 협의체제 강화

o 향후 협상은 분야별 협상과 전체 협상이 유기적 관련아래

  진행될 것으로 전망되므로 우리의 협상 대안에 대한

- 2 -

0086

부처별 이해증진과 정부 협상안의 일관성 유지가

요청되는바, 협상 대안에 대한 부처간 협의체제를 일층

강화토록 함.

- 협상 관련부처는 모든 협상 참여시 반드시 「UR 협상

대책 실무위원회(위원장 : 경제기획원 대외경제

조정실장)」에 소관사항에 대한 협상안을 상정하여

관계부처와의 실무 협의를 거친후 정부 방침을 가지고

협상에 대처

- 주요정책 결정이 필요한 사항에 대하여는

「대외협력위원회」에 상정하여 정부방침 결정

3. 농산물 협상 대응 방안

ㅇ 농림수산부는 GATT 11조 2항 C 개정내용중 참여국간

합의에 의해 결정되는 동종 상품을 발굴하여 협상에

임하는 한편 동 조항을 원용할 수 있도록 법적근거등

국내제도를 정비

- 3 -

0087

ㅇ 외무부는 농림수산부에서 제시한 협상안을 주 제네바

대표부에 훈령으로 전달

ㅇ 향후 농산물 협상에는 필요시 관계부처 참여

첨 부 : UR 협상그룹 개편에 따른 국내 대응체계 조정 내역.   끝.

- 4 -

0088

경 제 기 획 원

봉조삼 10502-285   503-9149   1991. 5. 4.

(국장공란될)

수신 수신처참조   외무부.

제목 UR대책 실무위원회 회의결과 통보

1. 지난 4.25 개최된 UR무역협상위원회(TNC, 제네바)에서 결정된 협상
그룹회의 조정에 따른 국내대응체제 마련과 농산물협상에서의 우리나라 대응
방안 마련을 위하여 다음과 같이 표제의 회의를 개최하였습니다.

다   음

가. 회의일시: 1991. 5. 2(목)   16:00-18:00

나. 장   소: 경제기획원 대외경제조정실장실

다. 참 석 자: 경제기획원   대외경제조정실장 (주재)

　　　　　　　　"   제2협력관

　　　　　　외 무 부   통상국장

　　　　　　재 무 부   관세국장 (대리참석)

　　　　　　농림수산부   농업협력통상관

　　　　　　상 공 부   국제협력관

라. 회의안건

　　① UR협상그룹 개편에 따른 국내대응체계 조정

　　② 농산물협상 대응방안

　　　- '92-'94 수입자유화 예시계획에 대한 교역상대국의 반응

　　　　및 대책

　　　- Country List 관련 한.미 양자협의 대책

　　　- GATT 11조 2항 C 개선관련 공동제안에 대한 아측입장

2. 금번회의에서는 전체 UR협상과 관련하여 향후 본격적으로 진행될
UR협상에서 협상의 동향을 신속히 파악하고 우리의 입장을 능동적으로 개진할

12839   0089

수 있도록 국내대응체제 및 협상대안마련 절차를 재정비토록 다음과 같이 결정하였으니 향후 업무추진에 만전을 기해 주시기 바랍니다.

　　　　가. UR협상 무역협상위원회(TNC)에서 협상그룹회의가 현재의 15개 분야에서 7개협상그룹으로 개편됨에 따라 현재 15개 의제별로 운영되어온 국내 협상대응체제를 7개분야로 재조정하여 주관부처를 결정하고 7개분야별로 실무 소위원회를 재구성하여 협상에 대처토록 함.

　　　　　　① 7개분야별 주관부처 (별첨 「UR협상그룹 개편에 따른 국내
　　　　　　　　대응체계 조정」 참조)

　　　　　　② 주관부처에서는 분야별 실무소위원회를 조속한 시일내에
　　　　　　　　재구성토록 함.

　　　　　　　- 분야별 실무소위원회 위원장은 소관부처 담당국장으로 하고
　　　　　　　　위원장은 위원회 구성 및 업무를 종합.조정

　　　　　　　- 위원은 소관분야 관계부처 과장 및 관계전문가로 구성
　　　　　　　　(주요의제별로 간사를 임명운용)

　　　　　　③ 기타 행정사항

　　　　　　　- 분야별 실무소위원회를 구성 경제기획원(통상조정3과)에 통보
　　　　　　　- 분야별로 협상진행상황 및 우리의 입장을 종합정리하여 5월중
　　　　　　　　UR대책 실무위원회에 상정 (회의일정 추후통보)

　　　　나. 향후 협상은 분야별 협상과 전체협상이 유기적 관련아래 진행될 것으로 전망되고, 이에따라 우리의 협상대안에 대한 부처별 이해증진과 정부 협상안의 일관성 유지가 요청되므로 협상대안에 대한 부처간 협의체제를 일층 강화토록 함.

　　　　　　① 협상관련 부처는 모든 협상참여시 반드시 「UR협상대책 실무
　　　　　　　　위원회(위원장: 경제기획원 대외경제조정실장)」에 소관사항에
　　　　　　　　대한 협상안을 상정하여 관계부처와의 실무협의를 거친후 정부
　　　　　　　　방침을 가지고 협상에 대처

0090

② 주요정책결정이 필요한 사항에 대하여는 「대외협력위원회」

　　에 상정하여 정부방침결정

　　다. TPRM(무역정책 검토보고서) 작성을 위한 세부추진 일정 및 작업

방향에 대하여는 경제기획원에서 실무안을 마련 「UR대책 실무위원회」에 상정

토록 함.

　　라. 상기 UR대책 실무위원회의 결정사항은 5월초 개최예정인 「대외

협력위원회」에 보고예정임.

　　3. 농산물협상 대응방안에 대하여는 농림수산부(안)대로 추진해 나가되

관계부처에서는 다음사항에 협조하여 주시기 바랍니다.

　　가. 농림수산부는 GATT 11조2항C 개정내용중 참여국간 합의에 의해

결정되는 동종상품을 발굴하여 협상에 임하는 한편 동조항을 원용할 수 있도록

법적근거등 국내제도를 정비

　　나. 외무부는 농림수산부에서 제시한 협상안을 주제네바 대표부에

훈령으로 전달

　　다. 향후 농산물협상에는 필요시 관계부처 참여

첨부: UR협상그룹 개편에 따른 국내대응체계 조정 1부.　　끝.

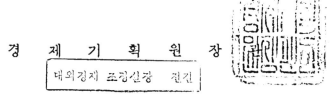

경　제　기　획　원　장

대외경제 조정실장　전건

수신처: 외무부장관, 재무부장관, 법무부장관, 농림수산부장관, 문화부장관,

　　　　상공부장관, 보건사회부장관, 건설부장관, 동력자원부장관, 교통부장관,

　　　　노동부장관, 체신부장관, 과학기술처장관, 환경처장관, 공보처장관,

　　　　관세청장, 조달청장, 해운항만청장, 특허청장.

UR協商그룹 改編에 따른 國內對應體系 調整

1. 協商그룹別 主管部處

- '91.4.25 TNC會議에서 7개 協商그룹이 확정됨에 따라 國內協商對應 體系를 보완하기 위하여 아래와 같이 7個 分野別 國內擔當部處를 調整

〈각 協商그룹별 對應體系〉

既存 協商 議題	새로운 協商그룹	國內 對應部署	
		主務部處	關聯部處
① 관세(재무부) ② 비관세(상공부) ③ 열대산품(농림수산부) ④ 천연자원(상공부)	1. 시장접근	재무부	상공부, 농림수산부
⑤ 섬유(상공부)	2. 섬유	상공부	
⑥ 농산물(농림수산부)	3. 농산물	농림수산부	
⑦ GATT조문(외무부) ⑧ MTN협정(외무부) ⑨ 보조금 및 상계관세(재무부) ⑩ 세이프가드(상공부) ⑪ TRIM(재무부)	4. 규범제정 및 부자 0 선적전검사 및 원산지 규정추가	상공부	외무부, 재무부
⑫ 분쟁해결(외무부) ⑬ GATT기능강화(외무부)	5. 제도분야	외무부	상공부
(신 규)	5-1 최종의정서	외무부	
⑭ 지적소유권(특허청)	6. 지적소유권	특허청	문화부, 상공부, 과기처등
⑮ 서비스(EPB)	7. 서비스	EPB	서비스협상관련 17개 부처

註: 기존 7개 實務小委構成現況: 關稅(재무부 관세국장: ①,⑨), 부자(재무부 경제
협력국장: ⑪), 市場接近(상공부 국제협력관: ②,④,⑤,⑩), 農産物(농림수산부
국제협력관: ③,⑥), GATT(외무부 봉상국장: ⑦,⑧,⑫,⑬), 知的所有權(특허청
국제협력관: ⑭), 서비스(EPB 제2협력관: ⑮)

0092

2. 協商推進體系

① 새로 구성된 協商그룹별로 我國立場 綜合.整理

- <u>主管部處를 中心으로 UR대책 實務小委員會 再構成</u>

- 7개 協商그룹별로 5월중 實務小委를 개최하여 그룹별 協商進行狀況 및 我國對應
  <u>方向 再調整</u>

- 분야별 대책안은 5월중 「UR對策 實務委員會」에 上程 檢討

② 我國立場이 일관성을 유지할 수 있도록 各 協商그룹間 유기적인 協調體制 強化

- 各部處는 모든協商 참가시 반드시 「UR對策實務委員會」에 協商案을 上程하여
  關係部處와 協議

- 주요. 政策決定이 필요한 事項에 대하여는 「對外協力委員會」에 상정하여 政府
  方針決定

〈참고〉 UR協商 對應體系

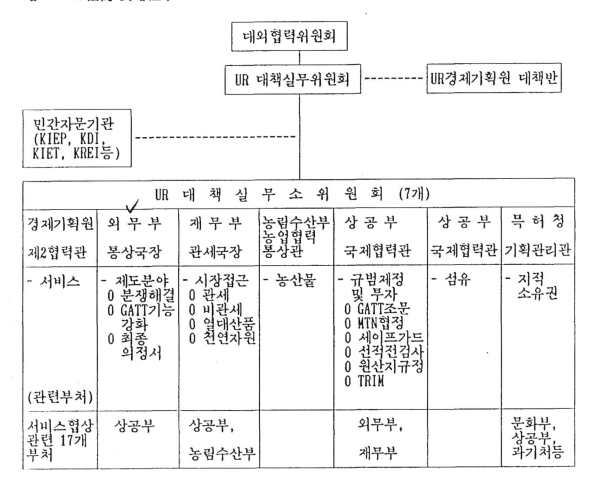

로(총)

대 한 민 국
상 공 부

국 협 2S140-/9/)　　　　(503 - 9446)　　　　1991. 5. 14

수 신　수신처 참조

제 목　UR 대책 실무 소 위원회 구성

　　　1. UR 무역협상위원회 (TNC)에서 협상그룹 회의가 현재의 15개 분야에서
7개 협상 그룹으로 개편됨에 따라 지난 5.2 UR 실무대책 위원회를 개최하여 국내
대응 체계도 7개 분야로 조정하여 분야별 UR 대책 실무 소 위원회를 구성하기로
한바 있읍니다. (별첨 1. 깅재기획원 공문 참조)

　　　2. 이에따라 당부에서는 별첨 2와 같이 UR 대책 실무 소위원회를 구성.
운영하기로 하였으며, 아울러 협상 진행상황 및 우리의 입장을 분야별로 종합
정리하여 5월중 UR 대책 실무위원회에 상정하도록 되어 있으므로, 의제별
간사께서는 상정안을 별첨 양식에 의거 91.5.18(토)까지 당부에 통보하여
주시기 바랍니다.

별첨 : 1. 경제기획원 공문사본 (롱조삼 10520 - 285 (91.5.4))

　　　 2. UR 대책 실무 소위원회 구성 및 운영 방안

　　　 3. 의제별 제출 양식　끝.

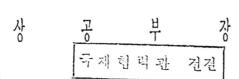 

상 공 부 장

수신처 : 외무부장관 (롱상기구과장), 재무부장관 (관세협력과장, 무자진흥과장,
　　　　 국제관세과장, 해외무자과장), 공입진흥청장 (국제표준과장), 섬유산업
　　　　 인합회장, 섬유제품수출조합이사장, 섬유직문수출조합이사장

0094

UR 대책 실무 소 위원회 구성 및 운영안

==

1. 목 적

o UR 협상 그룹회의의 개편에 따라 국내협상 대응 체계를 재조정하여 주관
   부처를 재구성한바, 분야별 소관부처 협상에 효율적으로 대응할 수 있도록
   협상 대책 수립 및 현안 발생시 관계부처간의 협의 및 의견 조정을 하기 위함

2. 구 성

가. 섬유 분야

위 원 장	상공부	국제협력관
간 사	상공부	섬유원료과장
위 원 (간사포함)	상공부	수출 1과장
		섬유원료과장
		구주통상과장
		통상협력담당관
		국제협력담당관
	섬유산업연합회	주 동식 부회장
	섬유제품수출조합	김 성조 부이사장
	섬유직물수출조합	심 기택 부이사장
자 문	추 후 선 정	

0095

나. 규범제정 및 투자 분야

위 원 장	상 공 부 국제협력관
간 사 (의제별)	o GATT 조문 : 외무부 통상기구과장 o 원산지 규정 : 상공부 무역정책과장 o 선적전 검사 : 상공부 수출진흥과장 o 반 덤 핑 : 상공부 산업정책과장 o 수입허가 절차 : 상공부 수입과장 o 기술장벽 협정 : 공진청 국제표준과장 o 정부조달 협정 : 상공부 국제협력담당관 o 보조금. 상계관세 / 관세평가 협정 :재무부 관세협력과장 o 세이프가드 : 상공부 조사총괄과장 o 무역관련투자조치 : 재무부 투자진흥과장
위 원 (간사포함)	o 외 무 부 : 통상기구과장 o 재 무 부 : 관세협력과장, 투자진흥과장, 국제관세과장, 　　　　　　　　해외투자과장 o 상 공 부 : 산업정책과장, 무역정책과장, 수출진흥과장 　　　　　　　　수출 1과장, 수입과장, 조사총괄과장, 　　　　　　　　국제협력담당관 o 공 진 청 : 국제표준과장
자 문	o 추후 선정

3. 운영방안

　가. 위원회

　　o 위원회의 기능

　　　- 소관분야의 협상 대책을 수립하고, 현안 발생시 관계부처간 협의 및
　　　　의견 조정

　　o 위원장 : 회의총괄, 위원회 소관 업무 종합 및 조정

　　o 간　사 : 소관 의제별 협상 대책 수립 등

　나. 협상팀 운영 체제

　　o 협상대표 : 국제협력관 (참석이 어려울 경우 국제협력담당관이 대리)

　　o 의제별로 각 부처 간사 또는 실무자 책임하에 협상 자료를 준비하고
　　　협상에 참여

　　o 분야별 협상 대표단 구성을 위하여 의제별 간사는 회의 참석 여부 및
　　　참석 예정자 명단을 위원장에게 사전 통보토록 함

0097

작 성 양 식
========================
(가급적 자세하게 작성)

1. 진전상황

   o 주요 협상 경과

   o 합의사항

   o 미합의사항

2. 미결쟁점 및 아국입장

   o 쟁점별 주요국 입장

   o 쟁점별 우리 입장

   o 협상 전략

3. 향후 협상 전망

경 제 기 획 원

대총 10500-기   503-9137   1991. 5. 16.

수신 수신처참조

제목 제10차 대외협력위원회 개최

1. 대외협력위원회 규정(대통령령 제12535호)에 의한 제10차 대외협력
위원회를 다음과 같이 개최코자 하오니 참석하여 주시기 바랍니다.

- 다   음 -

가. 일   시 : 1991. 5. 20 (월)   15:00

나. 장   소 : 경제기획원 대회의실

다. 안   건

　　- 한. OECD 협력증진 방안 (경제기획원, 외무부)

　　- UR 협상관련 국내후속대책 추진상황 및 향후대책 (경제기획원)

　　- EC통합을 배경으로한 한.EC경제관계 (경제기획원)

　　- 대소 경협현황과 향후 정책방향 (북방경제교류 조정위원회)

라. 참   석

　　- 위원장   부총리겸   경제기획원장관

　　- 위 원   외무부장관

　　　　　　　재무부장관

　　　　　　　농림수산부장관

　　　　　　　상공부장관

　　　　　　　동력자원부장관

　　　　　　　건설부장관

　　　　　　　보건사회부장관

1991. 5. 17

14211

0099

대총 10500-　　　　　　503-9137　　　　　　1991. 5. 16.

노동부장관

교통부장관

체신부장관

과학기술처장관

대통령비서실 (경제수석비서관, 외교안보보좌관)

국무총리행정조정실장

국가안전기획부 제2차장

- 특별위원　환경처장관

특허청장　　　　　　끝.

경　제　기　획　원　장

수신처 : 국가안전기획부장, 외무부장관, 재무부장관, 농림수산부장관,
　　　　상공부장관, 동력자원부장관, 건설부장관, 보건사회부장관,
　　　　노동부장관, 교통부장관, 체신부장관, 과학기술처장관, 환경처
　　　　장관, 대통령비서실장(경제수석비서관, 외교안보보좌관),
　　　　국무총리행정조정실장, 특허청장

0100

1991. 5.17.
통상기구과

1. UR 협상 현황 (설명)

가. 주요국간 막후 협의 동향

○ 5.2-3 MacSharry EC 농업담당집행위원 - Hills 대표간의 접촉에서 양측은
기존 입장 고수, 아무런 진전 없음.

- 이와관련, Dunkel 갓트 사무총장은 5.15. European Atlantic Group
연설에서 미.EC간의 경직된 협상 태도에 대해 경고

○ Dunkel 총장은 금년내 UR 협상이 타결되지 못할경우, 일본과 한국의
책임이 아니고 EC와 미국의 책임이라고 규정

나. 미국 Fast-track 시한 연장 동향

○ 5.14(화) 상원 재무위 및 하원 세입위, Fast-track 시한 연장 반대
결의안 각각 부결
- 단, 양위원회는 동 부결 투표 결과와 함께 반대 결의안을 각각
본 회의에 회부키로 결정, 양원 본회의에서 재심 예정

○ 5.14(화) 하원 세입위, 통상협정 체결시 행정부가 추구해야할 목표에
대한 주의 환기를 위해 제출된 Gephardt(민주당, 하원 원내총무) -
Rostenkowski(민주당, 하원 세입위원장) 공동 결의안을 일부 문안 수정, 통과

1

0101

- 북미 자유무역협정 체결 추진과 관련하여 부쉬 대통령이 5.1. 의회에
  통보한 환경, 실업문제에 대한 행정부의 보완대책 철저 시행
- '88 종합통상법상 UR 협상 목표 달성 추진

o Riegle(민주당, 미시간주) 상원의원은 의회가 Fast-track 연장을 승인
  하더라도 만족할 만한 협상 결과가 나오지 않으면 이를 수정할 수 있는
  권리를 유보 하여야 한다는 결의안을 제출 할 예정 (언론 보도)

o 협상 결과를 의회가 수정할 권리를 유보한다는 내용의 결의안이 제출
  되더라도 동 유보 대상은 미.멕시코 FTA가 될 것이며 UR 협상은 수정
  대상이 되지않을 것으로 전망 (주한 미국 대사관측 견해)

2. 농산물 수입 개방 확대에 대비한 보완 대책 (안건 수정)

o 농산물 개방과 관련, GATT 체제에서 인정하는 수입관리 제도를 활용하는 것은
  무방하나 수입자유화된 품목에 대하여도 사후 수입규제가 가능하다는 인식을
  대외적으로 주는 것은 곤란

o 특히, 수입제한적 효과를 도모하기 위하여 GATT 국영무역 조항의 원용 가능성을
  검토하는데는 유보적 의견
  - GATT 2조 4항은 양허품목에 대하여는 양허 효과를 저해하는 독점 행위를
    금지
  - GATT 부속 규정에 의하면, 국영무역에 의한 수입 제한도 수량규제 조항등
    GATT 관계 조문의 적용을 받도록 규정
  - UR/GATT 조문 협상의 잠정 합의 내용에 비추어 국영무역 조항을 원용한
    수입제한 가능성은 희박
    . 통고 의무 강화
    . 년 1회 작업반 회의 개최, 각국 통고사항 검토

2

0102

o 이와관련, 안건상 대외적으로 부정적인 인상을 줄 우려가 있는 표현의 수정 필요

  - "농산물 교역의 특수성을 감안하여 GATT 체제에서도 인정하고 있는 수입관리
    제도를 활용 ...."을 "..... 특수성을 감안하여 <u>일부품목에대하여는</u>
    GATT 체제에서도 ....."로 수정

  - "GATT 통고 의무 이행등 <u>국영무역 관련 제도</u> 를 개선 보완"을 "GATT 통고
    의무 이행등 <u>GATT 17조 관련제도</u> 를 개선.보완"으로 수정

3. 민간업계와의 협의 활동 강화 (추가사항)

o 관련 민간업계와의 협조 강화 차원에서 "개방화, 국제화에 대한 국민 의식
  수준의 제고" 항목에 아래 사항 추가

  - 협상 분야별로 각부처에서 시행하고 있는 민간업계와의 협의 활동을
    강화하여 정부 입장을 알리는 한편 UR 협상 종결 대책 및 후속조치에 대한
    관련업계의 이해 제고 및 협조 모색

4. 무세화 방안 적극 검토 (추가사항)

o 무세화 협상과 관련 미측의 요청이 강하고, 아국 정부도 90.12월초 브랏셀
  각료회의 이래 참여 의사를 표명한 바 있으나, 내부검토의 진전사항 미흡

o 대미 협조 차원에서도 가급적 조속한 시일내에 구체안을 마련하는 것이
  바람직.   끝.

3

국영무역 관련 규정 내용

1. GATT 국영무역 조항(17조) 개요

   O 대상 : 국영기업 또는 국가로부터 배타적·특별 권한을 부여받은 기업이
            행하는 수출·입등 구매 또는 판매행위

   O 의무 : (1) 무차별 원칙 준수
            (2) 상업적인 고려에 의한 구매 또는 판매
            (3) 제3국의 기업에게 구매 또는 판매에 참여할 수 있는 기회 제공
            (4) 해당품목의 관세·기타 과징금 인하를 위해 제3국과 협의
            (5) 통고 의무
                - 국영무역 대상품목
                - 비양허품목의 경우에는 수입가격과 국내 판매가격과의 차이
                  (import mark-up)
                - 타국 요청사항에 대한 자료 제공

2. 기타 GATT내 국영무역 관련 규정

   O 1957 및 1962 결정에 의해 상기 통고 절차 채택
     - 매 3년마다 질문서에 대한 답변서 제출
     - 매년 변동사항 통고.   끝.

「우루과이라운드」協商關聯
國內後續對策推進狀況 및 向後對策

1991. 5. 20

UR對策 實務委員會

<h1 style="text-align:center">〈目　　次〉</h1>

0106

I. 最近의 「우루과이라운드」協商 動向

- 작년말 브랏셀 閣僚會議에서의 協商 失敗以後 「우루과이라운드」協商 은 다소 소강상태에 빠졌으나 지난 2月末 開催된 貿易協商 委員會 (TNC)를 통하여 協商이 再開

  O 協商妥結 시한을 設定하지 않은채 旣存의 15개 協商그룹을 7개그 룹으로 調整하여 分野別 協商을 進行(國內對應體系; 別添參照)

  O 現在는 政治的 결단이 要求되는 事項은 뒤로 미룬채 細部技術的인 問題解決에 주력

- 主要 協商參加國들은 協商促進을 위하여 多角的인 努力 展開

  O 美行政府는 迅速處理權限를 2年間 延長하여 줄 것을 議會에 要請 하였으며 關聯分科委에서는 延長拒否案을 否決(5.14)

  O EC는 共同農業政策 (CAP)의 改革과 관련 域內國間 協議를 推進 중이나 農產物協商보다는 서비스등 여타協商分野에 注力

  O 7月中 런던에서 開催될 선진 7 個國 頂上會談에서도 「우루과이라 운드」協商 進展問題가 重點的으로 다루어질 것으로 豫想

- 이와같은 各國의 努力과 協商遲延에 따른 世界經濟의 負擔을 考慮할 때 協商은 빠르면 금년말 늦어도 내년초까지는 終結될 수 있을 것으 로 보는 것이 一般的인 見解

-2-

0107

Ⅱ. 協商關聯後續對策 推進의 意義

- 「우루과이라운드」協商妥結與否와 관계없이 同協商에서 論議되고 있
  는 國際交易의 自由化 幅 擴大와 交易規範의 強化方向은 어떤 形態
  로든 90年代以後 世界交易秩序의 根幹으로 作用

  ○ 만약의 경우 協商이 失敗로 끝날 경우에도 우리는 雙務協商을 통
    하여 보다 強度높은 開放 및 制度改善壓力에 직면

- 이러한 對外的 要因에서 뿐만아니라 우리經濟를 한段階 높은 水準으
  로 發展시켜 나가기 위해서도 開放化와 國內制度의 國際化는 반드시
  推進해야 할 課題

- 따라서 協商이 終結되지 않은 狀況에서라도

  ① 對外交易 關聯制度를 國際規範에 一致시켜 나갈 수 있는 制度改善
    施策을 꾸준히 推進하면서

  ② 앞으로 協商에서 提示할 수 있는 合理的 代案을 發掘하고

  ③ 특히 今年 8月까지 作成될 7次計劃에 中·長期 國際化의 具體的
    方向提示를 위하여 現段階에서 本格的인 對策마련 必要

- 이와같은 認識아래 政府는 그간 對外協力委員會(90.11.28, 91.1.8)의
  議決을 거쳐 部處別로 後續對策을 착실하게 推進하여 오고 있으나
  이를 再點檢하여 對策推進을 보다 加速化시켜 나가는 것이 必要

-3-

0108

Ⅲ. 國內後續對策 推進課題 및 向後對策

1. 國際交易의 開放化趨勢에 대한 能動的 對處

┌─────────────〈 推 進 課 題 〉─────────────┐

◇ 「우루과이라운드」協商에서는 工産品은 물론 그동안 例外를 認定
  받아온 서비스, 農産物分野의 開放擴大도 重點 論議

◇ 서비스, 農産物分野는 對外開放에 있어 脆弱分野로 認識되고 있
  으나 全體産業의 效率性向上과 均衡發展을 위해서는 開放化의
  促進과 함께 構造調整政策의 병행이 필수적

└──────────────────────────────────┘

〈 推進對策 〉

① 서비스産業의 競爭力向上 補完對策 樹立推進

— 금년1월 「우루과이라운드」協商에서 金融·通信등 8개분야에 대해
  현재 計劃되어 있는 開放水準에서 1차 讓許計劃을 提示

— 이에따라 各部處에서는 研究所등의 協調를 받아 業種別規制現況의
  調査와 함께 所管業種에 대한 補完對策 마련 推進

  ○ 通信分野에서는 개방에 대비한 「通信事業構造調整計劃」을 確定
    ('90.7月)하여 推進

  ○ 金融自律化施策 推進과 함께 金融開放化努力이 계속되고 있으며
    細部事項에 대한 愼重한 檢討가 進行

  ○ 流通業分野는 이미 단계적인 開放計劃을 提示('91.3.27) 하였으
    며 運送·建設등 여타 분야에서도 對策 마련중

— 關係部處(17個)에서는 業種別(411個業種)로 競爭制限的인 參入制
  限이나 行政規制節次를 간소화 하는 등 根本的인 競爭力 向上 補
  完對策을 樹立·推進

-4-   0109

② 農産物 輸入開放擴大에 대비한 補完對策發展

— 農産物 開放 擴大에 對處하여 汎部處 次元에서 補完對策을 마련중에 있으며 금년 6月末까지 마무리 豫定

— 이와함께 農産物 交易의 특수성을 勘案하여 GATT體制에서도 인정하고 있는 輸入管理制度를 활용할 수 있도록 制度補完

　○ 國內生産을 強制的으로 통제할 경우 輸入制限이 부분적으로 可能한 制度導入(GATT 第11條의 2 項C) 推進

　○ GATT 通告義務履行등 國營貿易關聯制度를 改善·補完

③ 工産品 市場開放擴大에의 積極 對處

— 工産品에 있어서도 全般的인 關稅引下와 非關稅障壁의 緩和등을 통하여 우리에게는 市場開放의 負擔이 發生하는 한편 海外進出이 擴大되는 면도 있으므로 보다 能動的으로 對應

　○ 全般的인 製造業 競爭力向上을 위한 技術革新 및 生産性向上 努力을 지속적으로 強化 推進

　○ 關聯業界의 意見收斂과 品目別 競爭力 狀況등을 綜合的으로 檢討하여 鐵鋼, 電子製品등의 關稅無稅化協商에 積極 對應

　○ 纖維協商 妥結時 後發開途國과의 競爭이 불가피하므로 纖維産業 構造改善 7 個年計劃(1990~96)등을 補完·發展

-5-

0110

2. 對外交易關聯制度의 國際規範에의 一致努力强化

┌─────────────〈 推 進 課 題 〉─────────────┐
│   │
│ ◇ 앞으로 우리의 輸出入制度, 外國人投資節次 및 産業支援制度등 │
│   은 國際規範의 基本 틀 속에서 운영 불가피   │
│   │
│ ◇ 따라서 對外交易과 關聯된 國內制度는 國際基準에 一致시켜 나 │
│   가야 하며 이를 契機로 國內制度의 先進化를 促進   │
│   │
└──┘

〈 推進對策 〉

─ 貿易關聯制度를 國際基準에 적합하도록 보다 明瞭하게 改善

　　○ 輸入許可 段階 및 節次의 縮小, 輸入制度 變更의 事前公表制度등
　　　을 導入함으로써 輸入許可節次 協定加入을 推進(現在 27個國 加入)

　　○ 動·植物檢疫과 食品安全性檢査制度를 國際的 基準에 맞도록 改善
　　　하고 關聯裝備 및 施設을 擴充하기 위한 綜合對策 마련 推進

　　○ 반덤핑 및 緊急輸入制限制度를 UR協商結果에 따라 補完 改善

─ 各種産業支援制度를 國際規範에 일치시킬 수 있도록 制度改善
　　（例：租稅減免規制法 檢討, 輸出관련 金融 및 稅制支援改善등）

─ 外國人投資 및 知的所有權分野 관련 國內制度를 再點檢
　　（例：個別法上의 投資制限관련 措置, 半導體 및 營業秘密保護등）

─ 모든 産業支援 및 貿易關聯制度를 GATT에서 평가하는 國別貿易政
　　策檢討制度(TPRM)의 實施('92年 上半期)에 철저히 對備

3. 國際化에 대한 認識提高 및 對外交涉能力의 擴充

┌─────────────〈推 進 課 題〉─────────────┐

◇ 國際經濟環境變化에 經濟 各主體가 능동적으로 對應해 나갈 수
  있도록 國際化에 대한 國民認識提高

◇ 國際化, 開放化에 積極對處할 수 있도록 專門人力養成 및 通商
  關聯機關의 對外交涉力量을 擴充

└─────────────────────────────────────┘

〈推進對策〉

─ 開放化, 國際化에 대한 國民意識水準의 提高

  ○ 모든 公職者 教育課程에 國際化關聯 教育을 包含 推進하고 있으며
    民間團體·協會등에서도 관심 高潮

  ○ 國際化認識을 계속 擴散·定着시켜 나가도록 經濟教育擴大 및 言論
    에 대한 정확한 情報提供등 다각적인 努力 持續

─ 모든 公務員의 國際化認識을 바탕으로한 政策遂行 慣行을 定着

  ○ 政策立案 및 執行段階에서 明瞭性을 提高하고 內外國人에 대한 차
    별의식 拂拭

  ○ 國際的 基準으로 확정된 規範과 對外的 約束은 반드시 지켜나가야
    한다는 意識 定立

  ○ 經濟行政規制 緩和施策을 國際化 시각에서 補強推進

─ 國際化에 대비한 對外交涉能力의 擴充

  ○ GATT機能强化에 對處하여 情報蒐集 能力 및 人力擴充등 通商外
    交 體制强化

  ○ 通商關聯 機關의 業務協調强化 및 通商交涉據点公館에의 專門人力
    優先 配置

-7-

0112

Ⅳ. 部處別 推進課題 및 推進日程

- 各 課題別 主管部處는 關聯部處와 協調하여 細部 推進對策을
  '91.7月까지 作成

  ○ 中·長期課題는 第7次 經濟社會發展 5個年計劃에 反映

  ○ 現時點에서 措置가 必要한 사항은「우루과이라운드」協商對策 實務
    委員會를 중심으로 推進

- 政府여러部處의 協調가 必要한 事項에 대하여는「對外協力委員會」
  審議後 政府案 確定·施行

〈 主要 課題別 主管部處 〉

推 進 課 題	主 管	協 調
〈市場開放 및 補完對策〉		
1. 業種別 서비스產業 現況分析 및 開放關聯 對策의 樹立	17個 部處	經濟企劃院 (綜合)
2. 農産物市場 開放擴大에 對備한 輸入關聯 制度整備 對策 樹立		
2-1 國內生産統制를 전제로 한 輸入制限 制度 導入方案	農林水産部	
2-2 國營貿易에 관한 GATT義務履行 및 活用方案	農林水産部, 調 達 廳	
2-3 動·植物檢疫 및 食品安全性 檢査 關聯制度 改善對策	農林水産部, 保健社會部	經濟企劃院 (綜合)
3. 品目別 關稅無稅化 協商對策	財 務 部	商工部,山林廳,水産廳
4. 纖維産業 構造改善 7個年計劃 補完	商 工 部	

-8-

0113

推 進 課 題	主 管	協 調
〈貿易關聯制度의 國際化對策〉		
1. 綜合的인 貿易節次關聯制度 改善對策	商 工 部	
2. 不公正貿易에 대한 規制制度 및 産業被害救濟制度 改善對策	財 務 部 商 工 部	
3. 産業支援制度의 現況分析 및 改善對策	經濟企劃院	財 務 部 商 工 部
4. 政府調達協定加入推進 및 制度改善對策	商 工 部	財 務 部 調 達 廳 등
5. 原産地規定 制度補完對策	財 務 部 商 工 部	關 稅 廳
〈새로운 國際貿易規範制定에의 對備〉		
1. 外國人投資 關聯制度 現況分析 및 補完對策	財 務 部	
2. 知的所有權 關聯制度 改善 推進對策	文 化 部 特 許 廳	商 工 部 科學技術處
〈GATT의 機能强化에 대한 對應體制整備등〉		
1. 各種賦課金, 課徵金現況調査 및 整備對策	財 務 部 關 稅 廳	
2. 貿易政策檢討報告書(TPRM) 作成對策	經濟企劃院	外 務 部 商 工 部 등 關 係 部 處
3. 中央通告登錄所設置關聯對策	經濟企劃院	關 係 部 處
4. 駐제네바 代表部 機能擴充對策	外 務 部	經濟企劃院등 關 係 部 處
5. 國際化認識 提高를 위한 弘報施策 持續的 推進	經濟企劃院	關 係 部 處

〈別 添〉　　UR協商그룹 改編에 따른 國內對應體系 調整

─ '91.4.25 TNC會議에서 旣存 15個 協商그룹이 7個 協商그룹으로
　調整됨에 따라 UR對策實務委員會(5.2)에서 協商그룹別 國內主管
　部處를 다음과 같이 調整

旣存 協商 議題	새로운 協商그룹	主管部處
① 關稅(財務部) ② 非關稅(商工部) ③ 熱帶産品(農林水産部) ④ 天然資源(商工部)	1. 市場接近	財務部
⑤ 纖維(商工部)	2. 纖維	商工部
⑥ 農産物(農林水産部)	3. 農産物	農林水産部
⑦ GATT條文(外務部) ⑧ MTN協定(外務部) ⑨ 補助金 및 相計關稅 　(財務部) ⑩ 세이프가드(商工部) ⑪ TRIM(財務部)	4. 規範制定 및 投資 　○ 船積前檢査 및 原 　　産地 規定追加	商工部
⑫ 紛爭解決(外務部) ⑬ GATT機能強化(外務部)	5. 制度分野 5─1. 最終議定書	外務部 〃
⑭ 知的所有權(特許廳)	6. 知的所有權	特許廳
⑮ 서비스(經濟企劃院)	7. 서비스	經濟企劃院(綜合)

─ 새로운 協商그룹別로 關係部處 및 專門家로 實務小委員會를 構成.
　運營

─ 協商對策의 一貫性 維持強化
　○ 各部處는 모든 協商參加時 반드시 「UR對策 實務委員會」에 協商
　　對策을 上程하여 關係部處와 協議
　○ 主要 政策決定事項은 「對外協力委員會」에 上程·確定

─ 10 ─

분류기호 문서번호	통기 20644- **359**	협 조 문 용 지 (2170, 2391)	결 재	담 당	과 장	국 장
				근전	대웅	
시행일자	1991. 5. 22.					
수 신	국제경제국장	발 신		통상국장 (통기)		
제 목	대외협력위원회 회의 결과					

91.5.20(월) 개최된 제 12차 대외협력위원회 회의 결과를 별첨

송부하오니, 참고하시기 바랍니다.

첨부 : 동 회의 결과 보고서 1부. 끝.

검 토 필 (19%. 6. 30)

예문에 의거 재분류(91 . 12. 31.)   인
직위   성명 근영

0116

대외협력위원회 회의 결과

1. 일   시 : 1991. 5.20.(월) 15:00-17:00

2. 장   소 : 경제기획원 7층 대회의실

3. 참 석 자

    ㅇ 회의 주재 : 최각규 경제기획원장관겸 부총리

    ㅇ 참 석 자 : 대외협력위원회 위원 전원 및 환경처장관

        - 외무차관 참석 (경제국장, 통상기구과장 배석)

4. 안건별 회의내용

    가. 한.OECD 협력 증진 방안

        ㅇ 경기원 (제1협력관) : 안건 보고

        ㅇ 외무부 (차관) :

            - OECD의 산하 위원회 및 사무국과의 관계강화 방안에 동의

            - 아국의 대외원조 수준 관련, OECD 국가들의 대외원조 수준(GNP의 0.7%)

              및 여타 OECD 국가들의 아국에 대한 기대 수준을 고려, 앞으로 OECD와의

              협력 증진을 도모할 경우에는 아국의 대외원조 재원을 급격히

              증가시켜야 할 상황에도 대비 필요

        ㅇ 농수산부 (장관) : OECD 사무국의 식량농업국, 농업위원회, 수산위원회

                      와의 관계강화도 필요하므로 OECD 조사단 및

                      연수단에 농수산부도 참여 필요

0117

1

o 동자부 (차관) : IAEA 가입을 위하여는 먼저 OECD에 가입되어야 함.

o 재무부 (장관) :

- 자본거래의 자유화 여부가 OECD 가입 초청의 중요 척도임.

- OECD 수준의 개방과 경제운용을 추구해야 할 것이나, 현재 제도 및
  자금운용 면에서 부담이 있음.

- 따라서 정부가 OECD 가입 신청 시점을 검토하고 있다는 인상을
  주지 않고 적극적으로 대비해 나가는 것이 바람직.

o 결론 (부총리) :

- OECD 가입 시점을 논의할 시기는 아니며, 위원회 활동에 적극
  참여하고 사무국과의 관계를 강화하는 것이 우선 과제

- 안건 접수

나. UR 협상 관련 국내 후속대책 추진상황 및 향후 대책

o 경기원 (제2협력관) : 안건 보고

o 외무부 : 농산물 시장 수입개방 대책 관련, 국영무역을 실시하여 일단
  개방후 사후 이면으로 수입규제를 하겠다는 인식을 대외적으로
  주는것은 바람직하지 않음.

o 농수산부 : 아직 국영무역 대상품목, 실시방법은 구체 검토된 바
  없으며, 만일의 경우에 대비하여 고려중인 사항임.

o 건설부 (장관) : 건설부문 자유화와 관련, 노동력 이동 협상 동향은 ?

o 경기원 (제1협력관) : 노동력 이동 협상 방향은 아직 불투명함.

o 결론 :

- 안건 접수, 다만 관계부처의 의견을 수렴하여 후속대책 시행

- Fast-track 연장과 관련한 미 의회의 압력으로 인해 행정부의 향후
  협상 태도가 경직될 것으로 예상되므로 이에대한 대비 필요

2

0118

다. <u>EC 통합을 배경으로한 한.EC 경제관계</u>

ㅇ 경제기획원 (제1협력관) : 안건 보고

ㅇ <u>외무부</u> :
- 지적소유권 관련, 유럽제국은 아국이 기술수준에서 유럽에 뒤지는
  미국에 특혜를 주고 있는데 대해 불만이 많음.
- 이결과 GSP 중단으로 아국은 년간 약 4,000만불_{관세부담}또는 총수출의
  4-6% 가량의 수출이 줄었고, EC측의 대아국 반덤핑 조치도 증가
- 시장통합후의 EC의 정치.경제적 지위를 고려 <u>대EC 지적소유권</u>
  <u>문제를 금번 한.EC 고위협의를 계기로 타결해야 함.</u>
- 또한, 국내에 일반적으로 팽배해 있는 유럽에 대한 차별의식 불식을
  위해 경제부처의 균형있는 노력 필요

ㅇ 상공부 (장관) : <u>외무부 의견에 동의하며, 지적소유권 관련 금번에</u>
                  결론을 보도록 노력 필요

ㅇ <u>결 론</u> :
- 안건 접수
- 관련부처들이 긴밀히 협조, <u>대EC 지적소유권 문제가 금번에</u>
  <u>타결되도록 노력 필요</u>
- 유럽제국과의 각종 경제 현안의 후속조치가 부실한바, 민간경제
  협의회 활동의 활성화 등을 통해 개별 유럽국가들과의 실질관계
  증진 필요
- 전반적인 세계경제의 지역주의화 추세에 대한 연구 및 대비 필요

라. <u>대소 경협 현황과 향후 정책 방향</u>

ㅇ 경기원 (제3협력관) : 안건 보고

ㅇ 체신부 (장관) : 소련측은 대소 통신분야 차관을 현 1,000만불 수준에서
                  1억불로 증가시켜줄 것을 희망하는바, 이에대한 대책

3   0119

o 경기원 (대조실장)

 - 소비재 차관은 총 15억불로서, 금년분 8억불에 대한 배정은 이미
   완료되었고, 내년부터 시행 예정인 플랜트 수출은 검토 가능

 - 대쏘 경협은 개별사업보다 전체를 package으로 인식하고 대처할
   필요가 있음.

o 안기부 : 앞으로 개별 공화국의 지위 강화에 대비, 개별 공화국과의
          협력관계 강화 방안도 연구 필요

o 결론 : 안건 접수

마. 기   타

o 환경처장관을 대외협력위원회에 위원으로 추가.

o 북방4개 도서 인근해역 조업문제 및 한미통상 현안문제에
  관하여 외무차관이 관계부처에 개별적으로 요청한 사항 : 별첨.

                                                          끝.

경제금장 : W

공람	91년 인상기구다	담당	과 장	심의관	국 장	차관보	차 관	장 관
			M	래이Kn0		Y		

(첨 부)

외무차관의 개별 요청사항

1. 농수산부

   o 소련과의 어업협력 추진시 일본이 소련에 대해 반환토록 요청중인 북방
     4개도서 인근 해역에서의 한국어선 또는 한.소 공동어로 작업이 자제되도록
     업계의 계도를 요청

2. 상 공 부

   o 대통령 방미 행사 이전에 한.미간 통상현안의 처리를 고려중이라는 상공부
     입장에 대해 한.미 통상문제는 한.미 양국관계의 본연의 차원에서 처리되어야
     할 것임을 강조.   끝.

0121

경 제 기 획 원

봉조삼 10502-각/   503-9149   1991. 5. 26.

수신   수신처참조

제목   UR대책 실무위원회 개최

　　1. 봉조삼 10502-285 (UR대책 실무위원회 회의결과 통보 '91.5.4) 관련
사항입니다.

　　2. 「우루과이 라운드」 협상그룹 개편에 따른 국내대응체계 조정으로
말미암아 재구성된 7개 소위원회의 분야별 협상진행상황 및 대응방안을 재점검
코자 다음과 같이 UR대책 실무위원회를 개최하니 참석하여 주시기 바랍니다.

다　　　　　음

가. 일　　시: '91.5.31(금)   14:00-17:00

나. 장　　소: 경제기획원 소회의실 (1동 721호)

다. 참석범위: 경제기획원   대외경제조정실장 (회의주재)

　　　　　　　　"   제2협력관

　　　　　　외 무 부   봉상국장

　　　　　　재 무 부   관세국장

　　　　　　상 공 부   상역국장, 국제협력관

　　　　　　농림수산부   농업협력봉상관

　　　　　　특 허 청   기획관리관

라. 의제: ○ 분야별 협상동향 및 대응방안 점검

　　　　　 ○ 무역정책검토보고서 (TPRM) 작성대책

0122

15363

마. 회의자료 준비 및 보고

　　ㅇ 농 산 물: 농림수산부

　　ㅇ 시장접근: 재무부

　　ㅇ 서 비 스: 경제기획원

　　ㅇ T P R M : 경제기획원

바. 기타사항: 기타 의제인 섬유, 지적소유권, 규범제정 및 부자,

　　　　　　제도분야는 6월중순 개최예정인 차기 UR대책 실무

　　　　　　위원회에 상정예정이며 상세일정은 추후통보.　　끝.

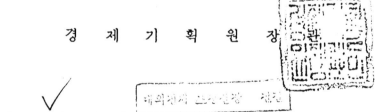

공람	통상기구과	91년 월 일	담 당	과 장	심의관	국 장	차관보	차 관	장 관
			농봉헌						

경　제　기　획　원　장

수신처: 외무부장관(통상국장), 재무부장관(관세국장), 상공부장관(상역국장,

　　　　국제협력관), 농림수산부(농업협력통상관), 특허청장(기획관리관).

0123

기 안 용 지

분류기호 문서번호	통기 20644-	(전화: 720 - 2188)	시 행 상 특별취급		
보존기간	영구 . 준영구 10. 5. 3. 1.	차 관		장 관	
수 신 처 보존기간		전 결			
시 행 일 자	1991. 5.27.				

보 조 기 관	국 장		협 조 기 관	제2차관보 국제기구조약국장	문 서 통 제	
	심 의 관	최장희				
	과 장					
기안책임자		송 봉 헌			발 송 인	

경 수 참	유 신 조	건 의	발 신 명 의	

제 목	UR 대책 실무소위원회 구성

    1. 91.4.25. 제네바에서 개최된 UR/TNC 회의에서 기존의 15개

협상그룹을 7개 협상그룹으로 재구성함에 따라, 5.2. 개최된 UR 대책

실무위원회(위원장 : 경기원 대조실장)에서 협상 분야별 주무부처를

별첨과 같이 재조정 하였습니다.

/뒷면 계속/

0124

2. 이와관련, 외무부 소관 협상 분야(갓트기능, 분쟁해결 및 최종의정서)에 대한 UR 대책 실무소위원회를 별첨안과 같이 구성, 운영코자 하오니 재가하여 주시기 바랍니다.

첨 부 : 1. 협상 분야별 주무부처 현황 1부.

2. UR 대책 실무소위원회 구성 및 운영안 1부.   끝.

0125

첨부1 : 협상 분야별 주무부처 현황

기존 협상그룹 및 주무부처	재조정된 협상그룹 및 주무부처	협조부처
관세(재무부), 비관세(상공부), 열대산품(농림수산부), 천연자원(상공부)	시장접근(재무부)	상공부, 농림수산부
섬유(상공부)	섬유(상공부)	
농산물(농림수산부)	농산물(농림수산부)	
갓트조문(외무부), MTN 협정(외무부), 보조금 및 상계관세(재무부), 세이프가드(상공부), TRIM(재무부)	규범제정 및 투자(상공부)	외무부, 재무부
분쟁해결, 갓트기능(외무부)	제도분야 및 최종 의정서(외무부)	상공부
지적소유권(특허청)	지적소유권(특허청)	문화부, 상공부, 과학기술처등
서비스(경기원)	서비스(경기원)	관련 17개부처

0126

첨부2 : UR 대책 실무소위원회 구성 및 운영 안

1. 목 적

○ 91.4.25. UR/TNC 회의에서 협상그룹이 재구성됨에 따라, 제도분야(갓트기능, 분쟁해결 및 최종의정서) 협상에 효율적으로 대응할 수 있도록 대책 수립 및 현안 발생시 관계부처간 협의 및 의견 조정을 하기 위함.

2. 구 성

위 원 장	외무부 통상국장
위 원	○ 외 무 부 : 통상국 심의관, 통상기구과장, 조약과장(최종의정서 관련) ○ 경제기획원 : 통상조정3과장 ○ 재 무 부 : 국제관세과장 ○ 농림수산부 : 국제협력담당관 ○ 상 공 부 : 국제협력담당관 ○ 특 허 청 : 국제협력과장
간 사	외무부 통상기구과장
자 문	○ 대한무역진흥공사 : 국제경제과장 ○ 무역협회 : 통상기구과장

0127

3. 운영 방안

가. 위원회 운영 방안

o 회의 소집

- 협상대책 수립, 관계부처간 협의 및 의견 조정 필요시 소집

o 위원장 및 간사의 역할

- 위원장 : 회의 총괄, 위원회 소관 업무 종합 및 조정
- 간 사 : 회의 의제별 자료준비 및 관계부처 연락 업무등 실무 총괄

나. 협상팀 운영 방안

o 주 제네바 대표부를 중심으로 협상에 참여하되, 회의 성격 및 논의
  의제별 중요도등에 따라 본부대표 파견.   끝.

0128

1991. 5. 31.

통 상 기 구 과

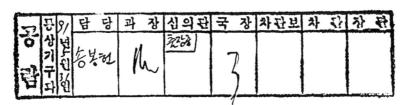

0129

1. 회의 개요

o 회의일시 및 장소 : 1991. 5.31.(목) 14:00, 경기원 소회의실

o 참석범위 : 외무부 통상국장등 6개 관련부처 국장

o 의   제 :
- 농산물, 시장접근, 서비스 분야 협상 동향 및 대응방안 점검
- TPRM 작성 대책

2. 말씀자료

가. 농산물

o 주요국 공관을 통한 교섭 활동
- 90.10. 아국의 1차 offer 제출직후 미국, 호주, 카나다등 14개
  농산물 수출국 주재 아국 공관을 통한 교섭과 제네바 현지에서의
  교섭을 기실시(종합 설명자료 활용)한 바 있으나, 이구동성으로
  한국 농업의 어려움은 충분히 이해하나 예외는 인정키 어려우며,
  다만 감축폭, 감축기간 등에서의 우대는 고려 가능하다는 반응
- 90.10. 농림수산부장관의 미국, 제네바 방문등 그간 농수부 고위
  관계관, 국회 사절단, 농민대표등이 수차례 미국등 주요 농산물
  수출국과 제네바 현지를 방문 하였으나 상대측 반응은 상기와 동일
- 따라서, 현단계에서는 91.1.9. 대외협력위원회에서 확정된 전향적
  입장을 Framework에 반영할 수 있는 구체 협상안을 마련하는데 주력
  하여야 하며, 동 협상안 마련후 적절한 시기에 동 협상안에 대한
  주요국 교섭을 실시함이 바람직(Framework에 반영될 수 있는 구체
  협상안 없이 일방적으로 아국 농업의 어려움만 상대측에 주장할
  경우, 상대측 반응은 90.10. 교섭 당시와 동일할 것이며 경우에
  따라서 강경 입장으로 후퇴했다는 오해만 초래)

1

0130

o 주 제네바 대표부 건의사항에 대한 입장 정립

   - 식량안보등 NTC 관련 아국 입장이 Framework 또는 갓트 규범에
     반영될 수 있도록 구체 서면 제안을 6.10. 농산물 협상 회의에
     제출할 수 있도록 조치 필요

   - 그러나, 동 제안 내용이 1.9. 대외협력위원회 결정사항을 기초로한
     상대측 설득 가능한 구체적 내용이어야 하며, 단순히 식량안보 긴요
     품목은 예외로 한다는 식의 비구체적 내용일 경우 강경 입장 복귀
     또는 브랏셀 회의시의 기존 입장 반복이라는 상대측 오해 소지가
     있으므로 제출 불요

나. 시장접근 (분야별 무세화 협상)

o 무세화, 관세조화 협상의 타결 전망이 불확실하지만 협상이 타결된다는
   전제하에 협상에 참가하고 대응 방안을 적극 강구함이 바람직.

   - 미국은 그간 무세화 참여에 대한 아국의 분명한 입장 표명을
     요구하여 왔는 바, 6월 관세 무세화 협상시 무세화 참여 가능,
     불가능 분야를 좀더 구체적으로 밝힐 수 있도록 적극적인 검토
     필요

o 향후 협상 진전여하에 따라서는 각국의 무세화 이행과 관련된 국별
   grouping이 행하여질 가능성이 있음을 감안, 아국의 무세화 참여 분야의
   경쟁력, 생산능력 및 수출실적등에 관한 객관적인 자료를 사전 준비 필요

   - 지난 4월 개최된 건설장비 무세화 협상시 미국은 아국을 List A
     (단기 이행기간 확보그룹)로 분류

다. TPRM

o 6.4(화) 주 제네바 대표부.갓트사무국간 비공식 협의시 TPRM 실시 시기
   및 협의 요망사항등에 대한 입장을 외무부에 통보 요

   - 사무국이 제시한 내년 6월경 개최 적합 여부

   - 사무국과의 비공식 협의시 아측이 협의 요청할 사항등

2

0131

o 업무분장중 수정 요망사항

- 아국이 제출할 TPRM 보고서를 검토할 국제무역제도 자문위원회에
외무부 통상기구과장도 참여 필요(현 경기원 안에는 외무부 누락)

- 외국과의 쌍무협정등 조약현황 통보이외에 대북한 교역 현황 통보
필요성 검토

- 아국의 해외시장 접근상의 애로사항 자료 작성시 외무부도 참여 필요
(필요시 주재 공관도 활용).   끝.

3

0132

UR농산물협상 전망과 대응방향

1991. 5. 31

농 림 수 산 부

0133

- 목   차 -

0134

I. UR 농산물협상의 '91 전반기 (1~5월) 동향과 평가

1. 진행상황

○ 1. 15   TNC 회의

○ 1.15 ~ 2.15   던켈총장의 주요국 비공식협의

○ 2. 20   농산물그룹 비공식회의 : 던켈총장 Statement 제시

○ 2. 26   TNC회의

     - 던켈 Statement 채택, UR협상 공식재개 합의

○ 3. 1   농산물그룹 주요국 비공식회의

     - 실무급 기술적 쟁점협의 일정 및 진행방식 합의

     - Check-List, non-exhaustive & illustrative, no-prejudice on any position

○ 3.11 ~ 15   1차 기술적 쟁점협의 (국내보조)

○ 4.15 ~ 19   2차   "   (국내보조 + 시장개방)

○ 4. 25   TNC회의 : 협상그룹 재조정 (15개 → 7개) 및 그룹별 의장 선출

○ 5.13 ~ 17   3차 기술적 쟁점협의 (시장개방)

○ 5. 20   한미 Country List 양자협의

○ 5. 21 ~ 24   주요국간 Country List 협의(미국, EC, 일본, 카나다)

○ 6.10 ~ 14   4차 기술적 쟁점협의 (시장개방 + 수출보조)

0135

2. 주요국 비공식 실무회의 토의내용과 평가

가. 주요토의 내용

(1) 국내보조 감축대상 범위설정과 점검방식

O 케언즈그룹을 제외하고는 대부분 국내보조에 대한 충액 한도 설정에 부정적임. (EC는 충액한도 설정도 받을 수 있다는 입장)

(2) 허용대상 보조정책의 결정방식 : Negative-List 접근 대 Positive-List접근

O 미국, 케언즈그룹은 Green-first방식 (Positive-List)을 주장하고 허용대상은 제한적으로 예시하되 엄격한 운용기준을 설정

O 일본은 Amber-first방식 (Negative-List)를 주장하면서 보조지원 계획은 충액을 대상으로 하지않고 감축대상 보조중 정부예산만 대상으로함.

O 여타국가는 어느 방식에 의하든 각국이 기본적인 농업유지와 개발을 위한 정책지원과 교역에 영향이 적은 보조는 허용대상이 되어야 함을 강조 (실질적으로는 Negative-List 접근과 유사)

O 던켈충장은 Positive방식으로 하되 허용대상 정책은 예시적 (illustrative)인 것으로 하고 제한적인 예외 (derogations)를 인정할 것을 제의

(3) 국내보조 계측 방식 (AMS)

O 정부의 가격지지가 있는경우 국내보조의 지원충액을 국내.외 가격차 곱하기 지원물량으로 보자는 미국의견과 내.외 가격차를 모든 물량에 곱하여 충액을 산출하자는 EC, 일본등과 의견이 대립

O 미국은 정부예산이외에 가격지지 정책이 있는 경우 실질적인 내.외 가격차 감축율 계산 할 것을 주장, EC, 일본등은 논리적, 기술적으로 내.외 가격차 속에 포함된 국내보조 효과와 국경보호 효과의 분리가 어려움을 제시

O 품목별로 분리하기 어려운 보조금 (영농자재지원등)은 예산지출액 기준 (아국,EC,일본,북구등)과 농가의 실질수혜 이익기준 (미국,카나다,호주등)으로 양분

0136

O 차액보전 (Deficiency Payment)에 대하여 미국을 제외하고는 대부분 수출
  지원으로 보자는 의견

O 미국을 제외하고는 AMS감축시 인프레가 반영되어야 함을 주장

O AMS 계측치가 낮은 품목은 사무처리의 번잡성을 피하기 위하여 감축대상에서
  제외하자는데 의견합치 (EC는 예외보다는 지원동결 필요성 주장)

(4) 관세화의 방식과 계산기준

O 카나다, 호주등 수출국 그룹은 TE자체의 상한선 설정과 양허 필요성을 강조
  한 반면, EC, 일본, 북구, 아국등은 TE를 산출후, 연차적 감축은 가능하나
  GATT 양허는 별도의 문제임을 주장

O EC는 비관세 조치의 「현상태 동결이후 점진적 감축」이라는 기본정신이
  중요한 것이지, 계측방식 자체를 목적과 동일시 할 수 없다는 입장 (Fixed
  Component 방식 고수)

O 국제가격은 실제있는 수입가격 (C.I.F)또는 이와 근사한 가격을 쓰는데 이견
  이 없었음. (미국은 가공된 가격이 아닌 실제가격 사용의 중요성을 강조)

O 국내가격은 대부분의 국가가 지지가격 또는 농가판매 가격의 적용을 주장
  (미국, 알젠틴등은 도매가격 주장)

O 대부분 국가는 품질차 반영의 필요성을 인정하였으나 카나다, 호주는 자의적
  인 품질계수 적용을 통한 TE확대를 방지하기 위해 일반기준 제시를 주장

(5) 관세화 대상품목에 대한 최소수입량 허용 (MMA)

O 수입국들은 HS 품목단위로는 국내소비실적의 계측이 사실상 불가능 (EC등)
  하며 TE와 TQ를 분리하여 시장관리하는 것이 어려움으로 TE하나만을 채택
  하고 MMA 설정에 회의를 표시, 수출국 (미,케언즈그룹)은 상품분리상 품목
  별로 일률적인 방식으로 MMA 설정 필요성을 강조

0137

(6) 기 수입자유화 품목의 관세인하와 양허

○ 미국, 케언즈그룹은 기존 관세의 일률적인 인하를 계속 주장함에 비하여
수입국 그룹은 R/O방식을 선호

○ 관세의 양허도 수출국 그룹은 전품목 양허, 수입국 그룹은 R/O방식에 의한
부분 양허를 주장

(7) 수입자유화 규제를 위한 특별조치 (SSG)

○ 케언즈그룹을 제외하고는 모든 농산품에 대한 적용 선호

○ 잠정조치로 할 것을 주장하는 미국, 케언즈그룹과 항구적 조치로 하자는
수입국간의 대립

○ 운용방식은 가격기준 또는 물량기준방식을 모두 활용하자는데 의견접근

○ EC는 Corrective Factor가 본질적으로 미국의 가격기준 방식과 유사한 것임
을 중점설명하였으나 카나다,오스트리아,스위스등은 가격기준 Safeguard와
같은 맥락하에서 검토가능성을 제시, 미국과 케언즈그룹은 반대의견 표시

(8) GATT 11조 2항의 개선문제

○ 모든 수입규제 조치를 관세화(TE)와 함께 철폐해야 함으로 11조를 모두 없애
야만 한다는 미국 및 케언즈(카나다 제외)입장과 11조를 존치하고 보완하자
는 카나다, EC, 일본, 아국등 입장의 대립

○ 카나다를 중심으로 한 11조 2C의 개선안의 궁동제안을 추진했으나 제출참여
국들이 EC의 동참을 위하여 기다리기로 하였음.
- 아국,일본,핀란드,스위스,노르웨이,아이슬랜드,이스라엘,카나다가 궁동
제의에 동의
- EC는 적용대상에서 수출품목을 제외하는 조건을 받을 수 없을뿐 아니라
현시점에서는 어떠한 구체적 제안을 내놓기 곤란하다는 입장 표명

0138

나. 평 가

< 긍정적인 측면 >

O 브랏셀회의 이후 새로운 협상 분위기 조성

 - 브랏셀회의 이후 미. EC간 상호비난 분위기 극복

O GATT 사무국 (Dunkel총장)의 중재기능 신장

 - 조정의 성과는 없으나 협상 지속의 요소로서 역할

O 주요쟁점별 입장차이 확인을 처음으로 정리

 - 그동안 쟁점별 견해차를 체계적으로 확인하기 위한 토의기회가 없었음.

O AMS계측, Tariff-line별 T.E, M.M.A, TQ 설정등에 대한 기술적 애로가 실재함
 을 확인

 - 실제로 적용가능하기 위해서는 개념의 간략화 명료화가 필요함을 공동인식

 ※ 각국별 비공식 C/L 협의에서 조정점 모색

< 부정적 측면 >

O 미, EC, 일본, Cairns그룹등 입장의 경직화 초래

 - 미국 : fast-track의 의회 설득등 추가부담을 안음

 - E C : 브랏셀회의 이후 집행부의 월권행위 논쟁등으로 태도 경화

 - 일본 : 미.EC등 양보없이 일방적인 일본비난에 크게 반발

 - 케언즈 : 협상주역이 미,EC 대립으로 축소되는데 반발, 회의진전에 따라
 회원국간 이견도 발생

O 쟁점의 축소보다는 명확한 견해차 표출로 종료

 - 토론의 장기화에 따라 수입국 그룹간 논리와 인식의 궁감대 확산

 · 수출국 논리의 취약점 궁격으로 양측거리 확대

 - EC가 입지강화에 대한 상당한 자신감 획득

O 기본적 논거의 실천가능성에 대한 약점이 강하게 표출

 - TE등 새로운 수단의 설득력이 상대적으로 하락

0139

3. 한.미 Country List 비공식회의 결과

가. 양자협의 개요

○ 협의일시 및 장소 : '91. 5. 20(월), 주제네바 USTR대표부

○ 협의참석 : 양측에서 각각 6명씩 참석
- 아측 : 농림수산부 국제협력담당관외 5명
- 미측 : USTR Chattin부국장 및 USDA Wetzel부과장등 5명

나. 협의결과

○ C/L에서 제시된 기술적 사항에 대하여 양국간 질문답변 형식으로 진행

○ 미국은 그동안 협상과정에서 비교적 명확하고 일관된 주장을 해왔으나 실제
C/L상에 나타난 결과에 비추어 볼때, 상호 모순되거나 일관성이 결여된 부분
이 다수 노출
- 다수품목에 적용되는 보조금은 소폭(30%)감축을 주장하는 Generally Available한
정책으로 분류
- Waiver등 수입제한 품목중 일부품목만 국내외 가격 차(TE)계상
- GSM 102등의 수출지원을 수출보조금 List에서 제외
- TE계측시 유리한 국제가격(FOB)을 기준하여 조정된 가격사용
- 주정부에 의한 보조금중 일부만 계상
- AMS의 산출치를 실제지출이 아닌 추정치를 사용

○ 앞으로 기술적 사항에 대한 Framwork가 합의되더라도 실제 감축계획(Country
Plan)작성과정에서 자의적, 임의적해석 문제가 남게되어 계속 분쟁의 소지가
발생할 수 있다는 문제점이 노출
(예) 국별정책 내용과 성격의 상이성, 다양한 가격자료사용등
※ Country List 제출 : 30개국, Offer List 제출 : 15개국 (케언즈 그룹은
궁동명의 제출)

0140

Ⅱ. 향후 추진계획과 전망

1. 향후 추진계획

가. 기술적 쟁점사항에 관한 대안서(option-paper) 작성

○ 현재까지 논의된 사항에 관한 각종 Option 정리

(예) Green Box policy category, Special Safeguard의 유형등

○ 사무국이 Non-paper 형식으로 작성 배포예정 (6~7월중)

※ 주요 8개국 회의에 영향을 줄것으로 예상, 사무국은 견해차 조정이 있기
전에는 내놓기를 주저하는 인상

나. 회의형식과 목표의 변경

○ 기술적 논의결과를 토대로 협상기초(Frame-work)마련에 주력
- 정치적 결정사항까지를 포함

○ 「농산물 전체회의」-「비공식 주요국회의」-「주요국 작업반 회의」의 3단계
구조로 접근
- 주요국 작업반 회의는 쟁점분야별로 온용, 초안작성 (10~12개국으로 구성)

다. 회의일정

○ 6.10~14 실무급 기술적 쟁점에 관한 회의(수출보조등)로 중간단계 종료
→ 새로운 협상 Framework에 입각한 회의 추진

○ 6월 12일경 TNC회의를 개최하여 그동안 토의결과보고와 향후 운용계획 제시
예정.

○ Dunkel총장은 6월말 TNC회의를 구상하고 있으나 회원국간 견해불일치로 미확정

라. 주요국의 비공식 접촉확대

○ 6.4~5 OECD 각료급회의, 6.5~8 WFC 회의시 주요국 농상회동등.

○ 미국, 일본은 각자 주요국과 개별접촉 추진계획

○ Cairns그룹은 7월초 각료급회의 추진계획

0141

2. 전 망

가. 년내 타결에 대한 낙관적 견해보다 비관적 견해 대두

O 주요국간 입장조정보다는 서로가 상대방의 양보를 강요하는 단계를 벗어나지 못하고 있음.

    ┌───┐
    │ 그동안의 조정노력 사례 : 성공보다는 좌절이 많음 │
    └───┘

① 농산물 그룹의장 선출 문제

    - 협상그룹을 7개로 축소하면서 그룹별 의장 조정

    - Dunkel에 불만을 가진 미국이 드쥬의장을 재임하려했으나 EC, 일본등 거부로 Dunkel로 낙착 (EC는 Lucq 농업국장을 대안으로 제시했었다는 설)

② 5월초 미, EC간의 대화

    - Macsharry 위원과 Hills/USTR 및 Madigan/USDA 회동

    - 외형상 연내타결 노력에 공조키로 했으나 실질내용은 상호간 일방적 주장과 비난

③ 5월초 Dunkel 총장의 미, EC 접촉

    - 협상의 가속화 노력을 당부하였으나 양측의 상반된 주장으로 성과별무

        . 미측은 7월하순 각료급(TNC)회의 개최로 frame-work 작성 고집

        . EC측은 충분한 사전조정 없는 고위급회의나 돌발적인 frame-work제안은 반대

    - 5. 15 Atlantic Group 회의(London)에서 Dunkel총장은 미, EC가 협상타결 지연의 모든 책임을 갖고 있음을 맹공

    (Dunkel 자신의 면책명분용이라는 해석도 있음)

O GATT 사무국 내부에 연내타결 비관론 대두

    - 주요국의 입장변경 가능성 희박(브랏셀 회의이후 입장변경은 한국이 유일함)

    - 7월이전에 정치적 쟁점사항들이 정리된다고 하더라도 후속적인 절차, 기술적인 문제등 처리에 절대시간 부족

    - Lucq 농업국장 은퇴로 사무국의 중재역할 수행에 공백기간 발생 불가피

0142

나. 향후 협상추진 방향의 추측

O Dunkel 총장의 반복된 경고

- "현재와 같이 견해차가 좁혀지지 않는 상황에서는 '90년말 상황이 재현되거
  나 회의와는 관계없이 별도로 특정국들간 타협을 보는등 비정상적 상황 유발"

- "양보없이는 실패로 간다는 것을 의미"

(의 미) : · 자신의 중재노력을 확대시키기 위한 포석

          · 협상 진전부진에 대한·미.케언즈그룹등의 비난을 봉쇄

          · 각회원국의 융통성 제시를 촉구

```
┌──────── <5월중순 박대사와의 면담시 Dunkel 총장 평가> ────────┐
│  한국이 UR협상에서 비협조적이라는 평가는 잘못된 것이며 가장 능동적으로 │
│  협조하는 나라로 보며; 협조않는 것은 오히려 미국과 EC라고 강조      │
└──────────────────────────────────────────────────────────┘
```

O 예상되는 Dunkel총장의 협상 추진구상 (6～7월)

(1) Option-paper 작성

(2) 주요국 비공식 회의 토론

(3) 주요 쟁점별 주요국 작업반 운용 (10～12개국)

(4) 협상 frame-work의 작성

(5) 주요국 비공식회의 토론

(6) TNC회의 채택

```
┌──────────────────────────────────────────────────────────┐
│  ◦ 실질적으로는 주요국 회의에서 합의점만 도출되면 언제라도Frame-work │
│    은 나올수 있음.                                         │
│  ※ 주요 8개국 회의                                        │
│    - 미,EC,일본,카나다,호주,뉴질랜드,오스트리아,핀랜드,알젠틴        │
└──────────────────────────────────────────────────────────┘
```

0143

Make specific crdit In each area

3. 해소해야할 주요쟁점

가. Global Approach V.S Separate Approach

   O EC는 아직도 global approach 집착

나. 국내보조 정책의 분류와 약속방식

   O Green Box의 정책내용 범위

      - 투자지원 및 구조정책등 EC, 일본, 한국, 개도국등 관심사항 미결

      - 일본은 Amber-first입장 변경없이 guide-line수준에서 참여

   O 구체적이고 객관적인 분류기준 설정

      - 기술적 토의에서 설정이 어렵다는점 확인

   O 약속방식 : 일반적 약속 V.S 양허등

      ※ 개별국가간, 주요8개국 공동회의 형식으로 Country List 비공식 협의가

         진행중이나 미, EC등 모두 애로인식

다. 시장개방 분야

   O Tarrification과 EC의 fixed component의 대립

   O TE산정의 가격기준과 산정단위 설정

      - 상품분류 기준상 품목별 분류는 거의 불능함을 인식

   O TQ와 M.M.A의 설정

      - 객관적 기준의 존재여부, TE품목에 대한 M.M.A 인정 여부등

   O TE의 상한선 설정과 이행기간 종료시 상한선 설정문제

   O TE로 가지 않는 제11조 2항(C)와 NTC 설정문제

   O Special Safe guard와 Corrective-factor 문제

   O 기 자유화 품목의 관세인하와 양허 문제

   O TE의 감축방식과 최고한도 양허문제등

0144

라. 수출경쟁 분야

　　○ 제 16조 2항의 존폐문제

　　○ 수출보조와 국내보조의 객관적 구분기준 설정 문제

　　　　- 특히 미국의 Deficiency payment의 처리등

　　○ GSM 102, 103등 수출지원 금융의 취급문제

　　○ 식량원조 및 지원의 취급과 구분문제등

마. 정치적 결정사항

　　○ 개발도상국에 대한 우대문제

　　○ 감축율과 기간의 설정문제

　　○ 기산년도의 선정 문제

　　○ MMA의 비율 결정문제등

0145

Ⅲ. 우리의 대응방향

1. 현황과 반성

　　○ 대부본이 한국농업의 실상과 자유화 실적, 농산물 수입규모등에 대한 인식부족

　　　- 다만, EC, 오지리, 스위스등은 아국농업의 어려움에 대해 상당한 공감표시

　　○ 수출국 그룹은 시장개방(TE)예외 주장에 대하여 불만표시

　　　- 1월중순 입장변경은 환영하나 수출국 입장도 지지하여 줄것을 은근히 주문

　　○ 회의참석 이외의 비공식활동이 절대부족

　　　- 수출국이나 수입국 공히 개별적이고 비공식적인 견해 교환의 기회가 적었음.

　　○ 각 그룹별 관심사항에 이해를 촉진(대 수출국그룹)시키거나 공감대를 확산
　　　(대 수입국및 개도국 그룹)시키는 노력이 미흡

2. 기본방향

　　가. 돌발적 상황전개 (예 : 감작스런 frame-work안 출현등)에 대비한 대응태세
　　　　확립

　　나. 주요국 및 그룹별 동향을 수시파악하여 대처

　　다. 협상이 Framework 작성단계로 전환함에 따라 능동적 참여노력
　　　　○ 주요 쟁점별에 소그룹 작업반 참여추진

　　라. 주요국별, 그룹별 대응방식 추진
　　　　○ 미국및 케언즈그룹, EC, 일본, 수입국그룹, 개도국 그룹등

　　마. 우리입장과 회의동향등을 국내에 수시전달

0146

3. 분야별 대책

가. 우리측 입장을 정리한 설명자료 작성

　　○ 재외공관의 교섭및 설명 참고자료를 활용

　　　　- 우리 농업의 어려움, 정부의 자유화 실천내용, 우리의 기본입장, 협상진전을 위한 우리의 노력등

나. 주요국 공관에 대한 교섭지침 시달

　　< 1 단계 >

　　○ 대상국의 입장 및 관심분야 확인, 아측입장의 이해 촉구

　　< 2 단계 >

　　○ 국별 공통관심·분야 도출

　　○ 아국입장에 유리하도록 분위기 조성

다. 제네바 대표부에 대한 특별교섭 지침시달과 활동지원

　　○ 제네바 대표부에는 보다 구체성있는 대안모색을 할 수 있게 지침시달

　　○ 주요국 대표 및 GATT사무국 관계자등 개별접촉 확대

　　　　- 교섭활동에 필요한 특별활동 자금 지원방안 강구

라. 쟁점사항별 주요국 소그룹 참여교섭

　　○ 특히 시장개방과 국내보조 분야의 아국 관심사항 반영에 주력

　　○ 제네바 대표부 중심으로 주요국 대표단과의 교섭활동 강화

마. 서울주재 주요국 공관을 대상으로한 교섭활동 전개

　　○ 주요국 대사및 농무관과의 수시접촉을 통해 아국입장 설명과 지지기반 확충

　　　　- 개별접촉, 공동설명회, 현지 농업시찰 주선등

0147

사. 국내홍보대책 추진

    ○ UR협상에 대한 토론회 (또는 궁청회) 개최

       - 기술적 쟁점사항에 관한 실무협의결과, 제기된 option별로 장단점에 대한
        궁개토론

       - 농민단체,학계 참여를 유도하여 정부협상 방안의 선택푹을 사전에 알리고
        궁감대 형성

    ○ 농.축.수협등 산하단체와의 UR협의회 구성

       - UR업무관계자와의 사전협의를 통해 불필요한 사후논란 소지를 제거

    ○ 협상진전 상황에 대한 기자설명회 개최

0148

발 신 전 보

WGV-0707   910601 1144' CO

번   호 : _____   종별 : _____

수   신 : 주   재네바 대사. 총영사 (사본:주미대사) WUS-2431

발   신 : 장 관 (통 기)

제   목 : UR 대책 실무위 결과

검 도 필 (1991. 6. 30.)

1. 5.31. UR 대책 실무위원회가 개최되어 협상 구조 개편이후의 시장접근, 농산물,
    서비스 협상 그룹별 대책과 92년 상반기 아국의 무역정책 검토(TPRM) 대책에
    대해 협의한 바, 그 결과를 아래 통보하니 참고바람.

    가. UR 협상 분야별 대책

        1) 시장접근

            ㅇ 재무부, 상공부의 시장접근 분야 협상 현황 보고

            ㅇ 무세화 협상 참여 관련, 6월초 무세화 협상 경과를 보아 소위원회를
               구성하여 참여 가능 분야를 조속 확정키로 함.

            - 당부는 UR 협상에의 기여 차원에서 폭넓은 참여를 적극 검토할 것을
               요청

        2) 농 산 물

            ㅇ 농수산부는 아래 대책 보고

            - 아측 입장 설명자료 작성 및 제네바등 주요공관에 아국 입장 교섭
               지침 하달

보 안 통 제	

0149

- 쟁점사항별 주요국 소그룹 회의 참여 교섭

- 국내 홍보

- 6.18. 기술사항 회의시 NTC 관련 서면 제안 제출

o 이에대해 당부는 아래 사항 지적

- 아측 입장 설명자료 작성 및 교섭이 아국 농업의 어려움에 대한
  설명 중심으로 이루어질 경우 협상 대상국의 아국의 협상 자세에
  대한 의구심 유발

- 주요국 소그룹 회의 참여는 제네바에서 이미 최대한 노력중임.

- 6.18. 기술사항 회의 제출 제안은 아국의 조정된 입장에 기초하여
  작성

o 결 론

- 농수산부 대책대로 추진하되 외무부등 관련부처 의견 감안, 아국
  입장 자료 및 서면 제안 작성시 관련부처와 면밀 협의

3) 서 비 스

o 아래 경제기획원 대책 보고 접수

- 분야별 부속서 협의에 노동부, 교통부, 문화부등 관련부처 참여

- 양허협상에 대비 자료 조기 준비 및 국가별 양허협상팀 구성

나. 대 아국 국별 무역정책 검토(TPRM) 실시 대책

  o 별전 통보

다. 유지류 관세 조정 (비공식 협의)

  o 농림수산부는 국내산업 보호를 위해 대두유, 옥수수유 관세율을 현행
    13%에서 30%로 인상 희망

  o 국내산업 보호 및 통상마찰 방지 양면을 고려, 대두유는 할당 관세를
    실시(만톤 초과분에 대하여는 관세율 22% 적용)하되 옥수수유는 현행
    13%를 유지키로 비공식 합의

2. 상기 회의자료는 차파편 송부함.   끝.   (통상국장 김 삼 훈)

0150

長官報告事項

1991. 6. 1.
通 商 局
通 商 機 構 課 (29)

題 目 :　UR 對策 實務委員會 會議 結果

　　5.31(金) UR 對策 實務委員會가 開催되어 協商 構造 改編以後의 市場 接近, 農産物, 서비스 協商 그룹별 對策과 92年 上半期 我國의 貿易政策 檢討(TPRM) 對策에 대해 협의한 바, 그 結果를 아래 報告 드립니다.

1.　UR 協商 分野別 對策

　가.　市場接近

　　ㅇ 財務部, 商工部의 市場接近 分野 協商 現況 報告 振獎

　　ㅇ 無稅化 協商 參與 關聯, 6月初 無稅化 協商 經過를 보아 小委員會를 構成하여 參與 可能 分野를 早速 確定키로 함.
　　　- 當部는 UR 協商에의 寄與 次元에서 폭넓은 參與를 積極 檢討할 것을 要請

　나.　農産物

　　ㅇ 農水産部는 아래 對策 報告
　　　- 我側 立場 說明資料 作成 및 제네바등 主要公館에 我國 立場 交涉 指針 下達

0151

- 爭點事項別 主要國 소그룹 會議 參與 交涉

- 國內 弘報

- 6.10. 技術事項 會議時 NTC 關聯 書面 提案 提出

○ 이에대해 當部는 아래 事項 指摘

- 我側 立場 說明資料 作成 및 交涉이 我國 農業의 어려움에 대한 說明 中心으로 이루어질 境遇 協商 相對國의 我國의 協商 姿勢에 대한 疑懼心 誘發

- 主要國 소그룹 會議 參與는 제내바에서 이미 最大한 努力中임.

- 6.10. 技術事項 會議 提出 提案은 我國의 調整된 立場에 基礎하여 作成

○ 結 論

- 農水産部 對策대로 推進하되 外務部等 關聯部處 意見 勘案, 我國 立場 資料 및 書面 提案 作成時 關係部處와 綿密 協議

다. 서 비 스

○ 아래 經濟企劃院 對策 報告 接受

- 分野別 附屬書 協商에 勞動部, 交通部, 文化部等 關係部處 參與

- 讓許協商에 對備 資料 早期 準備 및 國家別 讓許協商팀 構成

2. 對 我國 國別 貿易政策 檢討(TPRM) 實施 對策

○ 92年 上半期(6月) 實施 方針 再確認, 갓트 事務局 通報

○ 檢討 報告書 作成 關係部處 業務分掌

2

0152

3. 油脂類 關稅 調整 (非公式 協議)

   ○ 農林水産部는 國內産業 保護를 위해 大豆油, 옥수수油 關稅率을 現行 13%에서
     30%로 引上 希望

   ○ 國內産業 保護 및 通商摩擦 防止 兩面을 考慮, 大豆油는 割當關稅를 實施
     (만톤 超過分에 대하여는 關稅率 22% 適用)하되 옥수수油는 現行 13%를
     維持키로 非公式 合意.   끝.

3

0153

경 제 기 획 원

봉조삼 10502-   503-9149   1991. 6. 5.
수신 수신처참조
제목 UR대책 실무위원회 회의결과 통보등

    1. 봉조삼 10502-351 ('91.5.27) 관련입니다.

    2. 표제관련 회의결과를 별첨과 같이 통보하여 드리니 기배부한 관련
회의자료 및 첨부 ① 회의결과에 따라 업무추진에 만전을 기해 주시기 바랍니다.

    3. 아울러 금번 회의에서 다루어지지 못한 여타 협상의제(섬유, 규범
제정 및 투자, 제도분야, 지적소유권)에 대하여는 6.18로 예정된 실무회의에서
분야별 협상대책을 논의할 계획이니 관련부처에서는 준비하여 주시기 바랍니다.

    4. Dunkel GATT 사무총장은 '91.6.7 TNC회의를 소집하여 6,7월중 분야별
협상일정을 첨부②와 같이 결정할 것으로 예상되는바 협상주관부처에서는 분야별
협상대책을 마련 당원과 사전협의를 거쳐 협상에 참여하여 주시기 바랍니다.

첨부: ① UR대책 실무위원회 회의결과 1부.
       ② 향후 분야별 UR협상일정 1부.   끝.

                경 제 기 획 원

수신처: 외무부장관(통상국장), 재무부장관(관세국장), 농림수산부장관(농업
         협력통상관), 상공부장관(국제협력관), 특허청장(기획관리관).

0154

〈添附①〉　UR對策實務委員會 會議結果

Ⅰ. 會議槪要

- 日時：　'91.5.31,　14:00-17:00

- 參席：　經濟企劃院　對外經濟調整室長（會議主宰）
　　　　　　　　　　　第2協力官
　　　　　外務部　　　通商局長
　　　　　財務部　　　關稅局長
　　　　　農林水産部　農業協力通商擔當官
　　　　　商工部　　　商易局長, 國際協力官(代參)
　　　　　特許廳　　　企劃管理官(代參)

- 會議案件
　① UR/市場接近分野（財務部）
　② UR/農産物協商 展望과 對策(案)（農林水産部）
　③ UR/서비스協商 進行狀況 및 主要爭點檢討（經濟企劃院）
　④ GATT貿易政策檢討報告書(TPRM) 作成對策（經濟企劃院）

Ⅱ. 主要議題別 會議結果

1. 市場接近分野

① 關稅無稅化協商에의 能動的 參與를 위하여 關係部處
　實務者로 Task Force 構成檢討등 적극적 對處方案을
　講究토록 함.

　- 6月10日 개최되는 市場接近分野 會議의 動向과 結果에
　　따라 伸縮性있게 대처

0155

② 非關税分野에 있어서는 단편적인 問題解決方案 講究보다
종합적인 차원에서 關聯制度를 檢討하고 改善策을 강구
토록 함 (例: 檢疫制度改善 推進)

2. 農産物分野

① 說明資料作成 및 交涉指針示達問題

- 通商關聯關係部處 모두가 一貫性있는 입장을 가지고 對外
交涉에 임할수 있도록 農産物協商에 대한 政府立場을
再整理하여 說明資料를 作成토록 함.
(주관: 農林水産部, 협조: 經濟企劃院,外務部등)

- 對外交涉活動을 통하여 我國立場에 대한 공감을 확산시키는
것이 중요하나 이러한 활동으로 우리나라가 다시 強硬한
입장을 갖는 國家로 오해될 可能性을 충분히 고려하면서
'91.1.9 對外協力委員會 決定事項을 中心으로 技術的問題
에 대한 我側 論理開發

② 食糧安保關聯 我國立場 提案書 提出

- 食糧安保관련 我國立場('91.1.9 對外協力委員會 결정사항)을
협상과정에서 관철시키는 것은 對內外的으로 중요한 문제이기
때문에 '91.6.10주간회의에 書面提案 필요

- 農林水産部에서 草案을 작성하되 최종내용은 經濟企劃院,
外務部등 關係部處가 협의하여 결정

③ 輸出補助金關聯 我國立場定立問題

- 기존의 我國立場을 견지하되 協商動向을 보아가면서 伸縮性
있게 대응

0156

3. 서비스 協商分野

① 水平的(國際協定 現況資料)事項 GATT提出(6.14)

② GATT事務局 서비스 業種分類案에 대한 我國의 檢討意見
   提出 (6.15)

③ 讓許計劃 修正作業 推進

   - 金融, 流通業, 엔지니어링등 一部開放計劃이 제시되었
     거나 準備中인 事項反映

   - 6-7月中 本格的인 讓許計劃 修正準備

④ 勞動力 移動, 運送, 시청각등 분야별 부속서 制定協商에
   적극참여

⑤ 기타 細部協商對策 報告案件대로 推進

4. GATT 貿易政策檢討報告書 作成對策

① GATT事務局과('91.6.4) 協議對策

   - 我國의 TPRM 實施時期는 '92.6월중이 되도록 GATT와 協議

   - 기타 GATT事務局의 我國訪問日程, 質問書送付 일정등도
     會議資料대로 協議推進

0157

② 報告書 作成推進體系 및 日程

- 分野別報告書는 각부처에서 '91.7까지 작성하여 經濟企劃院
  에 제출하고 經濟企劃院에서 이를 體系的으로 정리하여
  '91.11까지 綜合報告書 試案作成

- 分野別報告書 및 綜合報告書를 國際貿易制度諮問委員會에서
  檢討하여 보완

③ 會議資料上의 分野別 報告書 分擔體系 및 記載事項 調整

- 分野別報告書 分擔體系 일부조정
  ○ 商工部 共同 또는 補助參與分野 追加: 비관세분야,관세,
    관세평가, 보조금분야, 수출입금융, 투자
  ○ 外務部 共同參與分野 追加: 해외시장진출장벽, 일방주의
    및 지역주의의 확산

- 分野別 記載事項 一部調整
  ○ 雙務協定, 多者協定, 地域協定등 외국과의 조약항목에
    南北交流에 관한 특례법 추가 (外務部 담당)
  ○ 關稅分野에 관세환급추가 (財務部, 商工部 공동담당)
  ○ 輸出入 金融項目의 기재사항으로 輸出保險을 별도 분리
    (商工部 담당)

④ 國際貿易制度諮問委員會 追加參加

- 外務部 通商機構課長

- 農林水産部 國際協力擔當官 및 農村經濟研究院 擔當研究委員

0158

〈添附②〉 向後 分野別 UR協商日程

- Dunkel GATT 事務總長은 '91.6.7 TNC會議를 소집하여 分野別
  協商日程 論議豫定

  〈分野別 暫定協商日程〉

  ○ 規範制定 및 TRIMs: 6.10-12
  ○ 農 産 物: 6.10주간에서 17주간 사이

  ○ 市場接近: 6.13-14
  ○ 서 비 스: 6.24-28

  ○ TRIPs : 6.27-28
  ○ 纖   維: 6.24주간에서 7.1주간 사이

  ○ 制度分野: 일정 협의중
  ○ 市場接近: 7.15주간

  ○ 서 비 스: 7.15-19
  ○ 規範制定 및 TRIMs: 7.22-26

- '91.7.29 주간에 TNC會議를 개최하여 上記分野別 協商結果
  論議豫定

UR 대책 실무위 회의 내용

1991. 6. 3.
통상기구과

1. 일   시 : 1991. 5.31.(금) 14:00-17:00

2. 장   소 : 경제기획원 소회의실

3. 참 석 자 : 경제기획원 대조실장 (주재)
                        제2협력관
              외 무 부 통상국장
              재 무 부 관세국장
              농림수산부 농업협력통상관
              상 공 부 상역국장

4. 회의내용 :

가. 시장접근

(재무부, 상공부)

   ○ 안건 보고

(대조실장)

   ○ UR 협상이 연말까지 종결되어야 한다는것이 다수의 생각이나, 주요국이
      big package를 추구할 경우에는 협상 종결이 더 지연 될수도 있다는
      전망도 가능함.

   ○ 그러나 우리는 협상이 조기에 종결 될 것으로 보고 대비해야 함.

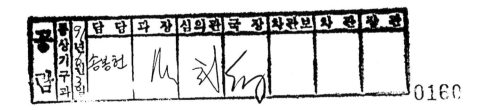

0160

(농림수산부)

o 농산물에 대한 관세인하 계획은 합의되지 않았으며 우리의 입장도
   정립되지 않음.

o 앞으로 농수산부내에 관세 및 긴급수입제한 협상 담당관을 별도
   지정하여 대처하겠음.

(외 무 부)

o 미국의 Fast-track이 연장 되었으나, 최근 분위기는 미.EC간의 입장
   차이가 좁혀지지 않아 하계휴가 전에는 본격적인 협상이 이루어지지
   않을수도 있다는 것임. 최근 방한한 Andriessen EC 집행위 부위원장도
   연말까지 협상 종결 가능성에 다소 회의적이었음.

o 무세화 협상과 관련한 미국의 관심이 매우 큰바, UR 협상이 부진한
   가운데 무세화 협상만 진전될 가능성에 대비해야 함. 특히, 우리에게는
   어려운 문제인 수산물, 의약품등의 무세화에 주요국의 관심사항이
   높은바, 우리의 이해관계와 협상 상대국의 관심사항을 잘 조화해
   나가는 노력이 필요함.

(대조실장)

o 무세화 문제는 산업정책과도 관련이 있으므로 상공부 및 기획원에서도
   관심을 갖고 대처바람.

(재 무 부)

o 무세화 협상과 관련, 미국이 우리에게 요구하는 것은 분위기 maker가
   되어 달라는 것으로 파악하고 있는바, 6월 협상에 참여, 미측 관심의
   강도를 재확인한 후 대처토록 하겠음.

(경 기 원)

o 미측이 요구하는 것은 UR 협상에의 기여의 차원에서 가시적인 입장을
   취해 달라는 것인바, 우리의 입장을 어느 수준으로 해야할지 정해야
   할 것임.

2

0161

(대조실장)

ㅇ 금번 협상 결과를 보아 소위원회와 task force를 설치하여 입장을
  검토토록 할 수 있을 것임.

나. 농 산 물

(농수산부)

ㅇ 안건 보고

(기 획 원)

ㅇ 주요 8개국 협의 동향 파악 채널은 ?

(농수산부)

ㅇ 일본, 핀랜드, 이씨등임.

(상 공 부)

ㅇ 협상의 여러가지 쟁점에 대한 폭넓은 국내 홍보가 필요함.

(기 획 원)

ㅇ 이들 쟁점에 대한 우리 입장도 협의되어야 함.

(외 무 부)

ㅇ 중요한 것은 세부쟁점에 대한 우리의 입장보다 협상의 큰 흐름과
  핵심쟁점에 대한 우리의 입장이며, 이런 면에서 외무부는 대응방향의
  기본 전제에서부터 농수산부와 차이가 있음. 즉, 우리의 농업이
  어렵다는 점을 알리기 위한 교섭에만 치중하고 우리의 입장을
  제시하지 않는 것은 바람직하지 않음.

ㅇ 일본은 서방 7개국 정상회담을 계기로 쌀에 대한 최소시장 접근을
  수락할 것을 검토하는등 이미 쌀시장 개방 방침은 정하고 시기만을
  검토하고 있는 것으로 알려진 바, 이경우 아국이 target가 될 것인바,
  이 시점에서 농업의 어려움을 강조하는 교섭이 필요한지 의문시 됨.

3

0162

o 주요국들은 아국의 어려움은 잘 알고 있으나, 예외인정은 곤란하다는
  것인바, 현단계에서 우리의 전향적 입장을 협상 framework에 반영할 수
  있는 구체적 제안 마련에 주력하여야 할 것임.

o 주요국 소그룹 참여문제는 주 제네바 대사가 던켈 총장앞 서한을 통해
  요청하는등 적극 교섭중임.

(농수산부)

o 쌀 시장 개방과 관련, 일본 정부가 최소시장 접근을 수락할 것이라는
  것은 일부의 의견이며 정부는 시장개방 반대의 입장이 확고함.

o 구체적 세부 쟁점사항에 대한 협의에서도 보조금 감축 방식등과 관련
  우리에게 이익이 되는 방향으로 협상할 수 있는 여지가 있으므로
  이를 위해 주요국가들과의 교섭이 필요함.

o 실무 협상에 임해 본 결과, 협상 상대국들이 T.E. 인정등 우리의
  입장에 오히려 전향적인 면이 많이 있음을 모르고 있는 경우가
  많았는바, 이런 점에서도 주요국과의 교섭이 필요함.

(외 무 부)

o NTC등 총체적인 예외 획득을 위한 교섭은 바람직하지 않다고 생각되나,
  협상 상대국의 전문가들에게 기술적인 사항을 교섭하는 것은 무방할 것임.

(대조실장)

o 아국의 입장은 이미 1.9. 대외협력위원회 회의에서 정해졌으며, 이러한
  기본 입장에 근거하여 대외 설명자료를 작성하는 것은 필요함.

o 앞으로 주요쟁점에 대한 세부 대안도 제시되어야 할 것임.

o 주 제네바 대사는 6.10. 기술사항 협의시 서면 제안 제출을 건의해
  온바, 가능하면 서면 제안을 제출하는 것이 바람직 함.

(외 무 부)

o 서면 제안을 제출하는 경우에도 예외주장은 부각시키지 말고 T.E.의
  수용, NTC 보다는 Food Security에 언급하는등 긍정적인 측면을
  강조해야 할 것임.

4

0163

o 이러한 점은 국내 보고자료, 홍보자료 작성시에도 고려되어야 함.

(대조실장)

o 서면 제안하도록 하되, 정해진 입장에 따르도록 하고 관계부처와의
협의를 거쳐 작성토록 함.

다. 서 비 스

(경 기 원)

o 안건 보고

(대조실장)

o 협상 대책 관련 관계부처 소관사항에 대한 성의있는 대응이 필요함.

o 분야별 협상에도 국내 관계부처들이 참석할 수 있도록 노력바람.

라. 국별 무역정책 검토(TPRM)

(경 기 원)

o 안건 보고

o 실시 대책은 추후 결정 예정임.

(농수산부)

o 무역정책 자문위원회에 농수산부 과장 및 농경연 연구원 포함을 희망함.

(외 무 부)

o 92년 상반기 아국 TPRM 실시를 재확인 필요함.

o 남북 교류 관련 법령 통보 여부를 추후 검토해야 함.

(대조실장)

o 92년도 상반기(6월) 아국 TPRM 실시를 재확인함.

o TPRM 준비대책을 주 제네바 대표부에 통보함.   끝.

UR농산물협상 전망과 대책 (안)

1991. 6. 7.

농 림 수 산 부

0165

0166

I. UR 농산물협상의 '91 전반기 (1~5월) 동향과 평가

1. 진행상황

○ 1. 15   TNC 회의

○ 1.15 ~ 2.15   던켈총장의 주요국 비공식협의

○ 2. 20   농산물그룹 비공식회의 : 던켈총장 Statement 제시

○ 2. 26   TNC회의

    - 던켈 Statement 채택, UR협상 공식재개 합의

○ 3. 1   농산물그룹 주요국 비공식회의

    - 실무급 기술적 쟁점협의 일정 및 진행방식 합의

    - Check-List, non-exhaustive & illustrative, no-prejudice on any position

○ 3.11 ~ 15   1차 기술적 쟁점협의 (국내보조)

○ 4.15 ~ 19   2차   "   (국내보조 + 시장개방)

○ 4. 25   TNC회의 : 협상그룹 재조정 (15개 → 7개) 및 그룹별 의장 선출

○ 5.13 ~ 17   3차 기술적 쟁점협의 (시장개방)

○ 5. 20   한미 Country List 양자협의

○ 5. 21 ~ 24   주요국간 Country List 협의(미국, EC, 일본, 카나다)

○ 6.10 ~ 14   4차 기술적 쟁점협의 (시장개방 + 수출보조)

0167

2. 주요국 비공식 실무회의 토의내용과 평가

가. 주요토의 내용

(1) 국내보조 감축대상 범위설정과 점검방식

　　O 케언즈그룹을 제외하고는 대부분 국내보조에 대한 총액 한도 설정에 부정
　　　적임. (EC는 총액한도 설정도 받을 수 있다는 입장)

(2) 허용대상 보조정책의 결정방식 : Negative-List 접근 대 Positive-List접근

　　O 미국, 케언즈그룹은 Green-first방식 (Positive-List)을 주장하고 허용대상
　　　은 제한적으로 예시하되 엄격한 운용기준을 설정

　　O 일본은 Amber-first방식 (Negative-List)를 주장하면서 보조지원 계획은
　　　총액을 대상으로 하지않고 감축대상 보조중 정부예산만 대상으로함.

　　O 여타국가는 어느 방식에 의하든 각국이 기본적인 농업유지와 개발을 위한
　　　정책지원과 교역에 영향이 적은 보조는 허용대상이 되어야 함을 강조 (실질적
　　　으로는 Negative-List 접근과 유사)

　　O 던켈총장은 Positive방식으로 하되 허용대상 정책은 예시적 (illustrative)인
　　　것으로 하고 제한적인 예외 (derogations)를 인정할 것을 제의

(3) 국내보조 계측 방식 (AMS)

　　O 정부의 가격지지가 있는경우 국내보조의 지원총액을 국내·외 가격차 급하기
　　　지원물량으로 보자는 미국의견과 내·외 가격차를 모든 물량에 급하여 총액
　　　을 산출하자는 EC, 일본등과 의견이 대립

　　O 미국은 정부예산이외에 가격지지 정책이 있는 경우 실질적인 내·외 가격차
　　　감축을 계산 할 것을 주장, EC, 일본등은 논리적, 기술적으로 내·외 가격차
　　　속에 포함된 국내보조 효과와 국경보호 효과의 분리가 어려움을 제시

　　O 품목별로 분리하기 어려운 보조금 (영농자재지원등)은 예산지출액 기준
── 　 (아국,EC,일본,북구등)과 농가의 실질수혜 이익기준 (미국,카나다,호주등)
　　　으로 양분

0168

○ 차액보전 (Deficiency Payment)에 대하여 미국을 제외하고는 대부분 수출 지원으로 보자는 의견

○ 미국을 제외하고는 AMS감축시 인프레가 반영되어야 함을 주장

○ AMS 계측치가 낮은 품목은 사무처리의 번잡성을 피하기 위하여 감축대상에서 제외하자는데 의견합치 (EC는 예외보다는 지원동결 필요성 주장)

(4) 관세화의 방식과 계산기준

○ 카나다, 호주등 수출국 그룹은 TE자체의 상한선 설정과 양허 필요성을 강조한 반면, EC, 일본, 북구, 아국등은 TE를 산출후, 연차적 감축은 가능하나 GATT 양허는 별도의 문제임을 주장

○ EC는 비관세 조치의 「현상태 동결이후 점진적 감축」이라는 기본정신이 중요한 것이지, 계측방식 자체를 목적과 동일시 할 수 없다는 입장 (Fixed Component 방식 고수)

○ 국제가격은 실제있는 수입가격 (C.I.F)또는 이와 근사한 가격을 쓰는데 이견이 없었음. (미국은 가공된 가격이 아닌 실제가격 사용의 중요성을 강조)

○ 국내가격은 대부분의 국가가 지지가격 또는 농가판매 가격의 적용을 주장 (미국, 알젠틴등은 도매가격 주장)

○ 대부분 국가는 품질차 반영의 필요성을 인정하였으나 카나다, 호주는 자의적인 품질계수 적용을 통한 TE확대를 방지하기 위해 일반기준 제시를 주장

(5) 관세화 대상품목에 대한 최소수입량 허용 (MMA)

○ 수입국들은 HS 품목단위로는 국내소비실적의 계측이 사실상 불가능 (EC등)하며 TE와 TQ를 분리하여 시장관리하는 것이 어려움으로 TE하나만을 채택하고 MMA 설정에 회의를 표시, 수출국 (미,케언즈그룹)은 상품분리상 품목별로 일률적인 방식으로 MMA 설정 필요성을 강조

0169

(6) 기 수입자유화 품목의 관세인하와 양허

○ 미국, 케언즈그룹은 기존 관세의 일률적인 인하를 계속 주장함에 비하여
  수입국 그룹은 R/0방식을 선호

○ 관세의 양허도 수출국 그룹은 전품목 양허, 수입국 그룹은 R/0방식에 의한
  부분 양허를 주장

(7) 수입자유화 규제를 위한 특별조치 (SSG)

○ 케언즈그룹을 제외하고는 모든 농산품에 대한 적용 선호

○ 잠정조치로 할 것을 주장하는 미국, 케언즈그룹과 항구적 조치로 하자는
  수입국간의 대립

○ 운용방식은 가격기준 또는 물량기준방식을 모두 활용하자는데 의견접근

○ EC는 Corrective Factor가 본질적으로 미국의 가격기준 방식과 유사한 것임
  을 중점설명하였으나 카나다, 오스트리아, 스위스등은 가격기준 Safeguard와
  같은 맥락하에서 검토가능성을 제시, 미국과 케언즈그룹은 반대의견 표시

(8) GATT 11조 2항의 개선문제

○ 모든 수입규제 조치를 관세화 (TE)와 함께 철폐해야 함으로 11조를 모두 없애
  야만 한다는 미국 및 케언즈 (카나다 제외)입장과 11조를 존치하고 보완하자
  는 카나다, EC, 일본, 아국등 입장의 대립

○ 카나다를 중심으로 한 11조 2C의 개선안의 궁동제안을 추진했으나 제출참여
  국들이 EC의 동참을 위하여 기다리기로 하였음.
  - 아국, 일본, 핀란드, 스위스, 노르웨이, 아이슬랜드, 이스라엘, 카나다가 궁동
    제의에 동의
  - EC는 적용대상에서 수출품목을 제외하는 조건을 받을 수 없을뿐 아니라
    현시점에서는 어떠한 구체적 제안을 내놓기 곤란하다는 입장 표명

0170

나. 평 가

< 긍정적인 측면 >

O 브랏셀회의 이후 새로운 협상 분위기 조성

  - 브랏셀회의 이후 미 . EC간 상호비난 분위기 극복

O GATT 사무국 (Dunkel총장)의 중재기능 신장

  - 조정의 성과는 없으나 협상 지속의 요소로서 역활

O 주요쟁점별 입장차이 확인을 처음으로 정리

  - 그동안 쟁점별 견해차를 체계적으로 확인하기 위한 토의기회가 없었음.

O AMS계측 , Tariff-line별 T.E, M.M.A, TQ 설정등에 대한 기술적 애로가 실재함
  을 확인

  - 실제로 적용가능하기 위해서는 개념의 간략화 명료화가 필요함을 궁동인식

  ※ 각국별 비궁식 C/L 협의에서 조정점 모색

< 부정적 측면 >

O 미 , EC, 일본 , Cairns그룹등 입장의 경직화 초래

  - 미국 : fast-track의 의회 설득등 추가부담을 안음

  - E C : 브랏셀회의 이후 집행부의 월권행위 논쟁등으로 태도 경화

  - 일본 : 미 .EC등 양보없이 일방적인 일본비난에 크게 반발

  - 케언즈 : 협상주역이 미 ,EC 대립으로 축소되는데 반발 , 회의진전에 따라
            회원국간 이견도 발생

O 쟁점의 축소보다는 명확한 견해차 표출로 종료

  - 토론의 장기화에 따라 수입국 그룹간 논리와 인식의 궁감대 확산

    . 수출국 논리의 취약점 궁격으로 양측거리 확대

  - EC가 입지강화에 대한 상당한 자신감 획득

O 기본적 논거의 실천가능성에 대한 약점이 강하게 표출

  - TE등 새로운 수단의 실득력이 상대적으로 하락

0171

3. 한.미 Country List 비공식회의 결과

가. 양자협의 개요

○ 협의일시 및 장소 : '91. 5. 20(월), 주제네바 USTR대표부

○ 협의참석 : 양측에서 각각 6명씩 참석
  - 아측 : 농림수산부 국제협력담당관외 5명
  - 미측 : USTR Chattin부국장 및 USDA Wetzel부과장등 5명

나. 협의결과

○ C/L에서 제시된 기술적 사항에 대하여 양국간 질문답변 형식으로 진행

○ 미국은 그동안 협상과정에서 비교적 명확하고 일관된 주장을 해왔으나 실제 C/L상에 나타난 결과에 비추어 볼때, 상호 모순되거나 일관성이 결여된 부분이 다수 노출
  - 다수품목에 적용되는 보조금은 소폭(30%)감축을 주장하는 Generally Available한 정책으로 분류
  - Waiver등 수입제한 품목중 일부품목만 국내외 가격 차(TE)계상
  - GSM 102등의 수출지원을 수출보조금 List에서 제외
  - TE계측시 유리한 국제가격(FOB)을 기준하여 조정된 가격사용
  - 주정부에 의한 보조금중 일부만 계상
  - AMS의 산출치를 실제지출이 아닌 추정치를 사용

○ 앞으로 기술적 사항에 대한 Framwork가 합의되더라도 실제 감축계획(Country Plan)작성과정에서 자의적, 임의적해석 문제가 남게되어 계속 분쟁의 소지가 발생할 수 있다는 문제점이 노출
  (예) 국별정책 내용과 성격의 상이성, 다양한 가격자료사용등
  ※ Country List 제출 : 30개국, Offer List 제출 : 15개국 (케언즈 그룹은 궁동명의 제출)

0172

Ⅱ. 향후 추진계획과 전망

1. 향후 추진계획

가. 기술적 쟁점사항에 관한 대안서(option-paper) 작성

O 현재까지 논의된 사항에 관한 각종 Option 정리

(예) Green Box policy category, Special Safeguard의 유형등

O 사무국이 Non-paper 형식으로 작성 배포예정 (6~7월중)

※ 주요 8개국 회의에 영향을 줄것으로 예상, 사무국은 견해차 조정이 있기

전에는 내놓기를 주저하는 인상

나. 회의형식과 목표의 변경

O 기술적 논의결과를 토대로 협상기초(Frame-work)마련에 주력

- 정치적 결정사항까지를 포함

O 「농산물 전체회의」-「비공식 주요국회의」-「주요국 작업반 회의」의 3단계

구조로 접근

- 주요국 작업반 회의는 쟁점분야별로 운용, 초안작성 (10~12개국으로 구성)

다. 회의일정

O 6.10~14 실무급 기술적 쟁점에 관한 회의(수출보조등)로 중간단계 종료

→ 새로운 협상 Framework에 입각한 회의 추진

O 6월 12일경 TNC회의를 개최하여 그동안 토의결과보고와 향후 운용계획 제시

예정.

O Dunkel총장은 6월말 TNC회의를 구상하고 있으나 회원국간 견해불일치로 미확정

라. 주요국의 비공식 접촉확대

O 6.4~5 OECD 각료급회의, 6.5~8 WFC 회의시 주요국 농상회동등.

O 미국, 일본은 각자 주요국과 개별접촉 추진계획

O Cairns그룹은 7월초 각료급회의 추진계획

0173

2. 전 망

가. 년내 타결에 대한 낙관적 견해보다 비관적 견해 대두

   ○ 주요국간 입장조정보다는 서로가 상대방의 양보를 강요하는 단계를 벗어나지 못하고 있음.

| 그동안의 조정노력 사례 : 성공보다는 좌절이 많음 |
---

   ① 농산물 그룹의장 선출 문제

     - 협상그룹을 7개로 축소하면서 그룹별 의장 조정

     - Dunkel에 불만을 가진 미국이 드쥬의장을 재임하려했으나 EC, 일본등 거부로 Dunkel로 낙착 (EC는 Lucq 농업국장을 대안으로 제시했었다는 설)

   ② 5월초 미, EC간의 대화

     - Macsharry 위원과 Hills/USTR 및 Madigan/USDA 회동

     - 외형상 연내타결 노력에 궁조키로 했으나 실질내용은 상호간 일방적 주장과 비난

   ③ 5월초 Dunkel 총장의 미, EC 접촉

     - 협상의 가속화 노력을 당부하였으나 양측의 상반된 주장으로 성과별무

       . 미측은 7월하순 각료급(TNC)회의 개최로 frame-work 작성 고집

       . EC측은 충분한 사전조정 없는 고위급회의나 돌발적인 frame-work제안은 반대

     - 5. 15 Atlantic Group 회의(London)에서 Dunkel총장은 미, EC가 협상타결 지연의 모든 책임을 갖고 있음을 맹궁

     (Dunkel 자신의 면책명본용이라는 해석도 있음)

   ○ GATT 사무국 내부에 연내타결 비관론 대두

     - 주요국의 입장변경 가능성 희박 (브랏셀 회의이후 입장변경은 한국이 유일함)

     - 7월이전에 정치적 쟁점사항들이 정리된다고 하더라고 후속적인 절차, 기술적인 문제등 처리에 절대시간 부족

     - Lucq 농업국장 은퇴로 사무국의 중재역활 수행에 궁백기간 발생 불가피

0174

나. 향후 협상추진 방향의 추측

O Dunkel 총장의 반복된 경고

   - "현재와 같이 견해차가 좁혀지지 않는 상황에서는 '90년말 상황이 재현되거
     나 회의와는 관계없이 별도로 특정국들간 타협을 보는등 비정상적 상황 유발"

   - "양보없이는 실패로 간다는 것을 의미"

   (의 미) : . 자신의 중재노력을 확대시키기 위한 포석

            . 협상 진전부진에 대한 미.케언즈그룹등의 비난을 봉쇄

            . 각회원국의 융통성 제시를 촉구

O 예상되는 Dunkel총장의 협상 추진구상 (6~7월)

   (1) Option-paper 작성

   (2) 주요국 비공식 회의 토론

   (3) 주요 쟁점별 주요국 작업반 운용 (10~12개국)

   (4) 협상 frame-work의 작성

   (5) 주요국 비공식회의 토론

   (6) TNC회의 채택

---

o 실질적으로는 주요국 회의에서 합의점만 도출되면 언제라도 Frame-work
  은 나올수 있음.

※ 주요 8개국 회의

   - 미,EC,일본,카나다,호주,뉴질랜드,으스트리아,핀랜드,알젠틴

0175

3. 해소해야할 주요쟁점

가. Global Approach V.S Separate Approach

○ EC는 아직도 global approach 집착

나. 국내보조 정책의 분류와 약속방식

○ Green Box의 정책내용 범위

- 투자지원 및 구조정책등 EC, 일본, 한국, 개도국등 관심사항 미결

- 일본은 Amber-first입장 변경없이 guide-line수준에서 참여

○ 구체적이고 객관적인 분류기준 설정

- 기술적 토의에서 설정이 어렵다는점 확인

○ 약속방식 : 일반적 약속 V.S 양허등

※ 개별국가간, 주요8개국 균등회의 형식으로 Country List 비공식 협의가

진행중이나 미, EC등 모두 애로인식

다. 시장개방 분야

○ Tarrification과 EC의 fixed component의 대립

○ TE산정의 가격기준과 산정단위 설정

- 상품분류 기준상 품목별 분류는 거의 불능함을 인식

○ TQ와 M.M.A의 설정

- 객관적 기준의 존재여부, TE품목에 대한 M.M.A 인정 여부등

○ TE의 상한선 설정과 이행기간 중료시 상한선 설정문제

○ TE로 가지 않는 제11조 2항(C)의 NTC 설정문제

○ Special Safe guard와 Corrective-factor 문제

○ 기 자유화 품목의 관세인하와 양허 문제

○ TE의 감축방식과 최고한도 양허문제등

0176

라. 수출경쟁 분야

　　○ 제 16조 2항의 존폐문제

　　○ 수출보조와 국내보조의 객관적 구분기준 설정 문제

　　　　- 특히 미국의 Deficiency payment의 처리등

　　○ GSM 102, 103등 수출지원 금융의 취급문제

　　○ 식량원조 및 지원의 취급과 구분문제등

마. 정치적 결정사항

　　○ 개발도상국에 대한 우대문제

　　○ 감축율과 기간의 설정문제

　　○ 기산년도의 선정 문제

　　○ MMA의 비율 결정문제등

4. 우리의 주요관심 분야

관세화를 받고 자유화하는 분야

○ 관세상당치의 상한선 설정문제

　　- 최초 T.E가 현저히 낮아질 경우 충격이 큼

　　- 이행기간 종료시 T.E를 X %(예 :50%)로 할경우 이행기간중 T.E삭감이 커짐.

○ 특별피해구제제도 (SSG)의 설정문제

○ 감축폭 및 이행기간과 개도국 이행활용 문제

관세화를 받지 않고 수입을 관리하고자 하는 분야

○ food Security의 궁식일정 근거확보 문제

○ 11조 2의 C항 개선문제

0177

국내보조의 감축분야

○ 감축대상 정책의 결정방식 선택문제

○ 감축율, 이행기간및 개도국이행 활용문제

기존관세의 인하와 양허

○ 대상, 방식, 범위, 수준의 문제

0178

Ⅲ. 우리의 대응방향

1. 예상되는 진행방향과 단계별 대응

예상되는 진행방향 : 가상적 시나리오와 변수

```
┌─────────────────────────────────────────────┐
│  ① 수출국 관심사항 위주의 Frame-work 추진        │
│                                               │
│     ㅇ 요인 : 미국 , 케언즈그룹                  │
│                                               │
│     ㅇ 가능한 형태                              │
│                                               │
│       - 외형상  Dunkel statement 요소           │
│                                               │
│       - 내용상  Dezeeuw, Hellstrom안            │
└─────────────────────────────────────────────┘
```

```
┌──────────────────────┐         ┌──────────────────────┐
│  ② 수용될 경우          │         │  ③ 수용되지 않을 경우    │
│                        │         └──────────────────────┘
│   ㅇ frame-work작성     │
│   ㅇ 구체적인 세부        │
│     요소별 작업          │
│   ㅇ 세부요소별협상       │
└──────────────────────┘
```

(거부요소)

ㅇ E.C

  - Council mandate
  - 주요관심 사항

ㅇ 일본

  - food Security예외

(3-1)	(3-2)	(3-3)
협상요소나열식 Option-paper	Smaller-package 방식접근	대립의 계속
(거부요소)	(거부요소)	ㅇ Block화 강화
ㅇ 수출국 불만	ㅇ 수출국 불만	ㅇ 책임전가 경쟁
(타협요소)	(타협요소)	- 쌍무압력과 비난 가중
ㅇ 협상진전의 체면 유지	ㅇ 협상실패의 책임회피	
협상계속	세부사항 협상	

0179

가. Case 2 : 수출국 관심사항 위주의 frame-work 추진

〈가능한 씨나리오〉

O 주요사항은 dezeeuw, Hellstrom 안

O 식량안보는 Tariffication을 하되 감축등 특별고려

O T.E의 상한설정

O 개도국 우대는 선별적 차별대우

〈결정할 사항〉

O 수용할 것인가? 아닌가?의 선택

O 수용할 경우 Reserve의 문제(특히, 쌀)

〈조치가 필요한 사항〉

O 동향파악

O 주요국에 대한 우리측 실정설득

※ EC와 일본 관심사항의 수용범위와 이들의 태도가 중요한 관건

나. Case 3-1 : 협상요소 나열식 Option-paper 작성

〈가능한 씨나리오〉

O 던켈 Statement와 기술적 토의결과가 기초

O 주요 협상요소(쟁점)별 다수 견해와 소수견해 또는 사무국이 감지하는 중간
   선 견해 제시

O 쟁점별 이견을 정치적 절충의 대상화 (협상)

0180

<결정할 사항>

O 우리측 관심사항의 우선 순위별 접근

O 각 요소별 선택 또는 조정가능 option의 면밀한 검토

O option별 궁등 관심국들과의 협조 (이행집산식)

O 소수 견해부분중 특별 관심사항 관리

<요 조치사항>

O 동향파악과 궁등관심국과의 협조

O 주요국(그룹)에 대한 우리입장 설명

O option별 의미에 대한 대내홍보

※ 현재로서는 무난한 접근이나 「년내에 구속력 있는 실질적 내용결정(frame-
work)」이나 「년내타결」 전망은 어려움.

다. 3-2 : Smaller-package 접근

<가능한 시나리오>

O 중요쟁점 사항은 제외하거나 현실적으로 조정

O 향후 협상재개로 계속 추진

(예)

 - 국내보조 : 동결

 - 시장개방 : 합의되는 수준의 TE화와 감축등

 - 수출보조

<결정할 사항>

O Smaller-package로 갈수있는 분야에 대한 우리입장

O Smaller-package 접근의 지지 여부

O 추후로 연기될 협상요소들에 대한 대책

0181

<요 조치사항>

○ 동향파악과 궁둥관심국들과의 협조

○ 주요국에 대한 설명과 이해폭 확대

○ food-Security 부본의 확보노력

※ 수면하에서 차선책으로 논의되고 있으나 외형상으로는 수출국 그룹의 강한
   거부반응이 있음.

라. 3-3 : 대립의 계속

<가능한 시나리오>

○ 서로가 년내타결을 위한 노력을 강조

○ 상대방이 받기 어려운 조건들을 양보조건으로 제시

○ 정치적 타결계기 (제 2의 브랏셀 회의)를 만들고 "발목잡기"와 "뒤집어 씌우기"
   재현

<결정할 사항>

○ 중요한 정치적 결정의 계기에서 우리의 입장표명 방식

○ Block화에 대응한 줄서기 (?) 대책

<요 조치사항>

○ 우리여건속에서 성실하고 긍정적인 시장개방 노력과 실적 , 계획 , 설명 , 이해
   획득

○ BOP Schedule에 따른 대응조치

0182

2. 협상대책 기본방향

가. 돌발적 상황전개 (예 : 갑작스런 frame-work안 출현등)에 대비한 대응태세 확립

나. 주요국 및 그룹별 동향을 수시파악하여 대처

다. 협상이 Framework 작성단계로 전환함에 따라 능동적 참여노력

   O 주요 쟁점별에 소그룹 작업반 참여추진

라. 주요국별, 그룹별 대응방식 추진

   O 미국및 케언즈그룹 , EC , 일본 , 수입국그룹 , 개도국 그룹등

마. 우리입장과 회의동향등을 국내에 수시전달

3. 분야별 대책

가. 우리측 입장을 정리한 설명자료 작성

   O 재외공관의 교섭및 설명 참고자료를 활용

   - 우리 농업의 어려움 , 정부의 자유화 실천내용 , 우리의 기본입장 , 협상진전 을 위한 우리의 노력등

나. 주요국 공관에 대한 교섭지침 시달

   < 1 단계 >

   O 대상국의 입장 및 관심분야 확인 , 아측입장의 이해 촉구

   < 2 단계 >

   O 국별 공통관심 분야 도출

   O 아국입장에 유리하도록 분위기 조성

0183

다. 제네바 대표부에 대한 특별교섭 지침시달과 활동지원

    ○ 제네바 대표부에는 보다 구체성있는 대안모색을 할 수 있게 지침시달

    ○ 주요국 대표 및 GATT사무국 관계자등 개별접촉 확대

       - 교섭활동에 필요한 특별활동 자금 지원방안 강구

라. 쟁점사항별 주요국 소그룹 참여교섭

    ○ 특히 시장개방과 국내보조 분야의 아국 관심사항 반영에 주력

    ○ 제네바 대표부 중심으로 주요국 대표단과의 교섭활동 강화

마. 서울주재 주요국 공관을 대상으로한 교섭활동 전개

    ○ 주요국 대사및 농무관과의 수시접촉을 통해 아국입장 설명과 지지기반 확충

       - 개별접촉, 공동설명회, 현지 농업시찰 주선등

바. 국내홍보대책 추진

    ○ UR협상에 대한 토론회 (또는 공청회) 개최

       - 기술적 쟁점사항에 관한 실무협의결과, 제기된 option별로 장단점에 대한
         공개토론

       - 농민단체, 학계 참여를 유도하여 정부협상 방안의 선택폭을 사전에 알리고
         공감대 형성

    ○ 농·축·수협등 산하단체와의 UR협의회 구성

       - UR업무관계자와의 사전협의를 통해 불필요한 사후논란 소지를 제거

    ○ 협상진전 상황에 대한 기자설명회 개최

0184

26596

기 안 용 지

분류기호 문서번호	통기 20644-	(전화: 720 - 2188)	시 행 상 특별취급	
보존기간	영구. 준영구 10. 5. 3. 1.	장 관		

시행일자 1991. 6. 13.

보조 기 관	국 장	전 결	협 조 기 관		문 서 통 제
	심의관				1991.6.14
	과 장				
기안책임자		송 봉 헌			발 송 인

경 유 수 신 참 조	경제기획원장관 대외경제조정실장	발 신 명 의	반송 1991. 6. 14

제 목 UR 대책 실무소위원회 구성

91.5.2. UR 대책 실무위원회 결정에 따라 UR 협상 분야중

당부 소관 협상 분야인 제도분야(분쟁해결, 갓트기능 및 최종의정서)에

대한 실무소위원회를 별첨과 같이 구성 하였음을 알려 드립니다.

첨 부 : 제도분야 UR 대책 실무소위원회 구성 및 운영안 1부.   끝.

사 본 : 재무부장관, 농림수산부장관, 상공부장관, 특허청장,

대한무역진흥공사 사장, 무역협회 회장

0185

UR 대책 실무소위원회 구성 및 운영 안

1. 목 적

o 91.4.25. UR/TNC 회의에서 협상그룹이 재구성됨에 따라, 제도분야(갓트기능, 분쟁해결 및 최종의정서) 협상에 효율적으로 대응할 수 있도록 대책 수립 및 현안 발생시 관계부처간 협의 및 의견 조정을 하기 위함.

2. 구 성

위 원 장	외무부 통상국장
위 원	o 외 무 부 : 통상국 심의관, 통상기구과장, 조약과장(최종의정서 관련) o 경제기획원 : 통상조정3과장 o 재 무 부 : 국제관세과장 o 농림수산부 : 국제협력담당관 o 상 공 부 : 국제협력담당관 o 특 허 청 : 국제협력과장
간 사	외무부 통상기구과장
자 문	o 대한무역진흥공사 : 국제경제과장 o 무역협회 : 통상기구과장

0186

3. 운영 방안

가. 위원회 운영 방안

o 회의 소집

- 협상대책 수립, 관계부처간 협의 및 의견 조정 필요시 소집

o 위원장 및 간사의 역할

- 위원장 : 회의 총괄, 위원회 소관 업무 종합 및 조정
- 간 사 : 회의 의제별 자료준비 및 관계부처 연락 업무등 실무 총괄

나. 협상팀 운영 방안

o 주 제네바 대표부를 중심으로 협상에 참여하되, 회의 성격 및 논의
의제별 중요도등에 따라 본부대표 파견. 끝.

0187

경 제 기 획 원

봉조삼 10502- 내ᄂ   503-9149   1991. 6. 17.

수신 수신처참조

제목 UR대책실무위원회 개최

　　1. 봉조삼 10502-377 ('91.6.5)과 관련입니다.

　　2. '91.5.31 표제회의에서 논의된 의제를 제외한 UR협상그룹의제 (제도
분야, 규범제정 및 투자, 섬유, 지적소유권분야)의 협상진행상황 및 대응방안에
대하여 협의코자 다음과 같이 UR대책실무위원회를 개최코자 하오니 참석하여
주시기 바랍니다.

- 다　　음 -

　　가. 일　시: '91.6.19(수)   15:00-

　　나. 장　소: 경제기획원 소회의실 (1동 721호실)

　　다. 참석범위: 경제기획원 대외경제조정실장 (회의주재)

　　　　　　　　　　　"　　　제2협력관

　　　　　　　외 무 부　　봉상국장

　　　　　　　재 무 부　　관세국장

　　　　　　　농림수산부 농업협력봉상관

　　　　　　　상 공 부　　국제협력관

　　　　　　　특 허 청　　기획관리관

　　라. 의　제

　　　　① 제도분야 (외무부)

　　　　② 규범제정 및 투자 (상공부)

　　　　③ 섬유 (상공부)

0188

④ 지적소유권 (특허청)

⑤ UR/서비스협상그룹회의 참가대책 (경제기획원).   끝.

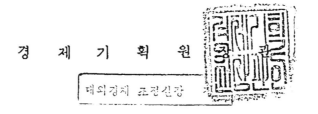

경 제 기 획 원

대외경제 조정실장

수신처: 외무부장관(통상국장), 재무부장관(관세국장), 농림수산부장관
(농업협력통상관), 상공부장관(국제협력관), 특허청장(기획관리관).

0189

UR/제도분야 협상 대책

1991. 6. 19.

외 무 부
통 상 국

0190

목　　차

0191

UR/제도분야 협상 대책

1. 분쟁해결

가. 협상 목표

- o 분쟁해결 규칙 및 절차의 개선 강화
- o 권고 이행 강화를 위한 절차 마련

나. 협상 현황

- o 88.12. 중간평가를 통하여 패널설치 시한, 패널보고서 채택 시한, 패널 권고사항 이행에 대한 감시기능 강화등에 합의

- o 협상그룹 의장은 그간의 협상 결과를 반영하여 90.10. 자신의 책임하에 결정문 초안(Text)을 작성 하였으며, 동 Text를 토대로 90.11. 그린룸 협의를 거쳐 수정 Text를 브랏셀 각료회의에 제출

- o 동 협상 그룹은 기존의 제반 규정(갓트 22, 23조, 79년 양해, 82년 선언 및 '66, '84, '89년 결정)을 통합한 통합문안을 상기 의장안과는 별도로 브랏셀 각료회의에 제출하고, 동 각료회의 이후 91.3.1 이전에 최종합의문을 포함하는 최종 통합문안을 작성할 예정 이었으나, 시간 촉박 및 여타 협상 분야 진전 부진으로 통합문안 도출에 실패

- o 91.2. 주요국 비공식 협의에서 Dunkel 사무총장 Statement 수락
  - 하기 세가지 주요 현안등 정치적 결정을 요하는 사항이 다수 있으나, 기술적 논의 유용

1

0192

. 이사회의 분쟁해결 관련 결정 절차

. 일방조치 억제

. Non-violation 분쟁해결 절차

ㅇ 91.3. 주요국 비공식 협의 결과

- 브랏셀 회의시 주요국 비공식 협의 결과를 감안한 사무국 작성
  Non-paper를 차기 회의시 논의키로 합의

  . 동 Non-paper는 브랏셀 각료회의에 제출된 Text 내용과 거의 동일

- 기술적 논의 가능한 4개분야 제시

  . 분쟁해결 절차 시한 문제

  . Non-violation 분쟁해결

  . 통합문안 (consolidated text)

  . 타협상그룹 분쟁해결 절차와의 조화문제(harmonized text)

- 상기 4개분야중 대부분의 국가가 통합문안에 대한 기술적 논의는
  가능하나, 조화 문제 논의는 아직 시기상조라는 반응
  (여타 2개분야에 대하여는 계속 상이한 의견)

ㅇ 91.3. 주요국 수석대표급 비공식 협의를 통하여 분쟁해결, 갓트기능 및
최종의정서를 통합한 협상그룹 재구성

다. 합의사항

ㅇ 중간평가 합의사항(89.4)

- 패널설치 시한

  . 늦어도 두번째 이사회에서 설치

- 패널 보고서 채택 시한

  . 이해당사국 협의 개시이후 15개월 이내

- 패널 권고사항 이행에 대한 감시기능 강화

  . 보고서 채택후 6개월이후부터 자동적인 감시기능 발동

- 조기 수확분야로 결정하고 그간의 합의내용의 시험적 적용을
  89.5.1부터 개시, UR 종료시까지 적용

2

0193

ㅇ 브랏셀 각료회의에 제출한 Text상의 합의사항(중간평가 합의사항

　부문은 제외)

　- 일반규정

　　. 본 결정 시행후 4년내 분쟁해결 절차 전면 재검토

　　. 1994년 각료급 회의에서 개정 여부 결정

　- 협　의

　　. 부패 상품을 포함한 긴급의 경우, 패널과 상소기구는 절차를

　　　최대한 가속화

　- 패널의 구성

　　. 자격있는 정부 또는 비정부 인사로 구성

　　. 패널리스트 명부는 확대, 개선

　- 중간검토 단계

　　. 패널은 보고서 초안의 서술부분(사실과 주장)을 당사국에 제시

　　. 당사국은 패널이 결정한 시한내 서면으로 의견 제시

　　. 당사국들의 의견、접수 검토후, Panel은 서술부분과 Panel의

　　　검토 및 결론을 포함하는 중간보고서를 당사국에 제시

　　. 당사국은 패널에 대해 중간보고서를 재검토 할 것을 서면 요청 가능

　- 개도국 특별 우대

　　. 패널보고서는 갓트상의 개도국 우대 관련조항이 어떠한 형태로

　　　적용 되었는지를 명시

　- 제3국 권한

　　. 제3국은 Panel 1차 회의에 제출된 문서 접수권 보유

　　. 동일 사안에 대하여 제3국은 GATT에 제소 가능하며, 이경우

　　　가능한한 원래의 Panel에서 취급

　- 상소제도(상설상소기구)

　　. 4년 임기를 가진 7명의 구성원으로 상설상소기구 설치

　　. 법률, 국제무역 및 GATT 업무에 정통한 비정부 인사로 구성

3

0194

- 상소 검토 절차

  . 상소업무 절차는 상소기구, 이사회 의장, 사무총장이 협의,
  작성하여 체약국단에 통보하며, 상소기구 의사 진행은 비공식

- 이   행

  . 패소국은 보고서 채택후 30일이내 이사회에 권고이행 계획을
  통보하며, 즉각적인 권고사항 이행이 불가능한 경우에는
  합리적인 이행기간을 가짐

  . 합리적인 이행기간은 ①패소국이 제시하고 이사회에서 합의한
  기간, ②이사회에서의 미합의시 권고 채택후 60일이내 당사국간
  합의한 기간, ③또는 당사국간 미합의시 권고 채택후 90일이내
  구속력있는 중재를 통하여 결정한 기간

  . 권고사항 이행을 위한 조치의 GATT 합치 여부에 대한 분쟁은
  가능한한 원래 패널 회부를 통한 기존의 GATT 분쟁해결 절차에
  따라 처리

- 보상 및 양허 중지

  . 보상은 자발적 조치, MFN 원칙 적용

  . 합리적인 기간내에 권고사항 이행이 불가능한 경우 보상에 대해
  상호 합의

  . 미합의시, 승소국은 양허 또는 여타 갓트상의 의무 중지에 대한
  이사회의 승인 요청

  . 패소국이 양허중지의 수준에 반대할 경우, 중재에 회부
  (I)중재는 원래의 패널 또는 사무총장이 임명하는 중재자가 수행
  (II)중재는 합리적인 기간 종료후 60일이내 완료

  . 당사국은 중재기구의 결정을 최종적인 것으로 수락

- 최빈개도국을 위한 특별 절차

  . 특별고려 제공 및 패널 구성전에 협의 과정에서 사무총장이 중개,
  화해, 조정

4

0195

라. 주요쟁점 및 주요국 입장

ㅇ 일방 조치 억제
 - 미   국 : 일방조치 억제 공약을 위해서는 분쟁해결 절차의
              매 단계에서 Blockage 요소 완전 제거 필요
 - 대다수 국가 : 갓트 위반 일방조치 억제 의무 선행

ㅇ 패널 및 상소보고서 자동 채택
 - 미   국 : 이사회가 보고서를 채택하지 않기로 결정하지 않는 한,
              자동 채택
 - EC, 일본등 : 유보 입장
 - 인도등 : 기존의 consensus 방식에 의거, 채택

ㅇ 보복 자동 승인
 - 미   국 : 이사회가 보복 승인 요청을 거부키로 결정하지 않는 한,
              자동적으로 보복 승인 부여
 - EC, 일본등 : 유보 입장
 - 인도등 : 기존의 consensus 방식에 의거, 승인

ㅇ 본 결정 문안상의 이사회 의사 결정 방식 및 갓트 25조의 적용 가능성
 - 미   국 : Blockage 요소를 완전 제거한 자동화된 분쟁해결 절차의
              수립을 위하여 갓트 25조의 적용 가능성 완전 제거 제안
 - EC, 카나다, 오지리등 : 본 결정 문안상의 이사회 의사 결정을
                전통적인 consensus 관행에 의할것을 규정한
                문안도 함께 삭제할 것을 제안

ㅇ non-violation 분쟁
 - EC : 갓트 2조에 국한된 별도의 non-violation 분쟁처리 절차 설정
        방안 제안
 - 미, 일본등 대다수 국가 : EC 제안의 의도가 분명치 않다고 지적

5

0196

마. 협상 전망

　o 갓트 분쟁해결 절차의 매단계에서 blockage 요소를 완전 제거하려는
　　미국의 입장과 미국의 301조등 일방조치 억제에 대한 공약을 받아
　　내려는 여타국의 입장이 첨예하게 대립

　o 따라서, 패널 및 상소보고서 자동채택과 보복 자동 승인 문제는 갓트
　　위반 일방조치 억제문제와 연계되어 있으므로 미국이 어떤 형태로든
　　일방조치 자제를 약속하지 않는한 타결이 어려울 것으로 전망

바. 협상 대책

　o 갓트 위반 일방조치 억제 공약

　　- 미결쟁점 타결을 위해 일방조치 억제 공약 선행 필요

　o 패널 및 상소보고서 채택 및 보복승인

　　- 자동채택 및 승인에는 반대이나, 일방조치 억제 공약이 선행되고
　　　협상 대세에 비추어 반대 불가시 수용 검토

　o 본 결정 문안상의 이사회 의사 결정 방식 및 갓트 25조의 적용 가능성

　　- 갓트 25조의 적용 가능성 완전 제거시, 본 결정 문안상의 이사회
　　　결정을 전통적인 consensus 관행에 의할 것을 규정한 문안도 함께 삭제

　o non-violation 분쟁

　　- non-violation 분쟁을 위한 별도 분쟁해결 절차를 설정할 충분한
　　　이유가 없는만큼 보다 명확한 EC 입장이 개진될 때까지는 갓트 일반
　　　분쟁해결 절차에 따라 처리한다는 입장 견지

6

0197

2. 갓트 기능

가. 협상 목표

o 체약국의 무역정책 및 관행에 대한 감시기능 강화

o 각료의 참여를 통한 갓트의 효율성 및 의사 결정 기능 개선

o 국제통화, 금융기구와 갓트의 연계 강화

나. 협상 현황

1) 88.12. 중간평가

o 국별 무역정책 검토 제도 실시 합의

o 각료급 참여 확대 문제 합의

- 각료급 갓트 총회 2년 1회 개최

o 국제통화 및 금융기구와의 관계 강화 방안에 대하여는 계속 검토키로 합의

2) 90.10.26. (10.9. TNC 비공식 회의에서 설정한 시한)

o 그룹차원의 협상 종료 및 브랏셀 각료회의에 제출할 각료의 결정 초안 채택

3) 90.11.2. TNC

o TNC 수석대표 비공식 협의에서 합의된 협상 기초가 있는 분야로 분류됨.

4) 90.12. Brussel 각료회의시 갓트 기능에 대하여 협의 없었음.

다. 합의사항 (브랏셀 각료회의에 제출한 Text상의 합의사항)

1) 감시 기능 강화

o 국별 무역정책검토(TPRM)

- 89.4. 중간평가시 합의되어 조기 시행중인 TPRM의 존재 재확인

7

0198

- 장기 검토 일정을 91.6.까지 결정
- 92.10에 TPRM 운용 재평가 검토

ㅇ 국제무역 환경 검토
- 89.4. 중간 평가시 합의되어 조기 시행중인 특별이사회에서의
  연례 국제무역환경 검토 제도를 계속키로 재확인

ㅇ Domestic transparency
- 각국의 무역정책 결정과 관련한 명료성 (예 : 공청회 개최,
  독립연구기관을 통한 손익분석등)을 제고한다는 권고적인
  성격의 결정문 합의

ㅇ 통고 제도 개선
- 통고 의무의 강화 (1979년 양해사항 재확인 및 통고 대상 사항
  목록 합의)
- 중앙통고 기탁소 설치
  . 제반 갓트 규정에 의거한 통고사항 취합, 각국의 통고의무
    준수 여부 주의 환기
- 기존 통고 의무 및 절차를 재검토하여 단순화, 체계화하기 위한
  작업반을 UR 협상 종료 직후에 설치

2) 기구적 측면의 갓트 강화
  ㅇ 89.4. 중간평가시 2년 1회의 갓트 각료급 총회 개최에 합의

라. 주요쟁점 및 주요국 입장

1) 기구적 측면의 갓트 강화

ㅇ 소규모 각료회의 설치 문제
- 미국, 호주외에 대체로 반대 의견이며, 정치적으로 결정되어야
  할 문제로 인식
  . 인도등 강경론자들은 각료회의 회부에도 반대한 바 있음.

8

0199

- 브랏셀 각료회의 직전 최근 미국은 갓트 관리 이사회(Management
  Board) 설치를 제의한 바, 이는 주요 정책 결정 기관으로서 IMF의
  Interim Committee와 동등한 지위에서 협력하며, 18개국으로 구성
  (4대국은 상설회원, 무역 고순으로 16위 국가까지는 격년제
  참가, 여타 국가는 순번제로 1년씩 교대)

o MTO/WTO 설치 문제
  - EC(공식 제안), 카나다(비공식 제기)는 다음 사항을 포함하는
    신기구 설치 협정 체결을 제안
    . 회원국 규정 및 기구적 조직
    . UR 협상 결과의 이행, 특히 모든 협정에 통용되는 분쟁해결
      절차 이행을 위한 법적 근거
    . 사무총장 및 사무국
    . 예산 규정
    . 기타 기구의 법적인 지위, 특권과 면제, 기타 기구와의
      관계등 행정 규정
  - 각국 입장
    . 미국은 소극적이었으며, 개도국들은 Cross-sectoral
      retaliation에 우려 소극적 입장
    . 개도국은 UN, UNCTAD 등에서 ITO 설치 거론

2) 통화, 금융, 무역정책간의 일관성 (coherence)

o IMF, IBRD, GATT의 정치적 합동 각료선언
  - 당초 EC는 3기구 담당 각료들간의 합동 각료 선언을 채택하여,
    일관성 문제에 대한 정치적 결의를 보여야 한다고 주장
  - 이러한 EC의 제의에 대해, 개도국이 동조 하였으나 미국을 위시
    여타 선진국은 반대의사 표명
    . 미국은 각국 정부의 자체적 책임, 개도국의 무역자화 필요성
      등을 강조하는 각료선언안 제안

9

0200

- 이에따라 일단 갓트의 일방적인 각료선언을 각료회의 결정의
형태로 초안 하였으나 실질문제(환율, 금리, 개도국의
교역조건, 개도국에 대한 금융지원)에 대한 언급문제와 관련
다수 미합의사항 존재

o 사무국간 실용적 협력

- 중소 선진국들이 강력히 추진하는 3개기구 사무국간 인전교류,
연구협력, 감시기능 관련 협력등 사무국간 협력 강화 차원의
실용적 접근 방식

- EC가 상기 합동 각료선언과 연계하여 반대함에 따라 합의되지
못하고, 일단 갓트 사무총장으로 하여금 실용적 협력 방안을
포함하여 가능한 일관성 강화 방안을 연구하여 91.12.31.까지
보고토록 요청 내용만 잠정 합의

마. 협상 전망

o MTO/WTO 설치 문제는 UR이후 구체적인 논의 가능성

o 소규모 각료회의 설치 및 갓트관리이사회 구성 문제는 참여범위
설정에 어려움으로 타결 난망

o 각기구간 MANDATE 차이 및 각기구의 독자적인 결의 절차에 비추어
실질 협력은 대단히 어려운 작업으로 사료됨

바. 협상 대책

o 감시 기능 강화

- 과도한 예산 증대, 기구 확장없는한 찬성

- TPRM 설치 목적상 필요한 수준 이상으로 무역 외적 사항에 대해
감시 기능을 확대하는데는 소극적 입장

10

0201

o 소규모 각료회의

  - 아국의 참여 확보가 최우선의 관심사항

o 갓트 관리이사회

  - 의사 결정기관이 아니고 자문적인 성격을 띤 협의기구로 하는것이
    바람직

o MTO/WTO

  - 원칙적으로 찬성이나 UR 종료후에 논의하는 것이 바람직

  - UR 협상 진전상황 및 EC, 카나다 제안의 구체화 상황을 보아가며
    입장 정립

o Coherence 문제

  - 중.소 선진국들이 제안한 실용적 접근방안이 현실적으로 바람직하나
    아국에 특별한 이해관계 없는 사항이므로 개도국 입장을 고려,
    입장 표명 자제

11   0202

3. 최종의정서

가. 협상 현황

ㅇ 브랏셀 각료회의 이전 논의동향

- 90.10. 제네바에서 Lacarte 우루과이 대사가 비공식 그룹

  (일명 Lacarte 그룹)을 결성하고 UR 협상 결과 처리 문제에 관한

  비공식 문서를 제출, 이에 관한 논의 시작

  . Lacarte 그룹 : 우루과이, 미국, EC, 일본, 카나다, 스웨덴,

    스위스, 인도, 브라질, 인도네시아 대사, 던켈 총장, 린덴 특별고문

  . 논의동향 : 선진국들은 UR 협상의 모든 또는 최대한의 결과가

    모든 또는 최대 다수의 체약국에 의해 수락되어야 한다는

    점을 강조

- 브랏셀 각료회의 직전 주요국 그린룸 협의에서 UR 협상 결과를

  수록할 최종의정서 문안에 관해 협의

  . 선진국들이 Single Undertaking을 주장한데 반해 개도국은

    신분야가 갓트의 일부가 될 수 없음을 주장

ㅇ 브랏셀 이후의 협상 진행 상황

- 91.1.22 및 3.20 두차례 분쟁해결 및 최종의정서에 관한 주요국

  비공식 협의를 개최

  . 최종의정서 분야에 대한 구체적 협의는 없었음.

- 3.25 사무국, 하기 요지의 향후 협의를 위한 비공식 문서 배포

  . 모든 협상 참가국은 가급적 조속한 협상 결과의 시행을 위하여

    UR 협정을 수락

  . 협정의 이행을 위한 1991년말 이전 각료회의 개최

  . 결과 이행을 위한 기구 설립에 합의 및 동 기구 설립을 위한

    임시 위원회 설립

  . 개도국들에게 UR 결과 이행에 대한 일정한 유예기간 부여

12

0203

나. 주요쟁점 및 주요국 입장

　o Single Undertaking 문제
　　- 선진국 : Punta del Este 각료선언에 따라 협상 결과를 취사
　　　선택하여 수락하는 것은 불가
　　- 개도국 : 신분야 협상은 GATT 외적인 사항이며, Single
　　　Undertaking으로 할 경우 다수 개도국의 GATT 탈퇴를 초래할
　　　가능성을 이유로 반대

　o MTO 설치 문제
　　- EC, 카나다 : UR 협상 결과, 특히 신분야 협상 결과의 수용 및
　　　시행을 위해 새로운 국제무역기구의 설치가 불가피
　　- 개도국 및 미국 : UR 협상 종료후에 논의될 사항

　o 잠정 적용 문제
　　- 선진국 : UR 협상 결과가 최종 발효될 때까지 희망 국가간 잠정
　　　적용 필요

다. 협상 전망

　o 협상분야의 성격상 당분간 막후 비공식 협의를 계속하다가 UR 협상
　　최종단계에 본격 거론 전망

　o Single Undertaking 문제는 의무 수락 분야와 선택수락 분야의
　　2원 구조로 타협안 모색 가능성도 배제 불가

　o MTO 설치 문제는 신분야 협상의 결과에 따라 계속 추진 여부 좌우 예상

라. 협상 대책

   ○ Single Undertaking 관련, 일괄 수락이 불가피할 것으로 예상되며, 협상
      결과의 일부국가간 잠정 적용 문제는 하기 이유에서 바람직하지 않음.

      - 일시적으로 기존 갓트와의 2중 법적 구조 초래 가능성

      - 선진국의 아국에 대한 잠정 적용 압력 예상

   ○ MTO 설치 문제는 원칙적으로 동조 가능

      - MTO 설치 문제는 협상 추이를 감안, 대책 수립.   끝.

UR 대책 실무위원회 회의 결과

1991. 6.22.
통상기구과

1.   회의일시 및 장소 : 1991. 6.21(금) 14:30-17:30, 경기원 소회의실

2.   참 석 자 : 경기원(대조실장 회의 주재), 외무부, 상공부, 재무부,
          특허청 관계국장 또는 과장

3.   회의 결과

    가. 분야별 UR 협상 대책 보고
        ㅇ 제도분야(외무부), 규범제정(외무부, 상공부, 재무부),
          섬유(상공부), 지적소유권(특허청), 서비스(경기원) 협상 분야별
          현황 및 대책 보고

    나. 회의 결론

      1) 제도분야
        ㅇ 미국의 301조 발동 억제는 UR 결과의 대내 설명 측면에서도 중요
        ㅇ UR 결과의 국회비준 및 관련국내법 개정문제는 추후 관련부처간 협의

      2) 규범제정
        ㅇ 세이프가드
          - 농산물 협상 진전상황을 보아가며 관련부처간 협의를 통해
            최종 입장 정립
        ㅇ 반덤핑
          - 일본등 입장 유사국과 공동보조 강화

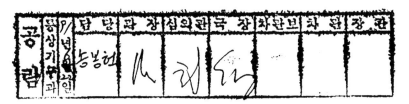

0206

o 보조금/상계관세

  - 허용보조금쪽에 협상력을 집중하는 것이 유익

  - 농산물은 제외 필요

o TRIM

  - 다수 개도국 참여가 유익

3) 섬   유

  o 최종 입장은 협상 진전 상황을 보아가며 추후 결정하되, 우선 MFA
    기간 연장 문제와 관련된 입장을 7월중 재검토, UR 실무 소위원회에서
    논의

4) 지적소유권

  o MFN등에 관한 최종 입장은 추후 결정하되, 부처간 의견 조정이
    필요한 사항은 경기원이 협조

5) 서 비 스

  o 노동력 이동과 관련된 정부 입장을 7월초 관련부처간 회의에서 논의

6) 기   타

  o 정부조달협정

    - 대미 통신협상 결과등에 비추어 부처간 사전에 충분한 협의 필요

  o 주 제네바 대표부 주재관 일시 귀국, 본국 협의 문제

    - 업무 협의 제고 측면에서 주 제네바 대표부 관련부처 주재관의
      일시 귀국, 본국 협의 방안을 관련부처별로 검토.   끝.

전 언 통 신 문

통기 20644-   1991. 6. 27.

수신   외무부장관

발신   경제기획원장관 (통상조정2과)

제목   UR 협상 실무대책위원회 개최

　　　91.7.1. 개최 예정인 BOP 에시 계획 관련 협의 및 7.2-3 개최 예정인
UR/농산물 협상 회의에 대한 참가 대책을 마련하기 위해 다음과 같이
UR 협상 대책 실무위원회를 개최코자 하오니 참석하여 주시기 바랍니다.

　　　　　　　　　　　- 다　　　　　　　　음 -

　　가. 일시 및 장소 : 91.6.28. 15:00 대외경제조정실장실
　　나. 안 건
　　　　　- BOP 수입자유화 에시 계획에 대한 협의 대책
　　　　　- 던켈 사무총장의 option paper에 대한 아국 입장 정립 및
　　　　　　 농산물 협상 참가 대책
　　다. 참석범위
　　　　　- 경제기획원 대외경제조정실장 (회의 주재)
　　　　　- 외무부 통상국장
　　　　　- 재무부 관세국장
　　　　　- 농림수산부 농업협력통상관
　　　　　- 상공부 국제협력관

송 화 자 : 배용현
수 화 자 : 이영심
통화일시 : 1991. 6.17(목) 11:00

　　　　　　　　　　　　　　　　　　　　　　　0208

경 제 기 획 원

봉조삼 10502- 478   503-9149   1991. 6. 27.

수신 수신처참조 (통상기획과)

제목 UR대책실무위원회 회의결과 통보

　　　1. 봉조삼 10502-412 ('91.6.17)과 관련 표제회의 결과를 별첨과 같이
알려드립니다.

　　　2. 이와함께 향후 UR협상대응과 관련하여 표제회의에서 논의하여 결정
된 다음사항을 알려 드리니 관련대책 마련에 만전을 기해 주시기 바랍니다.

　　　　　　　　　　　다   음

　　　가. UR대책 실무위원회에서는 앞으로 본격적으로 이루어지게될 협상
에 대처하여 분야별 주요쟁점사항에 대한 아국의 단계별 대안을 정리토록함.

　　　나. 이와관련 다음과 같은 요령에 따라 관계부처에서는 주요쟁점
사항에 대한 협상대안을 마련 UR대책 실무위원회에 상정 논의토록함.

　　　　① 회의일시: 91.7.10-8.14

　　　　　* 관계부처에서는 소관주요쟁점 과제에 대한 회의시기를

　　　　　　'91.7.5까지 경제기획원(통상조정3과)에 통보

　　　　② 주요토의과제 예시

　　　　　〈종합적인 대응이 필요한 과제〉

　　　　　　ㅇ 보조금관련 협상 (보조금 및 상계관세, 농산물)에 대한
　　　　　　　종합 검토

　　　　　　ㅇ 아국의 분야별 개발도상국 개념주장에 대한 입장정리

　　　　　　ㅇ 분야별 긴급수입제한제도(Safeguard) 비교검토

　　　　　　ㅇ 분야별 중앙정부와 지방정부 책임한계에 대한 입장정리등

　　　　　　* 상기 과제에 대하여는 관계부처의 협조를 받아

　　　　　　　경제기획원에서 종합적인 우리의 입장정리

0209

〈분야별 주요쟁점과제 예시〉

○ 농산물협상 option paper에 대한 대책 (농림수산부)

○ 섬유분야의 MFA-Ⅳ 연장문제 (상공부)

○ 관세무세화협상대책 (재무부)

○ 정부조달협정 가입추진 대책 (상공부)

○ 보조금협상에 대한 대책 (재무부)

○ 반덤핑 및 Safeguards관련 협상대책 (상공부)

○ 지적재산권 협상대책 (특허청)

○ 서비스협상관련 노동력이동분야 대책 (노동부)

○ 서비스협상관련 수평적협정 MFN일탈대책 (경제기획원)

○ 서비스양허협상 추진대책 (경제기획원)

○ UR협상타결에 따른 국회승인문제(경제기획원, 외무부) 등

  ＊ 상기과제에 대하여는 협상주관부처에서 관계부처의
     협조를 받아 대책마련

③ 회의안건에 포함되어야할 주요내용

○ 협상동향 및 전망

○ 기존 협상대안의 검토

○ 단계별 협상대안제시 및 협상전략

첨부: UR대책 실무위원회 회의결과 1부.   끝.

경 제 기 획 원 장 관

수신처: 외무부장관, 재무부장관, 농림수산부장관, 상공부장관, 동력자원부장관,
        건설부장관, 보건사회부장관, 노동부장관, 교통부장관, 체신부장관,
        과학기술처장관, 특허청장.

0210

UR對策 實務委員會 開催

Ⅰ. 會議槪要

- 日　　時: '91.6.21(금)　14:30-

- 場　　所: 經企院 小會議室

- 參　　席: 經濟企劃院　對外經濟調整室長 (會議主宰)
　　　　　　　　　〃　　　　　政策調整局長
　　　　　　　　　〃　　　　　第2協力官
　　　　　　外 務 部　通商局長 (通商機構課長 代參)
　　　　　　財 務 部　關稅局長 (關稅協力課長 代參)
　　　　　　商 工 部　國際協力官
　　　　　　特 許 廳　企劃管理官

- 會議案件
　　① 纖維 (商工部)
　　② 規範制定 및 投資 (商工部)
　　③ 制度分野 (外務部)
　　④ 知的財産權 (特許廳)
　　⑤ GNS協商 參加對策 (經企院)
　　* 資料配付: 「對調室長 出張結果報告書」

0211

Ⅱ. 會議議題別 會議結果

가. 纖維

- MFA-Ⅳ 延長問題가 '91.7월중 제네바에서 論議하여 決定될 전망인바, 우리의 입장을 보다 明確히 定立하여 對應

  ○ 協商에서 관철하여야할 우리의 立場을 보다 明確히 하여 協商参加
  ○ 具體案마련 UR對策 實務委員會에 上程論議

나. 規範制定 및 投資

① UR/規範制定分野는 反덤핑등 여러의제로 구성되어 있고 또한 爭點과 協商에 대한 입장이 대체로 整理되어 있는바, 이중 우리입장에서 우선 反映해야할 Issue들을 選別하고 徹底한 對應方案을 講究하여 協商에 반영토록 함

② 反덤핑과 Safegaurd에 있어서는 攻勢的인 立場뿐만아니라 앞으로의 우리경제와 당면할 守勢的立場도 考慮되어야할 것이며, 補助金 및 相計關稅에 있어서는 一般補助金 協商과 農産物補助金減縮 協商과의 연관성 集中檢討와 Public Support등에 대한 硏究, 아울러 우리의 Infrastructure를 위한 補助金의 增大可能性을 고려, 補助金의 지나친 縮小에 대해서는 愼重한 對處가 必要함.

0212

③ 政府調達協定에 관해서는 이의 加入이 우리경제에 미치는 影響이 큰 事案으로써 에너지관련 部門開放時의 韓國重工業問題 및 中小 企業購買 活動의 약화등과 아울러 한전등 구매기관의 效率性, 經濟性등을 고려할때 政策의 兩面性이 있으므로 追加的인 擴張協定 에 따른 影響檢討등 對策方案을 조속한 시일내에 강구하여 對外 協力委員會에 上程토록 함.

다. 制度分野

① GATT紛爭解決節次 强化에 따른 미301조등 일방조치의 抑制 및 Single Undertaking 問題는 對國民 및 對內的 說得次元에서 愼重 하게 對處토록 함.

② UR協商 妥結에 따른 國會承認問題는 企劃院과 外務部가 공동으로 檢討하여 對處토록 함.

라. 知的財産權

① 知的財産權 分野中 非特許廳 所管事項에 관하여 立場調整이 必要할 경우 關係部處에서 積極 協調토록 함.

② '91.6.25-27 會議參加 政府代表發言 問題등 訓令關聯事項은 特許廳, EPB, 外務部등 關係部處에서 사전협의하여 결정토록 함.

0213

Ⅲ. 기타 行政事項

① 分野別로 協商對策을 마련하는 과정에서 他協商分野의 協商對策과
상호 모순되는 政策을 採擇할 可能性이 있는 사항은 關係部處에서
먼저 部處間 協議를 추진하되 最終 決定은 同 實務對策委員會에서
이루어지도록 함.

② 앞으로 協商이 本格化될 경우 모든 協商議題에 대하여 UR對策 實務
委員會에서 審議가 어려울수도 있으므로 緊急하거나 경미한 사항에
대해서는 經濟企劃院과 事前 協議하여 對處해 나감.

③ 그간 2차에 걸쳐 UR對策 實務委에서 논의한 7個 그룹별 협상의제는
企劃院에서 체계적으로 정리하여 UR協商 對策綜合資料를 작성토록
하고 앞으로 同 對策案에서는 7-8월에 걸쳐 主要爭點事項에 대하여
우리의 代案마련을 中心으로 論議토록 함.
(具體的 日程은 關係部處와 協議하여 經濟企劃院에서 作成)

④ '91.7.8-11 브라질에서 開催豫定인 農産物會議 參加問題는 企劃院을
中心으로 外務部,農林水産部에서 다음주초까지 검토하여 결정토록 함.

0214

경 제 기 획 원

통조이 10520- ㄷ45   (503-9147)   1991.6.29.

수신: 외무부장관(통상국장)

제목: GATT/BOP Consultation과 UR/농산물 주요국 비공식회의 참가대책

　　　　'91.7.1 제네바에서 열리는 GATT/BOP Consultation과 '91.7.2-3의
UR/농산물 비공식주요국회의참가대책에 관하여 '91.6.28 개최된 UR협상 실무
대책위원회시 관계부처간에 합의된 다음의 사항을 통보하니 조치하여 주기
바랍니다.

　　　　　　　　　　　　- 다　　　　　　　음 -

　가. GATT/BOP Consultation에 대해서는 농수산부의 대책안을 중심으로
　　　대처토록 함. 다만, 지난 '91.4.24 GATT이사회에서 설명한 논리를
　　　기초로 보완하되, 관심품목의 추가반영 또는 Quota허용요청에 대한
　　　대응,BOP합의사항 Para13의 인용, UR과 BOP의 연계에 관한 논리전개,
　　　예시품목별 동식물 검역규제관련자료 제공에 대해서는 신중히 대응
　　　토록 함.

　나. UR/농산물 비공식주요국 회의참가에 있어서도 농수산부의 대책안을
　　　중심으로 대처토록 하되, 아국의 입장('91.1.9 대외협력위 의결)이
　　　Dunkel의 Option Paper에 반영되지 않은 사항 즉 쌀등에 대한 최소시장
　　　접근과 국내보조의 예외인정, 쌀을 제외한 품목에 대한 최소시장 접근
　　　비율의 우대사항등에 관련된 사항과 기타 불명확한 사항에 대하여 이를
　　　항목별로 구체화하여 서면으로 제출하는 방안을 적극추진토록 함. 끝.

경　제　기　획　원　장

-20476

0215

경 제 기 획 원

봉조이 10520- 445 (503-9147) 1991.6.29.

수신 수신처 참조

제목 UR협상 실무대책위원회결과 통보

1. 봉조이 10520-41 관련입니다.

2. 표제관련회의 결과를 별첨과 같이 통보하니 업무추진에 반영하기 바랍니다.

첨부: UR협상실무대책위원회 개최결과 1부. 끝.

경 제 기 획 원 장 관

수신처: 외무부장관, 재무부장관, 농림수산부장관, 상공부장관

20475

0216

〈添附〉 UR協商 對策實務委員會 開催結果

Ⅰ. 會議概要

- 日時: '91.6.28(금), 15:00 - 17:30

- 場所: 經濟企劃院 對外經濟調整室長室

- 參席範圍

    經濟企劃院 對外經濟調整室長 (會議主宰)
    外務部　　通商局長
    財務部　　關稅局長
    農林水産部 農業協力通商官
    商工部　　國際協力官

- 會議案件

    ① 던켈 Option Paper에 대한 立場과 農産物 主要國 非公式會議
       參加對策(농림수산부)
    ② GATT/BOP Consultation 대책(농림수산부)
    ③ 市場接近관련 아세안의 要請事項 및 對處方案(외무부)

Ⅱ. 討議 議題別 會議結果

가. 던켈 Option Paper 대한 立場과 農産物 主要國 非公式會議 參加
    대책

- 던켈 Option Paper에 대한 評價 및 추가적인 書面提案 문제

    ○ 던켈 Option Paper는 대체로 各國의 立場이 균형되게 반영
      되어 있으니 同 報告書에 반영되지 않는 아국의 關心事項
      과 槪念 또는 內容이 불명확한 사항을 각 사항별로 명확히
      정리하여 定式文書로 GATT에 제출하는 것이 필요

0217

o 다만 금번 7.2회의에서는 Option Paper內容보다는 性格 및 各國의 立場에 대하여 논의될 것으로 전망되므로 각국의 動向을 勘案하여 提出 추진

- 금번 7.2-3 농산물 주요국 非公式會議參加에 있어서는 '91.1.9 對外協力委員會에서 확정된 政府의 基本立場과 그동안 技術的 爭点事項論議過程에서의 아국입장을 토대로 협의과정에 적극 참여하고 아국입장이 반영될 수 있도록 대처

나. GATT/BOP Consultation 對策

- 農林水産部 報告案을 중심으로 대응하되

  o 關心品目 追加反映要求에 대해서는 關心品目反映率을 구체적으로 제시하고 Quota許容要求問題에 대해서는 Quota허용이 어려우므로 本部 報告한다는 內容은 削除

  o 自由化 履行方法등에 관해서는 품목별로 구체적인 動植物 檢疫規制관련자료를 제공하여 논란이 될 우려가 있으므로 그동안의 檢疫관련제도 개선노력등을 일반적으로 설명

  o BOP合意內容과 UR協商과의 연계문제에 대해서는 '91.4.24 GATT理事會時 我國立場을 기본으로 한 보완된 논리로 대처

다. 市場接近관련 아세안의 要請事項 및 對處方案

- 아세안 요청사항에 대한 財務部,商工部,農林水産部등 관계부처의 檢討內容을 서로 交換하여 意見調整을 하되 필요한 경우에는 UR協商實務對策委員會에 上程하여 論議('91.7.10 예정)

0218

라. 其他 事項

- 케언즈그룹참가문제는 主催國으로부터 定式招請이 있을 경우를
  전제로 農林水産部 實務課長級 參加를 추진

- 市場接近分野는 앞으로 협상동향을 보아가면서 대처하되 특히
  無稅化協商에 관해서는 구체적 대응방안을 財務部가 마련하여
  추후에 논의

UR 대책 실무위원회 회의 결과 요지

1991. 6.29.
통상기구과

1. 회의일시 및 장소 : 91. 6.28(금) 15:00-17;30, 경기원 대조실장실

2. 참 석 자 : 경기원(대조실장 회의 주재), 외무부(통상국 심의관), 재무부,
   농수산부, 상공부 관계국장 또는 과장

3. 회의 결과 요지

   가. UR/농산물 협상등 대책 보고

   ○ UR/농산물 협상 대책(농수산부), '92-'94 수입자유화 예시 계획 관련
     양자협의 대책(농수산부), 시장접근 관련 아세안의 요청사항 대책
     (외무부) 보고

   나. 회의 결과 요지

   1) UR/농산물 협상 주요국 협의(7.2-3) 대책

   ○ Dunkel 사무총장 option paper 내용중 반영이 안된 아국 핵심
     관심사항이 반영될 수 있도록 입장 적극 개진(현지 협상 분위기를
     보아 필요시 아국 입장을 서면 제출)
     - 식량안보에 극히 긴요한 기초식량에 대한 최소 시장접근 예외 및
       국내보조금 허용

0220

o 내용이 분명치 않은 사항에 대한 질의

  - 최소 시장접근 관련 식량안보 품목도 포함되는지 여부

  - prohibitive TE의 정의

o 기   타

  - 7.4-21간 Dunkel 사무총장의 개별국 접촉 관련, 동 사무총장이
    아측을 초청하기 이전에 주 제네바 대사가 Dunkel 사무총장을
    먼저 만나보는 방안 검토

2) '92-'94 수입자유화 예시 계획 관련 양자협의 대책

o 기본방향

  - 91.4. 갓트이사회시 아측의 대응 논리에 대해 평가가 좋았으므로
    동 논리를 기본으로 하여 대처

o 하기 사항(외무부 의견)을 반영하고, 농수<u>산</u>(안)을 참고로하여 훈령
  조치

  - 상대측 관심품목 반영율 강조

  - UR 타결 싯점 미자유화된 잔여 BOP 품목을 국내보조, 수출보조,
    국경조치, 11조 2항 C등에 대한 UR/농산물 협상 결과에 합치시키는
    것은 당연하며, 오히려 자유화를 앞당기는 결과가 됨을 지적

  - UR 협상 결과와 BOP 협의 결과가 별개라면 비양허 품목에 대한
    관세를 자유로히 인상 조치 가능한지 지적

  - 위생 및 동.식물 검역 규제 개선과 관련한 아측 노력 설명 및
    필요시 관심품목에 대한 전문가 회의 개최 용의 표명

o 기   타

  - 관심품목에 대한 수입 쿼타 요청시 본국 정부에 보고 하겠다는
    농수부 안은 아측이 동 쿼타 요청을 긍정적으로 검토할 용의가
    있을 경우에 한해 동 입장 표명이 바람직 (외무부 의견)

2   0221

3) 시장접근 관련 아세안의 요청사항 대책

ㅇ 외무부 안을 재무부등 관련부처에서 검토후 문제가 있을 경우
7.10일경 관계부처 회의 소집, 논의

- 관련부처에서는 아세안 요청사항을 전향적으로 고려할 수
있는지도 검토.   끝.

3

정 리 보 존 문 서 목 록

기록물종류	일반공문서철	등록번호	2019080082	등록일자	2019-08-13
분류번호	764.51	국가코드		보존기간	영구
명 칭	UR(우루과이라운드) 협상 대책 관계부처회의, 1989-91. 전4권				
생 산 과	통상기구과	생산년도	1989~1991	담당그룹	다자통상
권 차 명	V.4 1991.7-12월				
내용목차	* 대외협력위원회, UR 대책 실무위원회 등				

0001

경 제 기 획 원

봉조삼 10502-<del>438</del>   503-9149   1991. 7. 24.

수신 수신처참조

제목 UR대책 실무위원회 개최

1. 봉조삼 10502-438 ('91.6.27)과 관련입니다.

2. 표제회의를 아래와 같이 개최코자 하오니 참석하여 주시기 바랍니다.

- 아　　　래 -

가. 일 시: '91.8.2(금)　15:00

나. 장 소: 경제기획원 소회의실 (1동 721호실)

다. 의 제

　·① 서비스협상 동향 및 향후 협상대책 (경제기획원)

　·② 서비스 노동력이동분야 협상대책 (노동부)

　·③ 농산물협상 동향 및 향후 협상대책 (농림수산부)

　·④ 지적재산권 협상대책 (특허청)

　·⑤ GATT 정부조달협정 가입추진 대책 (경제기획원)

　⑥ UR관련 한미양자협의 추진대책 (경제기획원)

　⑦ 기타안건 (추후확정)

라. 참석

- 서비스분야 (회의의제 ①, ②): 15:00-16:00

　ㅇ 경제기획원 대외경제조정실장(회의주재), 제2협력관

　ㅇ 외 무 부　통상국장

　ㅇ 법 무 부　출입국관리국장

　ㅇ 재 무 부　국제금융국장

　ㅇ 상 공 부　산업정책국장

0002

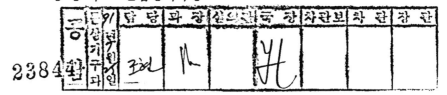

238

ㅇ 건 설 부　건설경제국장

ㅇ 보 사 부　기획관리실장

ㅇ 문 화 부　예술진흥국장

ㅇ 노 동 부　직업안정국장

ㅇ 교 통 부　수송정책국장

ㅇ 체 신 부　통신정책국장

ㅇ 과 기 처　기술협력국장

- 기타분야 (회의의제 ③, ④, ⑤, ⑥, ⑦): 16:00~18:00

    ㅇ 경제기획원 대외경제조정실장(회의주재), 제2협력관

    ㅇ 외 무 부　통상국장

    ㅇ 재 무 부　관세국장

    ㅇ 농림수산부 농업협력통상관

    ㅇ 상 공 부　국제협력관

    ㅇ 특 허 청　기획관리관

    ㅇ 조 달 청　기획관리관.　끝.

경 제 기 획 원 장

수신처: 외무부장관, 법무부장관, 재무부장관, 농림수산부장관, 상공부장관,
건설부장관, 보사부장관, 문화부장관, 노동부장관, 교통부장관,
체신부장관, 과기처장관, 특허청장.

0003

발 신 전 보

WGV-0970   910729 1423 FN   종별 : 지급

번   호 : _____

수   신 : 주   제네바   대사 · 총영사

발   신 : 장 관 (통 기)

제   목 : UR 대책 실무위원회

일반문서로 재분류(1991. 12. 31.)

8.2(금) 오후 UR 대책 실무위원회가 개최되어 서비스, 농산물, TRIPs 협상을 포함한 각분야별 협상 동향 및 대책에 관하여 논의할 예정인 바, 아래사항에 관하여 3-4페이지 분량으로 8.1(목) 한 전문 보고 바람.

1. 현재까지의 협상 경과 및 7.30. TNC회의 결과를 토대로 한 금년 하반기 협상 전망 (전체 UR 협상 및 주요 분야별 협상별)
    론 아국입장 재검토가 요구되는

2. 분야별 예상 가능한 주요 합의사항
    9월 협상재개에 대비하여 본부에서 준비해야할 사항.

3. 예상 합의사항에 대비하여 아국이 국내적으로 취하여야 할 조치.

끝.   (통상국장 김 용 규)

0004

발 신 전 보

분류번호	보존기간

번 호 : WGV-0971   910729 1553   FN 종별 : 암호송신

수 신 : 주 제네바 대사. 총영사   (김봉주 서기관)

발 신 : 장 관 (통상기구과장 홍종기)

제 목 : 업 연

연: GVW-0790

연호 보고전문은 통기로만 배포되도록 각별히 주의하여 주시기 바람.   끝.

보 안 통 제	

앙 고 재	년 월 일	과	기안자 성명		과 장		국 장		차 관	장 관

외신과통제

0005

경 제 기 획 원

봉조삼 10502- 578   503-9149   1991. 7. 31.

수신   수신처참조

제목   우루과이 라운드 협상관련 국내후속대책 추진

　　　1. 봉조삼 10502-278 ('91.4.26)과 관련입니다.

　　　2. '91.5.20(월) 개최한 대외협력위원회(위원장: 부총리)에서는 표제
대책을 별첨자료와 같이 추진키로 합의하였으며 주요과제별 주관부처에서
세부추진계획을 작성키로 결정하였읍니다.

　　　3. 이와관련 당원에서는 표제대책관련 각부처(청)별로 추진상황을
종합코자하니 귀부처(청) 소관과제에 대한 세부추진계획을 8월말까지
당원에 제출하여 주시기 바랍니다.

첨부: 우루과이라운드 협상관련 국내후속대책 추진상황 및 향후대책 1부. 끝.
　　　< 대책회 시 기 대됨 >

경 제 기 획 원 장 관

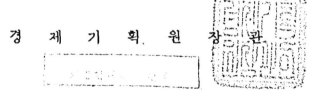

수신처: 외무부장관, 재무부장관, 법무부장관, 농림수산부장관, 교육부장관,
　　　　문화부장관, 상공부장관, 동력자원부장관, 건설부장관, 보건사회부
　　　　장관, 노동부장관, 교통부장관, 체신부장관, 과학기술처장관,
　　　　공보처장관, 특허청장, 해운항만청장.

25061   0006

기 안 용 지

분류기호 문서번호	통기-20644- **35894**	(전화 : 720 - 2188)	시 행 상 특별취급	
보존기간	영구. 준영구 10. 5. 3. 1.	장	관	

수 신 처 보존기간	·
시행일자	1991. 7. 31.

보 조 기 관	국 장	전 결	협 조 기 관		문 서 통 제	〔도장〕
	심의관				발 송 인	
	과 장	〔서명〕				
기안책임자		조 현				

경 유 수 신 참 조	경제기획원장관	발 신 명 의		〔도장〕

제 목	UR 협상 관련 국내 후속대책 추진상황 보고

　91.5.20 대외협력위원회에 보고된 "UR 협상 관련 국내 후속

대책 추진상황 및 향후 대책"과 관련, 당부　소관 세부 추진 대책을

아래와 같이 통보합니다.

- 아　　　　　　　래 -

1. 추진 과제 : 주 제네바 대표부 기능 확충

- 1 -

0007

2. 추진 대책

    ㅇ 신국제무역기구(MTO/WTO) 설립등 갓트 기능 강화의

      윤곽이 보다 구체화되는 협상 종결 단계에서 주 제네바

      대표부의 기능 확충 구체 방안 검토 예정.   끝.

- 2 -

0008

외 무 부

종 별 : 긴 급

번 호 : GVW-1456　　　　　　　일　시 : 91 0801 1200

수 신 : 장관(봉기)

발 신 : 주 제네바 대사

제 목 : UR 대책 실무위원회

대: WGV-0970

UR 협상 전체 및 주요 협상 분야별 협상 경과 , 하반기 협상 전망, 아국입장 재검토 필요사항 및 본부 준비 사항을 아래 보고함.

1. UR 협상전체

가. 협상 경과

O 2.26 TNC 고위급 회의에서 협상 재개 선언

O 4.25 TNC 회의, UR 협상구조 재조정(7 개 그룹)

O 6.7 TNC 회의 개최, 6-7 월간 분야별 협상일정 확정

O 7.30 TNC 회의 결과, 한반기 작업 계획 수립

나. 하반기 협상 전망

O 던켈 총장은 7.30 TNC 회의에서 TNC 회의는 전분야의 균형된 진전을 확보하기 위하여 일정을 별도로 정하지 않고 필요에 따라 수시 개최될 예정이며, 9 월 이후 협상을 가속화하여 10,11 월에는 DEAL MAKING STAGE 가 되도록 노력을 경주 하겠다고 밝힘.

- 9 월 이후의 협상은 각 그룹의장 책임하에 비공식, 양자, 다자협의가 계속될 것으로 전망

O 정치적 결정을 뒤로 미루지 않고 기술적 토의와 병행하여 정치적 절충을 함께 시도 예정이므로 년내 특별 각료회의 개최 가능성은 희박하다고 보여짐.

O G-7 선언 및 TNC 회의시 각국이 보여준 긍정적 자세로 년말 타결을 목표로 9 월 부터 진지한 협상이 이루어 질것으로 전망되나 상금도 많은 불확실 요인으로 인해 10 월 내지 11 월 가서야 년말까지의 타결 전망에 대한 예단이 가능할것임.

2. 시장접근 분야

통상국	차관	1차보	2차보	외정실	분석관	정와대	안기부

PAGE 1　　　　　　　　　　　　　　　　91.08.02　　00:04

외신 2과　통제관 CF

0009

가. 협상경과

0 브랏셀 회의 이후 두차례 협상을 가졌으나 다음과 같은 장애요인으로 협상 부진

- 미국, EC 의 의견 대립

0 EC: 미국의 섬유, 석유화학등 고관세 분야 개선 요구(관세 조화)

. 미국: 자국관심분야 무관세 제안에 EC 참여 촉구

- 선.개도국간 이견

. 선진국은 개도국의 실질적 기여 강조

. 개도국은 열대 산품등의 선진국 OFFER 부실 및 자율적 자유화 조치에 대한 CREDIT 요구

나. 하반기 협상 전망

0 미국과 EC 간의 협상 결과에 따라 얼마만큼 상호 이견폭을 좁힐수 있는가가 관건이며, 현재로서는 많은 어려움이 예상됨.

다. 아국 입장 재검토 및 본부 준비 필요

0 분야별 관세 협상 진전에 대비한 아국 입장의 구체화

- 참여 가능분야 및 참여조건 등확정

0 EC 등 여타 참가국의 대 아국 관세. 비관세 REQUEST 에 대한 검토와 아국 REQUEST 와의 연계 협상 방안 강구

3. 섬유

가. 협상 경과

0 BRUSSEL 회의 이후는 UR 의 전반적 부진, MFA IV 연장문제등으로 별다른 진전 없이 품목 포괄 범위(PRODUCT COVERAGE)등 일부 쟁점의 기술적 사항을 논의

나. 한반기 협상 전망

0 대부분 미결 이슈가 정치적 결정을 요하는 사항임(쿼타 증가율, 단계별 갓트 복귀 비율, 잠정 수입 규제 제도등)

0 UR 전반의 타결 수준과 관련되어 수입국의 양보 정도가 결정된 전망

0 UR 마지막 단계에서 본격적 절충이 예상되나 합의가 어려운 분야는 아님.

다. 아국입장 재검토 및 본부 준비 필요 사항

0 최소 증가율 보장과 관련 1 퍼센트 하향 조정문제

0 융통성 조항을 현 양자 협상 수준에서 더 개선하는 문제

0 쿼타 증가율, 통합 비율 설정문제

PAGE 2

0010

4. 농산물 협상

가. 협상 경과

0 91 년 상반기중 기술적 문제 중심의 논의를 기초로하여 6.24 협상 대안문서를 작성, 향후 협상 진행의 기초 (BASIS FOR FUTURE WORK)마련

나. 한반기 협상 전망

0 91.7 집중적 비공식 협의 과정을 봉하여 논의의 범위(SCOPE)를 GREEN BOX, 관세화등 특정대안 중심으로 축소하여 사실상 협상 방향을 잡아가면서 정치적 결단 기다릴 전망

다. 아국 입장 재검토 및 본부준비 필요사항

0 향후 논의 과정에 적극 참여하면서, 현실적인 실익을 확보할수 있도록 기존 아국입장을 협상의 논의 방향(7.30 TNC 보고서 ADDENDA 참조)에 비추어 검토 필요

 - 식량안보 및 비교역적 관심사항(TNC)에 대한 예외적 취급이 대안으로서 채택되지 않을 경우 또는 동사항이 반영된다 하더라도 아국의 입장에 미흡할 경우등 도 염두에 두고 차선책으로 협상의 기본틀 (FRAMEWORK)내에서 실익을 최대한 확보할수 있는 방안도 연구 필요

 - 구조조정 정책등 국내 농업 정책은 GREEN BOX 의 생산자 직접 지불(DIRECT PAYMENT TO PRODUCERS)정책등에 실질적 내용이 반영될수 있는 방향으로 검토

 - 개도국 우대 관련 사항은 7 차 5 개년 계획, OECD 가입전망등을 함께 검토하여 예외적 취급 보다는 삭감폭과 이행기간 면에서의 고려에 중점을 두는 방향으로 검토

0 필요한 정치적 결단이 이루어질 경우 협상이 급속히 전개될 가능성이 있는 점을 염두에 두고 대책 마련(EC, 미국, CAIRUS GROUP 간에 정치적 합의가 이루어질 경우에는 일본의 운신의 폭이 극히 줄여진다는 점도 염두에 두어야 함.)

 - 논의의 촛점이 일정 방향으로 모아지고 있고 이에 대한 CONSENSUS 가 형성되어 가고 있는점을 감안, 논의의 방향에 따른 아국의 협상 대책 및 국내 대책수립

 - 협상 전개 방향과 대책에 대한 국내 홍보 ////이하 GVW-1457로 계속됨.

PAGE 3

0011

외 무 부

종 별 : 긴 급

번 호 : GVW-1457

일 시 : 91 0801 1200

수 신 : 장관(통기)

발 신 : 주 제네바 대사

제 목 : UR 대책 실무위원회

이하 GVW-1456 호의 계속임.

5. 규범 제정

가. 협상경과

0 반덤핑, 보조금 및 상계관세, TRIMS, BOP 등 4 개 분야를 중점 논의키로 하고 긴급 수입제한 조치는 UR 마지막 단계에서 논의키로 합의

0 그러나 상기 4 개 분야도 주요 쟁점에 대한 실질적 협상 진전은 없이 협상 현황 평가 및 추후 협상 일정에 대한 논의만 있었음.

나. 하반기 협상전망

0 반덤핑 및 보조금. 상계관세: 일부 쟁점(분쟁해결등)에 대한 기술적 토론은 예상되나 농산물 협상등 PACKAGE 와 관련 최종 단계에서의 정치적 절충예상

0 TRIMS 및 BOP: 선.개도국간 근본적 입장차이로 진전 기대 곤란(여타 분야의 정치적 타결에 큰 영향을 받을 것으로 예상)

0 긴급 수입제한 제도: UR 협상 막바지에 선별 도입문제 해결시 협상진전이가능

다. 아국입장 재검토 및 본부 준비 필요사항

0 반덤핑

- SMALL PACKAGE 의 경우를 대비, 주요 쟁점에 대한 우선순위 설정

- 전통 이슈와 우회 덤핑 규제간의 균형을 위한 입장 정립

0 긴급 수입제한 제도

- 농산물 협상등과 관련 선별 규제 문제에 대한 아국입장 검토

6. 지적 재산권 협상

가. 협상 경과

0 브랏셀 각료회의 이후 특별한 진전 사항은 없으며, 지난 6.27-28 간 공식회의

0012

에서 협상의 현황에 관한 각국의 입장 표명이 있었음.

0 아구은 기술이전 관련 분쟁예방 절차(PRE-CLEARANCE SYSTEM)에 관한 서면제안함.

나. 하반기 전망

0 9 월 회의(9.16 주간 시작)에서는 정치적 문제는 뒤로 미루고 의견 대립이 있는 기술적인 문제를 중심으로 협상진행

0 농산물, 서비스 및 시장접근 분야의 협상진전에 영향을 받을 것이며, 정치적인 문제가 타결될 경우 본협상은 성공적으로 타결될 전망

다. 아국입장 재검토 및 본부 준비 필요사항

0 최혜국 대우(MFN)예외 인정

0 분쟁 예방 절차 도입(서면제안)(단 다른 나라들이 PRIORITY ISSUE 로 간주하지 않을 경우 무리하게 추진할 필요는 없음)

0 위조 상품 및 저작권 침해 상품이외의 지적 재산권, 위반 상품(특허, EC 등) 에 대한 세관 압류조치

0 협정발효 당시 존재하는 지적 재산권 보호(예: PIPELINE PRODUCTS 및 출원중인 특허 보호)

0 IC 배치 설계의 권리범위에 최종 제품 포함 및 선의의 구매자 배상 책임.

0 음반의 소급 보호 문제

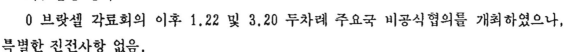

7. 제도 분야

가. 협상 경과

0 브랏셀 각료회의 이후 1.22 및 3.20 두차례 주요국 비공식협의를 개최하였으나, 특별한 진전사항 없음.

나. 하반기 협상 전망

0 분쟁 해결 분야에서는 갓트 위반 일방조치억제, 보고서 채택, 보복승인 문제등 정치적 결단이 요하는 사항들은 협상 최종단계에 가서 타결될 전망

0 최종의정서는 협상 분야의 성격상 당분간 막후 비공식 협의를 계속하다가 UR 협상 최종단계에 본격 거론 전망..0 갓트 기능분야는 미합의 사항이 많지 않으므로 향후 별다른 협의는 필요치 않을 것으로 전망

다. 아국 입장 재검토 및 본부 준비 필요사항

0 분쟁 해결 분야에서 선진국의 일방조치 억제 공약 여부에 따라 보고서 채택 및

0013

보복 승인 문제에 대한 기존 입장 재검토

　　0 협상 추이를 감안, 필요시 다자간 통상기구(MTO) 설치문제에 대한 입장 정립

　8. 서비스

　가. 협상 경과

　0 91.7.25 까지 주로 서비스 협정상의 기술적 문제와 관련된 협상에 주력

　　- SCHEDULING OF COMMITMENT (SC), 노동력이동, 금융통신 부속서, 분쟁해결등

　　- MFN: MFN 일탈을 원하는 국가가 관련 자료를 9.20 까지 사무국에 제출

　0 또한 최초 양허 협상과 관련된 각국 OFFER 명료화 작업도 병행

　　- 7.25 현재 32 개국이 OFFER 제출 (9.20 까지 REQUEST LIST 제출)

　　- 양허 협상 관련 실질 협상 기준(SUBSTANTIVE GUIDELINE)은 9 월초 논의 예정

　나. 하반기 협상 전망

　0 9 월 회의부터 SC, 실질양허 협상 지침, 노동력 이동, 금융통신, 해운등 양허
협상과 관련된 규정의 협상에 우선 순위를 둘 예정

　0 기타 MFN 일탈, 분쟁해결, 경제 통합 문제등도 큰 과제

　다. 아국 입장 재검토 및 본부 준비 필요사항

　0 아국 OFFER 수정, 관련 국내 규제 제도 파악, REQUEST 준비 및 양허 협상대비

　0 MFN 일탈 관련 아국 입장 및 금융분야 부속서 관련 협상 대안 검토등 끝

　(대사 박수길-국장)

　예고 91.12.31. 까지

0014

2

5

UR/농산물 협상
'91상반기 종합평가와 하반기 대책방향

1991. 8. 2

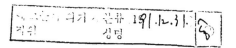

농 림 수 산 부

- 목 차 -

0016

I . '91. 상반기(1~7월) 협상동향과 평가

1. 협상 진행상황

 ◊ 1. 15   TNC 회의

 ◊ 2. 20   농산물 그룹 비공식회의
       - 던켈총장 Statement 협의

 ◊ 2. 26   TNC회의
       - 던켈총장 Statement채택밀 UR협상 공식재개 선언

 ◊ 3. 1   농산물그룹 주요국 비공식회의
       - 기술적 쟁점사항 토의의제 및 진행방식 합의

 ◊ 3.11 ~ 15 1차 기술적 쟁점사항 협의 (국내보조분야)

 ◊ 4.15 ~ 19 2차   "   (국내보조, 시장개방 분야)

 ◊ 5.13 ~ 17 3차   "   (시장개방 분야)

 ◊ 6.11 ~ 18 4차   "   (시장개방, 수출보조분야)

 ◊ 6. 17   "식량안보 및 NTC"에 대한 아국제안서 제출

 ◊ 6. 24   던켈총장의 options paper 제시

 ◊ 7.2 ~ 7.3 options paper에 대한 1차 평가회의

 ◊ 7.22 ~ 26 주요국 비공식회의 및 공식회의
       - 기술적 쟁점사항 보완 및 향후 협상진행 방향제시를 위한 협의

 ◊ 7. 30   TNC회의
       - 상반기 진척사항 평가밀 9월이후 협상계획 협의

- 1 -

0017

< 7.22~26 주요국 비공식회의 및 공식회의 결과 >

1. 회의형식 : 주요국 비공식회의, 공식회의, 그룹별협의 등을 병행

2. 회의결과

가. 주요국 비공식회의 토의내용

- o AMS의 역활및 계측방법

- o 허용대상 정책범위와 정책별 기준설정

- o 관세화 범위를 제외한 관세화의 구체적 방법

- o 최소시장 접근 대상품목과 설정 방법

- o 수출보조의 정의와 감축방법, 새로운 상품및 시장에 대한 수출보조 규율등

나. 공식회의 토의결과

- o 협상진행 대안서 평가와 진행상황 보고
  - 향후 작업의 유용한 문서로서 대체적으로 긍정적 반응을 얻었다고 평가
  - 향후 협상에서는 기술적 논의와 병행하여 대안의 축소작업을 추진

- o 협상의 주요쟁점을 확인
  - AMS역활, 국경조치 효과배제, De minimus 인플레이션 반영, 관세화의 범위,
    TE 계산방법, 최소시장 접근, 수출보조 정의및 감축방법등

- o 7.30 TNC회의에 제출할 보고서내용 결정
  - 상반기 진전사항 평가와 함께 던켈총장 options paper에 쟁점별 Non-Paper를
    첨부하는 형태의 문서(Technical Addenda)를 제출

- o 차기회의는 9.16~20 주간에 개최키로 결정

- 2 -

0018

2. 주요국의 동향

〈 미 국 〉

ㅇ 5. 24 미의회에서 신속처리 절차의 연장승인으로 향후 2년간 협상추진을 위한 발판을 마련하였으나 '92 대통령선거 일정으로 인해 금년말 늦어도 내년초까지는 협상타결이 종결되어야 한다는 압박감을 인식

  - 이에따라 협상의 조기타결에 노력하였으나 특별한 진전이 없는데 좌절감을 갖고 던켈총장이 협상 Deadline을 설정치 않는데 대한 불만을 제기

ㅇ 헬스트롬 중재안, 드쥬의장 초안, 던켈 option paper등을 토대로 가능한 절충안을 모색하기 위해 EC와 협의를 추진

ㅇ 융통성 있는 입장을 가져야 된다는 일부 주장이 있었으나 아직까지는 전반적인 개혁 package로 가자는 주장이 우세

  - G-7 정상회담에서 부시대통령은 "Nothing is better than bad thing"을 강조

  - 현상태의 개선보다는 실질적인 농업개혁이 이루어져야 한다는 입장

ㅇ 외형적으로는 기존입장을 계속 견지하면서 케언즈그룹과 동조하여 EC및 일본의 입장변화를 유도하는데 주력

〈 케언즈그룹 〉

ㅇ 7.8~9 브라질 각료회의를 개최, 근본적인 농업개혁을 위한 서방 7개국 정상의 정치적 결단을 촉구하면서도 내부적으로는 입장완화를 준비하는 듯한 인상

ㅇ 농업분야에 상당한 성과없이는 UR협상의 성공적 타결이 불가능하다는 입장을 견지

  - 국경보호의 완전관세화, 국내보조의 실질적 감축, 수출보조의 대폭감축과 궁극적 철폐, 개도국우대 인정등을 강조

- 3 -

0019

〈 E C 〉

o Global Approach, Rebalancing, Corrective Factor등 EC의 기존입장을 유지하는
  상태에서 기술적 쟁점사항 논의에 형식적으로 참여

  - 7.15~17 농업각료 이사회에서 EC가 당초제시한 입장(Mandate)을 준수할 것을
    재확인

  - 특히 Air Bus건이 제기되어 UR협상 자체에 대한 부정적 견해가 강하게 제시되고
    있어 각료이사회(Council)의 사전승인없이 EC 집행위가 입장을 제시하기는
    매우 어려운 상황

o EC 맥셰리위원은 몇차례 수정작업을 거쳐 공동농업정책 개혁안을 제시하였으나
  다수회원국이 비판적, 부정적인 견해를 제기하여 동 개혁안을 채택하는데 실패

  - 독일, 불란서는 재정부담 증가와 감축폭에 대한 부정적 의견제시, 영국, 화란
    등 북부국가들은 대농의 생산의욕 저하에 우려표명, 이태리, 스페인등 남부
    국가는 소농보호 대책이 미흡함을 지적

  - 개혁안에 대한 본격적인 논의는 9.23~24 각료이사회에서 이루어질 예정이나
    CAP개혁방법과 회원국 입장의 균형된 반영문제가 중점 제기될 것으로 예상

〈 일 본 〉

o 그동안 정계 및 재계 일부에서 최소시장접근 방식에 의한 쌀시장 부분개방 논의
  가 제기되었으나 미국이 전면관세화 수용을 요구함에 따라 입장을 전환, 쌀개방
  불가 입장을 재강조하고 있는 상태

o 미국, 케언즈그룹은 일본에 대해 강경한 입장을 갖고 있어 주요 8개국 회의에서
  일본이 상당히 고전하고 있는 것으로 관측

✓ o 그러나 현상태로서는 특별한 사태진전이 없는한 일본 쌀에 대한 관세화 예외입장
  을 포기할 가능성은 희박

- 4 -

0020

3. 상반기 협상에 대한 평가

가. 전반적인 평가

o 그동안 5차례에 걸친 집중적인 기술적 논의를 통하여 쟁점사항이 보다 분명하게 노출되었으나 아직도 정리되어야할 기술적 문제가 다수 남겨진 상태

o 던켈총장은 각국간의 충분한 상호의견 절충이 없이 협상을 돌발적으로 진전시키려는 모험을 시도하지 않았으며 의견차를 조정하고 합의점을 도출하려는 노력을 꾸준히 전개

  - 특히, 기술적 문제를 이유로 하여 각국이 정치적 입장의 정당성을 주장하는 분위기를 완화시키는데 주력

o 주요국들의 기존입장이 변화되지 않았으며 어느나라도 양보할 의사가 없는 상태에서 논의에 임하였음으로 실질 내용에 있어서는 성과가 별무

  - G-7 정상회담 합의결과도 필요할 경우 각국의 정상들이 직접 개입하겠다는 내용외에는 특별한 사항이 없어 입장변경에 영향을 줄 가능성은 적음

  - 7.30 TNC회의, 7.30 미.EC 각료회담에서도 특별한 내용없이 협상타결을 위해 노력한다는 원칙론만 재확인

o 결론적으로 기술적문제에 대한 논의는 개략적인 협상진행 방향을 제시하는데 기여하였으며 던켈 option paper는 이러한 측면에서 각국의 입장을 정리한 중요한 문서로서의 성격을 갖게 되었음.

o 그러나 토의과정을 통해 수입국과 개도국 입장이 상대적으로 강화된 반면, 수출국과의 대결 경향이 심화됨으로서 수출국들의 상당한 양보가 없는한, 현상태에서의 협상타결은 어려울 것이라는 점이 표출됨.

나. 비공식회의 참여의 성과

○ 기술적 문제에 대한 실무급협의가 장기간 계속된 것은 우리 입장을 보다 객관적
이고 논리적으로 설득할 수 있는 좋은 기회가 되었다고 평가됨

　－ 주요국들이 외형 논리상으로는 우리입장을 정면 공격하는 경향은 없어졌음

○ 특히 4월이후 미국,EC가 상호 충돌을 피하기 위해 적극적인 대응을 자제함으로서
아국이 주도적인 토의 참여가 가능하게 되고 우리의 입장을 충분히 인식시킬 수
있는 여건이 조성되었음.

　－ 다수의 개도국들과 수입국이 우리의 논리를 활용하는 사례가 점차 증가되고
각종 비공식 회의에 아국이 참여할 수 있는 기회가 확대되었음.

○ 현지 대사가 미국,EC,케언즈그룹등 주요국 대사와 던켈총장을 수시접촉한 것은
협상동향 파악과 우리입장을 이해시키는데 크게 기여하였다고 평가됨.

　－ 특히, 케언즈그룹과의 빈번한 접촉으로 브라질, 알젠틴등 강경수출국 대사들이
"한국이 쌀 시장을 개방할 것인지의 여부에 관심이 없으나, 단지 원칙적인
측면에서 관세화의 예외 인정이 곤란할 뿐"이라는 반응을 나타내고 있으며

　－ 던켈총장도 아국의 입장과 견해에 상당한 관심을 갖고 경청하는 경향을 보이고
있음.

다. 우리 입장의 반영정도

○ 그동안 관세화의 예외문제가 전혀 논의되지 않았으나, option으로 반영되는 수준
까지 진전되는 변화가 있었음.

　－ 이러한 분위기가 조성된 것은 아국과 일본의 단호한 입장제시에 기인한 것으로
보이나, 인도, 파키스탄, 필리핀, 말레이지아등 개도국들이 관세화 예외 인정
을 강력히 주장한것도 많은 도움이 되었다고 판단됨.

- 6 -

0022

ο TE대상품목에 대해 최소시장접근(MMA)을 부여할 수 없다는 대안이 EC, 수입국, 개도국등으로 부터 폭넓은 지지를 받고 있음.

  - TE가 아주 높거나, TE로 가지 않는 품목에만 MMA를 설정하자는 대안이 제시 되고 있으나 수출국들은 정치적으로 결정하자는 반응을 제시

ο 국내보조에 있어서도 감축대상정책 우선결정 방식(Amber Fist방식)을 계속 강조 한 것은 허용정책(Green Box)의 내용과 범위를 확대하고 기준을 완화하는데 상당 한 지적을 보이고 있음.

ο 수출보조는 수입국 입장에서 엄격히 규제되어야 한다는 입장을 강력히 재기함으로 서 케언즈그룹이 아국입장에 대한 호의적인 반응을 나타내고 있음.

라. 앞으로의 과제

  ο 쌀등 기초식품을 관세화의 항구적인 예외로 인정받고, 최소시장접근 대상에서 제외하는 것

  ο Amber First 방식에 의해 인정되는 정도로 허용정책 범위를 확대하는것

  ο 11조 2항 C를 계속 유지하는것

  ο 개도국 우대를 적용 받되, 타개도국들과 차별화 되지 않는것등

Ⅱ. 하반기 협상전망과 대응방안

1. 협상전망과 논의방향

o G-7 정상회담에서 금년내 협상타결에 합의하였음에도 주요국이 기본입장을 변화하기 어려운 상태이며 아직 농업협상의 기본골격 조차 합의치 못하고 있어 촉박한 협상일정에 비추어 볼때 년내종결 가능성에 대한 우려가 제기

  - EC 맥세리 개혁안의 부진, EC내 불란서, 독일등의 소극적 태도, 미국은 UR협상보다 북미 자유무역 협정에 대한 관심증대 경향, 중남미 국가의 자유무역협정 추진 논의등 블록화 움직임등이 비관적 요인으로 작용

o 그러나 주요국은 UR협상 타결이 현재의 세계 경제문제 해결에 있어 최우선 과제로 인식하고 있어 년내 종결을 전제로한 타협점 모색에 집중적인 노력을 전개할 것으로 예상

  - 특히 G-7정상들은 UR협상 진척이 제대로 이루어지지 않을경우 직접개입 하겠다는 의사를 표명

  - EC는 9월말 이사회에서 CAP개혁안을 본격적으로 논의할 예정이며, 미국도 기존 입장에 대한 융통성 부여문제를 10~11월중에 검토할 것을 암시, 특히 11월 서울 APEC 각료회의에서 UR협상에 대한 전기를 마련할 가능성을 제시

o 따라서 농산물 협상은 10월이후에 본격적으로 이루어질 것으로 전망되며 그 논의 방향은 던켈총장 options paper와 그동안의 협의결과를 토대로하여 협상의 Framework 를 마련하는데 중점을 둘 것으로 예상

  - 기술적 사항에 대한 마무리 작업과 함께 각국이 첨예하게 대립하고 있는 중요 쟁점사항은 정치적 결단 사항으로 남기고, 최종단계에서 막후교섭과 고위급회의 등을 통한 합의도출과 협상종결을 시도할 것으로 전망

- 8 -

0024

2. 예상되는 상황과 대응방안

┌───┐
│ Scenario 1 : 현재 던켈총장의 의도하는 방식대로 전개되는 경우 │
└───┘

< 예상되는 상황 >

ㅇ 기술적 쟁점을 압축시켜 나가면서 협상진행 방향을 정하고 분야별, option별 Trade-off를 위한 토대로 마련하여 주요국간 막후절충을 추진하는 경우

< 대응방안 >

ㅇ 우리의 중요관심 사항을 관철하기 위해 Leverage를 활용가능한 여타 쟁점사항에 대해 강한 입장을 표명

- 예 : 수출보조의 엄격한 규제, 국내보조에 결손보존 포함, 개도국우대 조치의 확대등

┌───┐
│ Scenario 2 : 미국의 주도하에 협상이 전개되는 경우 │
└───┘

< 예상되는 상황 >

ㅇ 미국이 한국, 일본등으로부터 우선 양보를 얻어 낸다음, 그 여세를 몰아 EC를 공격하는 경우

< 대응방안 >

ㅇ 미국의 전략을 정확히 진단하고 신중하고 현명히 대처

- 입장을 사전에 조정, 제시하는 것은 실질적으로 협상을 포기하는 결과를 초래

- 이러한 경우에도 EC가 입장을 변화하기 어렵다는 점과, EFTA, 수입국, 개도국들이 EC측에 동조할 가능성

0025

Scenario 3 : 미국, EC가 타협하는 경우

〈 예상되는 상황 〉

ㅇ 미국, EC간에 막후절충을 통해 타협하고 여타국들에게 타협결과의 수용을 강요할 경우

   - 예로서 미국이 수출보조 분야에서 후퇴, EC가 미국의 Deficiency payment를 양보하는 대신 EC의 Deficiency payment를 허용으로 인정, Separate Approach를 부분적으로 완화(수출보조와 국내보조를 동일한 비율로 감축), Rebalancing, Corrective Factor를 부분적으로 수용, 미국의 Waiver 인정등

〈 대응방안 〉

ㅇ 케언즈그룹, 개도국그룹등과 협조하여 미.EC에 의한 일방적인 강요를 수용 할 수 없다는 입장을 강하게 제기

Scenario 4 : 현재 상태로 계속되는 경우

〈 예상되는 상황 〉

ㅇ 던켈총장의 Trade-off 시도가 주요국들에 의해 견제되어 협상이 답보상태로 지속되는 경우

〈 대응방안 〉

ㅇ 지금까지의 대응방식대로 우리입장을 계속 견지해 나가면서

ㅇ 주요국들의 협상목표와 기대수준을 현실적으로 낮추도록 설득하는데 주력

Scenario 5 : Small Package 형태로 가는 경우

〈 예상되는 상황 〉

ㅇ 주요국간 의견차가 좁혀지지 못하여 협의가능부분만 합의하고 나머지는 차기
  협상 과제로 이월시키는 방안 추진

〈 대응방안 〉

ㅇ 기존의 입장을 계속유지 하면서 아국의 실리확보에 주력

3. 추진과제

ㅇ 관세화 예외의 항구화를 위한 대개도국 교섭

ㅇ 보조금 상계그룹 text와의 조화문제 검토

ㅇ 개도국 우대의 내용과 차별화에 대한 대책

ㅇ 11조 2항 C의 적용대상에 대한 대책

ㅇ 국내보조의 허용대상정책 확대

ㅇ 수출보조의 계측방식과 신규품목및 상품대책

ㅇ 동식물 검역과 식품위생기준

ㅇ 농산물그룹 적용대상품목의 범위결정

ㅇ MMA의 계측방법

GATT 정부조달협정 가입

추진현황 및 향후계획

1991. 8.

상 공 부

0028

I. 우리나라의 협정가입 추진 경과

o '89 한.미간 슈퍼 301조 관련 협상시 미측의 가입요구

  - 미국은 '89 NTE (National Trade Estimate) 보고서상 아국의 GATT 정부조달 협정
    가입문제 제기

  - 89.10 USTR 대표와 상공부 장관의 면담시 아국의 협정 가입의사 표명

  - 90. 1 한.미 통신 협상시 아국의 협정가입 의사 재확인

o 90.1 경제장관회의에서 가입추진 기본 방침 결정

  - 가입추진 반장 : 상공부 제 1차관보

o 90.6 GATT 정부조달위원회에 가입안 제출

  - 미국, EC, 카나다등 주요국과 아국 가입안에 대한 1차 양자협의 개최

o 91.4 기존 가입국과의 2차 양자협의 개최

  - 12개 전체 가입국에 대하여 아국 가입안에 대한 세부내용 설명 및 각국의
    관심사항 및 요구사항 청취

o 91.5 이후 아국의 기존 가입안에 대한 수정 및 확장협상 참여 문제에 대하여
            검토중

1

0029

II. 우리나라 가입안의 내용 및 이에 대한 각 가입국과의 양자협의 결과

1. 가입안의 주요 내용

   가. 양허기관 및 품목

   o 중앙행정기관중에는 감사원, 경제기획원, 국토통일원, 총무처등 35개기관,
     정부투자기관중에는 조달규모가 크고 가입국이 관심을 보이는 기관중
     에서 한국전기통신공사와 대한주택공사를 양허함

   o 한국전기통신공사의 경우에는 양허범위를 한정하여 한.미 통신 협상의
     합의 내용인 통신망 장비를 제외한 일반 물품으로 함

   나. 포괄적 협정 배제 조항

   1) 가입당시 국내법규에 특별구매절차가 있는 경우

   2) 재판매 또는 판매를 위한 상품 생산용 물품을 구매할 경우

   3) 특정 구매가 중요한 국가정책 목표에 배치될 경우

   4) 북한지역 물품을 특별히 구매할 필요가 있을 경우

   다. 양허규모

   o 가입안에 따른 우리나라의 전체 개방 규모는 5억 7,200만달러
     (약 3,832억원)로서 전체 가입국중 6위 수준임

(단위 : 백만달러)

기 관 명	'89 외자구매 (A)	'89 내자구매 (B)	양허 대상액 (A + B)
조 달 청 *	136	246	382
전기통신공사	52	101	153
대한주택공사	-	37	37
합 계	188	384	572

* 35개 중앙행정기관은 대부분 조달청을 통해 물품을 구매함

2

0030

2. 주요국과의 양자협의 내용 (91.4월 2차 양자협상시)

　　가. 미국과의 협의 내용

　　　　(1) 아국의 확장협상 참여 문제

　　　　　　o 미국은 아국의 협정 가입을 위해서는 아국이 기 제출한 offer에 의한
　　　　　　　 가입협상과 함께 확장 협상을 위한 새로운 offer도 제출하여 확장 협상
　　　　　　　 참여를 병행할 것을 요구

　　　　(2) 양허기관의 확대 요청

　　　　　　o 중앙행정기관 : 국방부 등 14개 기관

　　　　　　o 정부투자기관 : 한국산업은행등 3개 기관

　　　　　　o 정부출연 연구소 및 기타 기관 : 한국과학기술원등 14개 기관

　　　　(3) 아국 가입안상의 적용 예외사항

　　　　　　o 다음 사항에 대한 별도 규정의 필요성에 대하여 의문 제기

　　　　　　　　- 치안유지용 물품 구매 제외

　　　　　　　　- 농산물 수급 조절용 구매 적용 배제

　　　　　　　　- 재판매용 물품 구매 제외

　　　　　　o 다음사항에 대하여는 범위의 축소 또는 삭제를 요청

　　　　　　　　- 중소기업 제품등의 특별 구매 제외

　　　　　　　　- 중요한 국가 정책상의 예외

　　　　　　　　- 남북한 교역시의 적용 제외

나. 카나다와의 양자협의

    o 양허기관의 확대 : 국방부, 한국방송공사등 6개 관심기관과 정부조직법
      개정에 따른 변동사항에 대하여 질의

    o 아국 가입안상의 적용 배제 사항에 대한 구체적 내용 질의

    o 입찰 이의 신청 제도를 비롯한 협정 이행상의 내외국인 차별 폐지를 위한
      준비사항 이행 여부

다. 일본과의 양자협의

    o 아국 가입안에 모든 중앙정부기관이 포함되어 있는지 여부 및 입찰이의 신청
      제도의 설치 여부

    o 아국이 정부조달분야에 관한 법령체계와 동 법령에 내외국인의 동등한
      참여가 보장되어 있는지 여부

※ EC는 본부로부터 아국 가입안에 대한 구체적 검토의견을 받지 못하여 공식
   입장 미 표명

4

0032

III. 정부조달 협정 대상범위 (coverage) 확장 논의 동향 및 전망

1. 확장협상 동향 (86년 이후)

  o 대상기관 : 현재 중앙정부기관만으로 되어있는 협정 대상 기관을 중앙정부기관
    (A그룹), 지방정부기관 (B그룹), 정부의 통제 또는 영향력하에
    있는 기업 (C그룹), 사기업 (D그룹)으로 구분하여 B그룹 및
    C그룹까지 확장하는 문제를 검토.
    이들 기관의 확장은 그동안 협정이 적용되지 않던 협정 배제분야
    (Exclusive sectors)인 통신, 에너지, 교통, 상수도 분야를
    포함하는 문제와 직결

  - 적용분야 : 기존의 상품 분야뿐 아니라 서비스 분야를 등 협정 대상에 포함

2. 협상 진행 현황 및 향후 전망

  o 확장 협상을 위한 작업반 구성 운영 (90.9)

  - 기존 협정 가입국간에 별도 작업반 (working group)을 구성하여 각국이
    제출한 R/O list를 중심으로 90년 UR 협상과 함께 협상을 종결지으려
    하였으나 UR 협상의 미 타결로 동 확장협상도 90년중에는 타결되지 못함

  o 91.7 현재 대부분의 가입국이 확장 협상에 관한 R/O list를 제출하여 적극
    참여하고 있는 상황으로 지방정부 및 정부투자기관 또는 공익기관들에 대한
    광범위한 양허의사를 표명하고 있음 : 주요국 offer 내용분석 별첨

  o 다만, 미국의 전기통신과 공익사업 분야의 민간회사들도 GATT 정부조달협정의
    대상으로 양허하기를 요구하는 EC측의 입장과, 이를 수락치 않으려는 미국의 입장
    대립이 협상 타결의 최대 관건이 될 것으로 보이며, 이는 전반적 UR 협상과
    함께 그 타결 여부가 결정될 것으로 전망됨

5

0033

IV. 우리나라의 확장 협상 참여 문제 검토

1. 각국의 입장

o 미 국 : 미국은 아국에 대하여 기존 가입안에 의거한 양자협의를 진행하면서
확장 협상에 따른 New Cord에 근거한 가입안도 제출하여 두가지
협상을 병행할것을 요구 (91.4월 양자협의 및 91.5월 미국과의
비공식 협의시)

o GATT 정부조달위 의장 : 확장 협상은 년내 종결될 것으로 기대되므로 한국이
현행 협정에 근거한 가입안만으로 동 협정의 정식
가입국이 되기는 어려울 것이라 하고, 한국이 확장
협상에 참가하여 협상 결과에도 영향을 미치는것이
유리할 것이라 언급
(91.7월 정부조달위 의장과의 비공식 협의시)

o 기타국 : 아국의 확장 협상에 대하여 공식적 입장 미표명

2. 아국의 확장협상 참여시의 이해득실 √

가. 긍정적 측면

(1) 협상 동향의 신속 파악

o 협상관련 자료 및 정보를 신속히 입수하여 아국입장을 정립할 수 있음

(2) 협상 내용에의 적극적 참여

o 협상에 공식적으로 참여하여 아국 입장을 적극적으로 표명함으로써
협상 결과에 영향을 미칠 수 있음

(3) 아국의 협정 가입의지 재확인

o 미국을 비롯한 기존 가입국들에 대하여 아국의 협정 가입의지를 확실히
인식시킬 수 있음

6   0034

나. 부담이 되는 측면

    (1) 자료 제출의 의무

        o 확장협상 참여시 단순한 observer로서의 참여는 불가하며 협상에
          따른 양허기관 list나 기타사항에 대한 정보제출에 관하여 협정
          가입국들과 동등한 의무 요건을 준수해야 함
          (84.2 GATT 정부조달위원회 결정사항)

    (2) 개방범위의 확대

        o 상당부분의 정부투자기관 및 정부 출연 기관에 대한 각국의 request와
          중소기업 보호등 예외조항의 축소 또는 삭제의 요구가 있을 것으로
          예상됨

    (3) 협상 일정상의 부담

        o 확장 협상을 위한 R/O list의 작성을 최대한 신속히 해야하며 이와
          동시에 명확한 아국 입장의 정립이 조속히 이루어져야 협상 참여의
          실효를 거둘 수 있을 것임

3. 당부 검토 의견

o 아국의 GATT 정부조달 협정에의 가입의사 결정 및 가입안 제출은 기존의 협정
  coverage를 전제로 이루어진 것임

o 그러나 아국의 가입안 제출 이후 가입국간의 확장 협상이 본격화되어 UR
  협상과 함께 진전되고 있고 기존 가입국들도 동 확장 협상에 적극 참여하고
  있는 상황이므로, 아국의 협정 가입이 확장협상의 참여 문제와 결부되어
  새로운 입장 정립이 필요

o 91.4월의 2차 양자협상 이후, 확장 협상 참여에 관한 입장정립을 위한 당 부의 미국 및 GATT 정부조달위 측과의 협의 및 확장 협상 관련 정보수집 및 분석등을 통하여 종합적으로 판단할 때 아국의 가입방침 자체를 철회하지 않는한 확장 협상 참여는 불가피할 것으로 판단됨

o 따라서 확장협상 참여 준비는 조속히 추진하되 확장 협상을 위한 R/O list 내용 및 제출시기등에 대하여는 아국의 가능한 양허범위 설정 및 영향 분석등을 통하여 신중히 결정해야 할 사항임

V. 향후 협상 추진 계획

o 91. 7 ~ 8   확장 협상의 내용 분석을 통한 아국의 기본 입장 정립 및 기존 가입안의 수정 검토 (실무작업 계획 별첨)

o 91. 8   정부조달협정 가입 대책반 회의 (상공부 제 1차관보)

o 91. 9   대외협력위 협의

o 91. 10   확장협상을 위한 GATT 정부조달위원회 작업반 회의 참석 (사전에 참여의사 통보)

〈참 고〉

o GATT 정부조달위원회 일정

 - 91. 9월   확장 협상을 위한 가입국간의 추가 자료 배포

 - 91. 10월   확장 협상을 위한 작업반 회의 진행

8

0036

VI. GATT 정부조달 협정 가입 실무 작업 계획

가. 확장 협상 참여를 위한 아국 입장 정립

※ 확장 협상 참여 준비와 관련한 각 부처 및 기관 협조사항

담당기관	해 당 사 항	협조기관
경제기획원	정부투자기관과 서비스 부문의 양허 검토	조달청
건 설 부	건설부문의 양허 검토	조달청
내 무 부	지방공기업 현황과 지방 행정조달 개방에 따른 영향 검토	조달청
체 신 부	DACOM, 한국이동통신등 양허 여부 검토	한국통신
철 도 청, 지하철공사	철도차량, 기자재에 대한 집중 검토	교통부
중소기업협동 조합중앙회	중소기업 단체 수의계약 제도 개선대책 (업종별)	상공부
한국전력	발전설비 분야에 대한 집중검토	동 자 부

☆ 구체적 협조사항은 정부조달협정 실무 작업반에 각 기관 실무자가 참석
토록하여 협의 추진

나. 기 제출한 가입안의 수정

o 91.4월 1차 양자협의시 각국의 요청사항 반영 검토

- 중앙정부 기관중 제외된 10개 기관 추가 여부

- 국방부의 비 양허 품목 추가 여부

- footnote와 note중 일부조항 삭제 또는 구체화 검토

- 국립교육기관 및 국.공립 의료기관 양허여부 검토

o 동 사항도 각 관련 부처 실무자들이 정부조달협정 실무 작업반에 참여하여
작업을 추진토록 함 (경제기획원, 국방부, 교육부, 보사부, 정부투자기관)

9

0037

〈첨 부 1〉

[GATT 정부조달 협정 개요]

1. 목 적

   o 국제무역상의 비관세 장벽 제거의 일환으로 1979년 동경라운드에서 제정된
     MTN 9개 협정중의 한 분야임 (1981년부터 발효)

2. 협정 가입국 (20개국)

   o E C (9개국) : 영국, 프랑스, 서독, 벨기에, 덴마크, 아일랜드, 이태리,
                  룩셈부르크, 네덜란드

   o 미국, 일본, 카나다, 오스트리아, 스웨덴, 핀란드, 노르웨이, 스위스,
     싱가포르, 홍콩, 이스라엘

3. GATT 정부조달 협정의 적용범위 및 주요내용

   가. 적용기관

      o 협정 가입국의 조달절차나 관행에 있어서 중앙정부의 직접적이고
        실질적인 감독하에 있는 기관

      o 지방정부는 제외

   나. 적용대상

      o 물품의 구매, 리스, 임차 및 할부 구매에 의해 조달되는 13만 SDR (약
        1억원) 이상의 정부조달 계약 (협정 회피를 위한 분할 계약은 금지됨)

   다. 협정문의 주요 내용

      o 협정 가입국간 최혜국 대우 및 내국민 대우의 원칙 적용

      o 조달기관의 입찰 절차의 공정화 (조달 계획의 공고, 단일 입찰의 제한,
        개찰의 공개등)

      o 정보 제공의 의무

      o 조달 품목의 기술 사양에 관한 차별금지

ㅣD

0038.

4. 가입절차 (정부조달 위원회 결정사항 : 81.1, 83.2)

가. 가입의사 (initial offer list 포함)를 GATT 사무총장에 제출

나. 기존 가입국과 쌍무협의

다. 완료된 협의안을 사무총장에 제출

라. 사무국은 동 협의안에 대해 가입국으로 부터 30일 이내 서면 확인 요청

마. 정부조달 위원회에서 전 가입국의 동의로 가입 승인

바. 사무총장에 가입 의정서 제출, 접수 30일 이후 효력 발생

ㅛ

0039

〈첨 부 2〉

〈주요국 offer list 내용 비교〉

- coverage 확장 협상 관련 -

항 목	미	E C	일
ㅇ 대상 기관의 확장	ㅇ 중앙정부기관 : 전부 포함 ㅇ 지방정부기관 : 연방 정부의 통제 하위 정부(주 정부) 기관만 포함 ㅇ 정부의 통제하에 있는 기관 : 정부구매 대우 및 최혜국 대우 의무 준수 ㅇ 정부의 영향력하에 있는 국내제품 구매에 대한 유인 제공 금지	ㅇ 중앙정부, 주정부, 지방 정부의 모든 부처와 공공기관 포함 ㅇ 정부의 통제 또는 영향력하에 있는 기관 : list에 열거된 기관만 협정의 적용, 그외 기관은 국산품 구매에 대한 장려 금지	ㅇ 정부의 통제 또는 영향력 하에 있는 모든 기관을 offer 하며, 16개 만 추가로 대상기관 소급적임
ㅇ 적용 범위의 확장	ㅇ 모든 서비스 포함 (공사 및 건축 표함)	ㅇ 공사 및 건축 계약 - 모든 대상 기관에 적용 ㅇ 공사외의 기타 서비스 - 협상에 의해 결정	ㅇ 4개 분야 (광고, 빌딩 보수, 관리 컴퓨터, 운수)의 자유화 제안 ㅇ 공사 및 건축 분야는 지방자치 단체의 경우는 제외
ㅇ 기 준 가	ㅇ 공사 및 건축계약 : 450만 SDR ㅇ 기타 : 5만 SDR	ㅇ 공사 및 건축계약 : 450만 SDR ㅇ 기타 : 대상 기관별 차별화	ㅇ 현행수준 (13만 SDR) 유지

0040

의제 3 : UR/농산물 협상 대응 방향

1. 예상 가능한 상황별 아국 대응 방향에 대한 농림수산부(안) 요지

예상 가능한 상황	아국 대응 방향
① Dunkel 사무총장 의도대로 타결 ○ 기술적 쟁점 압축후, 쟁점별 option trade-off를 주요국간 막후 절충을 통해 타결	○ 수출보조의 엄격한 규율, deficiency payment를 수출보조로 취급, 개도국 우대 확대 주장등 주요국 취약점을 최대 부각, 아국 입장 반영
② 미국 주도하에 타결 ○ 한국, 일본의 양보를 우선 득한후, EC를 공략, 미국 의도대로 타결	○ 미국의 의도를 정확히 파악한 연후, 현명히 대처 - EC의 입장 고수 및 북구등 여타 수입국의 EC 입장 동조 가능성 고려
③ 미.EC 일방 타협에 의한 타결 ○ 수출보조, deficiency payment등 상호 취약분야에서의 타협 결과를 여타국이 수용토록 강요	○ Cairns 그룹, 개도국과 협조, 미.EC간 일방타협 결과 수용 불가 입장 견지
④ 현재대로 답보상태의 경우 ○ 미.EC등 주요국의 견제로 Dunkel의 trade-off 노력이 답보 상태일 경우	○ 기존 입장 고수 및 미국등 주요국이 기대수준 하향 조정토록 설득
⑤ Small package의 경우 ○ 합의 가능 분야만 합의하고, 미합의 분야는 차기 다자협상에서 해결키로 하고 종결되는 경우	○ 기존 입장 고수 및 실익 확보 노력 경주

0041

2. 검토 의견

○ 예상 가능한 상황별 탄력적으로 대처하고 아국 leverage 확보를 위해서도
   아국 핵심 관심사항인 식량안보 긴요 품목(쌀)에 대한 완전 예외가
   인정되지 않을 경우의 대처 방안 사전 수립 긴요 (상세 : 별첨 참조)

첨　부 :　1.　UR/농산물 협상 대처 방안.

　　　　　 2.　BOP 협의 결과와 UR/농산물 협상 결과 연계 문제 검토 의견.　　끝.

0042

UR/농산물 협상 대처 방안

1991. 7. 31.

통 상 기 구 과

0043

1. 전제가 되는 상황

o 아국의 쌀시장 개방 불가 입장 고수

o 쌀시장 개방 문제 관련 상정 가능한 타결안

   - 1안 : 관세화는 하지 않되, 일정기간(예 : 10년) 동안 일정 수준

      (예 : 국내 쌀시장의 3-5%)의 최소 시장접근 보장

   - 2안 : 관세화를 하되, 최소 시장접근 보장은 불요

   - 3안 : 관세화와 동시에 최소 시장접근도 보장

o 관세화(tariffication) 문제에 대한 미.EC간 타협 성립 및 일본의 동 결과

   수용으로 UR/농산물 협상 타결

   - 일본이 주장하고 있는 관세화 및 최소 시장접근 보장에 대한 완전

      예외를 불인정

   - 스위스등 여타국가들도 NTC 관련 품목에 대한 관세화, 최소 시장접근등

      농산물 협상 결과 수용

o 따라서, 특정품목(쌀)의 시장개방 관련 완전예외는 불인정

2. 쌀시장 개방 불가 입장 고수시 예상되는 상황

| UR/농산물 협상의 합의 형성 방해(Block) 또는 합의내용 수정은 불가능 |

o 미, EC, 일본등 주요 협상 주도국의 합의내용 수정은 현실적으로 불가능

o 선택의 여지가 없는 "take it or leave it" 상황

| UR/농산물 협상 결과 거부는 아국의 갓트 탈퇴를 의미 |

o Single undertaking 원칙에 의거 UR 협상 분야중 일부만 선택, 수용할 수

   없으므로 농산물 협상 결과 거부는 전체 UR 협상 결과 거부를 의미

1

0044

o UR 협상 결과 거부는 아국의 갓트 탈퇴 의미

- UR 협상 결과는 점차적으로 현갓트를 대체

o 아국의 갓트 탈퇴는 국제사회에서의 경제적 고립 자초

- 다자무역 체제의 혜택(MFN등) 포기에 의한 아국의 수출 여건 악화 초래

- 쌍무적 통상압력 가중 및 통상마찰의 다자적 해결책 상실

. 미국등 농산물 수출국의 공격적.쌍무적 개방압력에 무방비 상태

- 각종 통상관련 정보와의 단절상태 초래

- 쏘련등 동구국가와 대만의 갓트 가입 노력등 신국제 경제질서 형성에 역행하는 결과

3. 대처 방안

조기 대국민 교육 및 홍보 실시

o 향후 농산물 협상 진전 상황을 보아가며 쌀에 대한 완전 예외 반영이 어렵다고 판단될 경우, UR 협상 타결 훨씬 이전부터라도 UR/농산물 협상 결과 수용 불가피성은 지속적으로 적극 홍보 필요

o UR/농산물 협상이 종결된후 동 결과를 일단 수용하고 국회 동의 과정에서 국내 합의를 도출코자 하는 것은 지금까지 정부가 쌀시장 개방 불가 입장을 강하게 견지해 오고 있음에 비추어 국회 동의 과정에서 갑자기 정부 입장을 변경하는 것으로 설득력에 한계

o 따라서, 하기 방향의 대국민 홍보 조기 실시 바람직

- 6.24 던켈 사무총장 option paper등에 아국이 주장하고 있는 식량안보 긴요 품목(쌀)에 대한 완전 예외가 반영되어 있지 않으므로 시장개방에 대한 완전예외가 인정되지 않을 가능성이 있음을 공개적으로 거론

- 언론매체, 학계, 경제계등을 통한 쌀시장 개방 불가피성에 대한 찬.반 토론 유도

- 학술세미나등에 장.차관급 정부 고위관리가 직접 참가, 쌀시장 개방 가능성에 대비한 사전 분위기 조성.   끝.

2

0045

BOP 협의결과와 UR/농산물협상 결과 연계 문제 검토 의견

91. 7. 31.

통 상 기 구 과

0046

1. BOP와 UR 연계문제에 대한 입장

가. 이해관계국측 입장 (EC 제외)

○ BOP 협의결과와 UR/농산물 협상결과는 별개

  - BOP 품목은 97.7.1까지 BOP 협의 결과에 따라 수입자유화

  - UR 협상결과는 BOP 협의 결과에 따른 수입자유화이외의 추가적인
    수입자유화를 위해 적용

○ 미자유화 BOP 품목에 대해 UR 결과(관세화)를 적용, 자유화 지연 또는
  회피 가능성을 우려

○ 양허 품목(예 : 쇠고기)에 대한 양허관세이상 관세율 인상 수용 불가

○ 7.16 Kristoff USTR 대표보 주미 대사관 관계관 면담시 언급 요지

  - UR 협상 연계에 실망

  - 7.11 갖트이사회에서는 미국등 이해관계국들이 자제하는 반응을
    보였으나 앞으로는 한국에 대한 상당한 비난 예상

나. 아측 입장

○ UR 타결 싯점 미자유화 BOP 품목에 대해 관세화등UR/농산물협상 결과를
  적용하는 것은 당연

  - 시장개방확대, 국내보조감축, 11조2항C 개선등을 논의하고 있는 농산물
    협상 결과는 새로운 갖트규범을 구성하므로 동 규범에 합치시키는 것은
    당연

  - 관세화를 포함한 새로운 갖트 규범 합치를 통해 미자유화 BOP 품목의
    수입자유화를 앞당기는 효과

○ 미자유화 BOP 품목에 대해 UR/농산물협상 결과를 적용하지 못할 경우 동
  품목에 대해 자유롭게 관세인상 가능한지 의문

○ 양허품목에 대한 관세화 문제는 UR/농산물협상 결과에 따라 결정

1

0047

2. BOP 협의결과 및 UR/농산물 협상결과 적용시 장·단점

	장 점	단 점

BOP 협의결과
적용시
	- 97.7.1까지 단계적
	  자유화
	
	- 비양허 품목에 대한
	  관세 인상
		- 관세화, 특별세이프가드
		  잇점 활용 불가능
		
		- 양허품목(예:쇠고기)에
		  대한 관세인상 필요시
		  양허 재협상 필요
		
		- UR/농산물 협상에서의
		  관세인하 및 관세양허
		  목표달성을 위해 경우에
		  따라 비BOP 품목의 대폭
		  관세인하 및 양허 검토
		  불가피

UR/농산물
협상 결과
적용시
	- 관세화, 특별세이프가드
	  잇점 활용
	
	- 경우에 따라 양허
	  품목에 대한 관세화도
	  가능
		- UR/농산물협상 타결
		  싯점 미자유화 BOP
		  품목에 대한 일괄 관세화
		  (잠정적 수입자유화
		  조치) 및 최소 시장접근
		  보장
		
		- 관세상당치의 최종
		  상한선이 양허관세 또는
		  기본관세보다 낮을경우
		  관세인하 불가피

3. 가능한 대안

> **1안 : BOP 품목은 BOP 협의 결과대로 이행하고 UR/농산물 협상결과 부적용**

ㅇ 대응 논거

- 상대측 주장대로 BOP 협의 결과와 UR/농산물 협상 결과는 별개이므로 BOP
  품목은 BOP 협의 결과대로만 이행하고, 관세인하 및 관세양허, 국내보조
  감축등에 관한 UR/농산물 협상결과는 부적용

  · 비양허 품목(잔여 142개중 106개 비양허)에 대한 관세인상

  · 국내보조 계속 허용

2

0018

o 장 점

- 단계적 수입자유화, 비양허 품목에 대한 관세인상 및 국내보조 계속 시행

o 단 점

- BOP 협의결과 의무이행에 추가해 관세인하 및 관세양허등 시장접근 개선과 국내보조 감축에 관한 UR/농산물협상 결과의 추가 적용을 상대측이 주장할 가능성 상존

    · 상대측이 계속 주장할 경우 추가 양보 가능성 배제 불가

제2안 : 기존입장 고수

o 대응 논거

- 기존 논거에 따라 대처
- 필요시 갓트패널 구성용의 표명

o 장 점

- 관세화, 특별세이프가드등 잇점 최대활용
- 아측 희망대로 미자유화 BOP 품목에 대한 일괄 관세화가 모두 관철되지 않더라도 향후 농산물협상 전전에 따라 이루어질 R/O 협상등을 통해 품목별로 일부는 농산물협상 결과에 따른 관세화, 일부는 BOP 협의 결과대로 수입자유화할 수 있는 협상의 소지

o 단 점

- 갓트이사회등을 통한 계속 거론등 쌍무.다자간 통상마찰 요인으로 상존

3

0049

4. 대책 방안

o 상기 대안에 대한 심층 득실 분석 실시후 입장 재검토

o 우선 미국등 이해관계국에 대하여 UR 협상 결과와의 연계가 인정되지 않을 경우 아측의 비양허 품목의 관세인상, 국내보조 감축의무 부적용등도 허용될 수 있다는 점을 제기, 이에 대한 입장 문의.   끝.

4

기 안 용 지

분류기호 문서번호	통기 20644- 1238	(전화 : 720 - 2188)	시 행 상 특별취급	
보존기간	영구. 준영구 10. 5. 3. 1.	장 관		
수 신 처 보존기간				
시행일자	1991. 8. 3.			

보 조 기 관	국 장	전 결	협		문 서 통 제
	심의관		조		첨임 1991. 8. 05
	과 장		기		
	기안책임자	조 현	관		발 송 인

경 수 참	유신 조	주 제네바 대사	발 신 명 의		발송 1991. 8. 05
제 목		UR 대책 실무위원회			

연 : WGV-0970

1. 8.2. 개최된 표제회의 결과 요지 및 동 회의에 접수된

의제별 보고 자료를 별첨 송부합니다.

2. 상기 회의에 접수된 갓트/정부조달협정 가입 추진 현황 및

향후 계획은 별도로 송부 예정임을 첨언합니다.   /계 속/

0051

가. UR 대책 실무위원회 요지

나. UR/서비스 협상 동향 및 대응방안

다. UR/서비스 협상 노동력 이동 분야 협상 대책

라. UR/농산물 협상 '91 상반기 종합평가와 하반기

대책 방향

마. ~~UR 협상 관련 한·미 양자협의 대책~~   끝.

- 2 -

0052

UR 대책 실무위원회 회의 요지

1991. 8. 3.
통상기구과

1. 회의일시 및 장소 : 1991. 8. 2(금) 15:00-18:30, 경기원 소회의실

2. 참석범위

    ㅇ 경기원(대조실장 회의 주재), 외무부(통상국장), 재무부, 상공부, 건설부,
       법무부, 보사부, 특허청, 조달청등 관계부처 관련 국장 또는 과장

3. 회의 의제

    ㅇ UR/서비스 협상 동향 및 대응 방안 (경기원)

    ㅇ UR/서비스 협상 관련 노동력 이동 분야 협상 대책 (노동부)

    ㅇ UR/농산물 협상 '91 상반기 종합평가와 하반기 대책 방향 (농수산부)

    ㅇ 갓트/정부조달협정 가입 추진 현황 및 향후 계획 (상공부)

    ㅇ UR 협상 관련 한.미 양자협의 대책 (경기원)

    ㅇ 기 타
      - 철강협상, 조선협상, MFA Ⅳ 연장 관련 사항 (상공부)

1

0053

4. 회의 요지

가. 공 통
  ㅇ 소관부처별 안건 보고 및 접수

나. 회의 의제별 논의 결과

1) UR/서비스 협상
  ㅇ 유통, 금융서비스등의 경우 1차 Offer 제출후 변동사항 추가 보완 필요
  ㅇ 아국의 request list 제출도 긴요

2) UR/서비스 협상 관련 노동력 이동
  ㅇ 노동력 이동 자유화 관련 key personnel 개념을 수용하되 여타분야에
     영향을 주지 않는한 건설분야에서의 skilled personnel도 key personnel
     개념에 포함될 수 있는 방안을 모색
     - 단, 동 방안 모색이 어려운 경우 노동부 안을 정부 입장으로 정립

3) UR/농산물 협상
  ㅇ 외 무 부
     - 일본의 입장 변경 가능성에 대비한 국내대책 존재 여부 및 상정
       가능한 농산물 협상 결과 관련 학계등 비정부 차원의 논의 유도
       필요성 관련 농수산부 입장 문의
  ㅇ 상 공 부
     - 식량안보 관련 아국 입장 반영 가능성 여부 및 제네바 협상
       테이블에서의 일본 입장에 관한 농수산부 견해 문의
  ㅇ 경 기 원
     - Dunkel의 대안문서에는 쌀에 대한 국내보조 예외문제가 반영되어
       있지 않는바, 이에 대한 대책 및 상황이 아국에 불리하게 진행될
       경우의 국내대책에 대한 농수산부 입장 문의
     - 관세화의 항구화 관련 대개도국 교섭 방안에 대한 농수산부 입장
       문의

2

0054

o 농수산부

- 현단계에서는 협상 진전상황을 있는 그대로 알리는 것이 최선책이며
  식량안보 관련 일본 입장은 상금 불변
- Dunkel의 대안문서에 반영되어 있지 않은 아국 관심사항이라도
  동 문서가 non-exhaustive한 것이므로 향후 협상의 소지
- 농협 회장의 동남아, 인도, EC등 순방 또는 국회 농수산위 소속
  지연태 의원의 personal tie를 활용, 관세화의 항구화 관련
  대개도국 교섭 방안 검토 가능

o 결 론

- 어렵게 협상이 진행되고 있으나 최선을 다하고 있다는 정부 입장
  견지
- 상황 변화에 따른 향후 대응 방향은 추후 논의

4) 갓트/정부조달협정 가입

o 기존 가입안에 의한 협정 가입 노력과 병행, 확장협상 참여 문제는
  대외협력위원회에서 정부 방침을 조속 결정한 연후 이에 따른 실무
  작업 추진

5) UR 협상 관련 한.미 양자협의

o 외무부, 상공부

- UR 협상 관련 양자협의 요청에 응하는 것은 대미관계 측면뿐만
  아니라 수시 의견 교환이 필요하다는 측면에서도 당연

o 경기원, 농수산부

- 분야별 양자협의 요청이 아니라는 측면과 한.미 정상회담등과
  관련, 미측의 의도를 파악한 연후 대처하는 것이 바람직

o 결 론

- 미측이 생각하고 있는 양자협의 level, 시기, 장소, 여타국과도
  비슷한 형태의 양자협의를 추진하고 있는지 여부등을 확인한 연후
  방침 결정

- 미측이 아측의 양보를 요구해 올 가능성이 있을 경우 관계 장관
  회의에서 아측 방침 결정도 고려

6) 기   타 (경기원 대조실장 언급사항)
   ○ UR 관련 범정부 차원의 대언론 통합 브리핑 방안 검토 필요
   ○ 주 제네바 대표부 관계관(주재관 포함)의 일시 귀국, 관련부처와의
     협의 방안 검토 필요.   끝.

4

조 (개여민속부
전기12항건류)

경 제 기 획 원

봉조삼 10502- 528   503-9149   1991. 8. 5.

수신 수신처참조 (통상국장)

제목 UR대책 실무위원회 회의결과 통보

    1. 봉조삼 10502-489 ('91.7.24) 관련입니다.

    2. 표제회의결과를 별첨과 같이 통보하여 드리오니 회의결과이행에

만전을 기해 주시기 바랍니다.

    별첨: UR대책 실무위원회개최 결과보고 1부.   끝.

경 제 기 획 원 장

대외경제 조정실장   전결

수신처: 외무부장관, 재무부장관, 농림수산부장관, 상공부장관, 특허청장,
           조달청장.

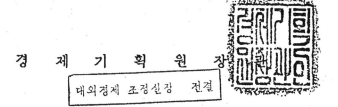

선 견		결재 (공람)
접수일시 1991. 8. 6		
처 리 과	25591	

0057

UR對策 實務委員會 開催

I. 會議槪要

- 日　　時: '91.8.2(금)　16:00-18:00

- 場　　所: 經企院 小會議室

- 參　　席: 經濟企劃院　對外經濟調整室長 (會議主宰)
　　　　　　　　　　　　　第二協力官
　　　　　外 務 部　通商局長
　　　　　財 務 部　關稅局長 (産業關稅課長 代參)
　　　　　農林水産部　農業協力通商官
　　　　　商 工 部　國際協力官
　　　　　調 達 廳　企劃管理官 (行政管理擔當官 代參)
　　　　　特 許 廳　企劃管理官

- 會議案件
　① 農産物協商動向 및 向後協商對策
　② GATT 政府調達協定 加入推進對策
　③ 其他案件

0058

Ⅱ. 議題別 會議結果

1. 農産物協商分野

- 시나리오별 우리나라의 對應方案은 協商動向을 정확히 분석하여
  別途의 會議를 통하여 논의

- 農産物協商 內容中 他協商그룹과 연계되어 있는 事項에 대해서는
  關係部處의 最大限 協調 必要
  ○ 補助金 및 相計關稅協商內容과 農産物그룹의 論議內容을 검토
    하여 農産物協商에 도움이 될수 있는 방향으로 協商參與
    (財務部)
  ○ 他協商그룹에서 논의되고 있는 開途國優待方案을 比較檢討하여
    農産物協商에서의 適用可能性을 檢討 (EPB, 外務部)

2. GATT 政府調達協定加入 推進對策

- GATT 政府調達協定 擴張協商 參與가 불가피 하다고 판단되는바,
  旣存協定加入 추진과 竝行하여 擴張協商에 참여토록 결정하고 이를
  조속한 시일내에 對外協力委員會에 上程하여 基本方針으로 확정
  토록 함.

- 實務的인 作業推進에 있어 필요시 UR對策實務委員會에 上程 處理

- 政府調達協定加入은 國會의 同意가 必要할 可能性이 있는바,
  外務部, 商工部에서 關聯事項 檢討推進

0059

3. 기 타

① 봉조삼 10502-438('91.6.27)으로 기봉보한 主要爭點事項中 아직
UR對策實務委員會에 上程하지 않았거나 기상정한 議題中 追加協議
가 필요한 의제에 대해서는 UR對策實務委員會에 上程할 일정을
'91.8.15까지 經濟企劃院에 通報

② UR協商 및 기타 通商問題에 관한 정보는 關係部處間 共有하여야
하므로 關聯書信 및 報告書등을 입수한 부처는 입수즉시 關係部處
에 배포

③ UR協商에 대해 일관성있는 체계적으로 弘報할 必要性이 提起되고
있으므로 UR協商 統合弘報問題를 關係部處別로 檢討하여 追後協議

④ 知的財産權은 關係部處(商工部, 文化部, 科學技術處등)의 協調가
必要한 만큼 別途로 關係部處會議를 개최한 후 UR對策實務委員會에
上程

0060

기 안 용 지

분류기호 문서번호	통기 20644- **28527** (　　　720 - 2188　)	시 행 상 특별취급	
보존기간	영구 . 준영구 10. 5. 3. 1.	장　　　관	
수 신 처 보존기간			
시행일자	1991. 8. 8.		

보 조 기 관	국 장		협 조 기 관		문 서 통 제
	심의관				
	과 장	전결			
	기안책임자	조 현			발

경 수 참	유 신 조	주 제네바 대사	발 신 명 의	

제 목	UR 대책 실무위원회

연　：　통기 20644-1938

　　경제기획원에서 작성한 8.2. 개최된 표제회의 결과 보고서를 별첨

송부합니다.

　　첨 부 : 상기 보고서 1부　　　　　끝.

0061

기 안 용 지

| 분류기호
문서번호 | 통기 20644-
28069 (720 - 2188) | | 시 행 상
특별취급 | |

보존기간	영구. 준영구 10. 5. 3. 1.	장 관
수 신 처 보존기간		
시행일자	1991. 8. 6.	北.

보 조 기 관	국 장	전 결	협 조 기 관		문 서 통 제
	심의관				'1991. 8. 07
	과 장	川			
기안책임자		조 현			발 송 인

| 경 유
수 신
참 조 | 수신처 참조 | 발
신
명
의 | | 1991. 8. 07 |

| 제 목 | UR 협상관련 자료 |

본부에서 작성한 91년도 상반기 UR 협상동향 및 하반기 협상

전망에 관한 보고서를 별첨 송부하니 관련 업무에 참고 하시기

바랍니다.

첨 부 : 상기 보고서 1부.   끝.

수신처 : 주 일본, 말련, 인니, 호주, 싱가폴, 인도, 태국, 미국,

멕시코, 카나다, 브라질, 영국, 프랑스, 독일, 이태리,

헝가리, 체코, 제네바, EC 대사.

0062

91년 상반기 UR 협상동향 및 협상전망

1. 상반기 협상 진전 현황

가. 91.1.15. 무역협상위원회(TNC) 개최

○ 브랏셀 각료회의 이후 UR 협상 타결을 위한 노력이 지속되고 있다는
   사실만을 확인, 향후 협상전망은 여전히 불투명하다는 현실 노정

○ 아국은 브랏셀 각료회의 결렬이후 일부 국가의 아국에 대한 비판적 시각,
   UR 협상 성공을 위한 기여 필요성등을 감안, 하기 입장 재검토 용의를
   수석대표 연설을 통해 표명
   - 농산물 협상 입장의 전향적 재검토 및 향후 협상 진전 상황에 따라
     구체 내용 제시 용의
   - 서비스 분야 양허 계획서 제출
   - 무세화 협상 참여

나. 91.2.26 고위급 무역협상 위원회(TNC) 개최

○ UR 협상의 공식 재개 결정

○ 구체적 시한 설정없이 가급적 조속한 종결에 합의

다. 91.2월-4월, 비공식 협의 진행

○ Dunkel 총장 주재하에 7개 분야별 30여개 주요국간 비공식 협의 형태로
   협상 진행

○ 주로 기술적, 절차적 사항의 협의에 국한

1

0063

라. 91.4.25 TNC 공식 회의 개최

　　ㅇ UR 협상 구조 재조정(7개 그룹) 및 각 협상 그룹별 의장 선임

　　ㅇ 30여개국이 참여하던 주요국 비공식 협의에서 모든 회원국이 참가하는
　　　 협상 체제로 전환

　　※ 재편된 UR 협상 구조

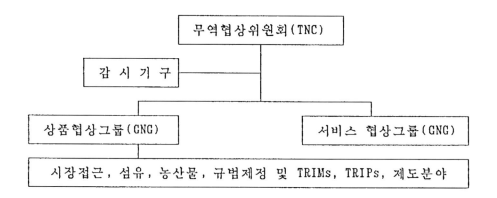

협상그룹	관장 분야	의 장
시장접근	관세, 비관세, 천연자원, 열대산품	Denis 카나다 협상대표
섬 유	섬 유	Dunkel 사무총장
농 산 물	농 산 물	Dunkel 사무총장
규범제정 및 TRIMs	보조금 상계관세, 반덤핑, 세이프가드, 선적전 검사, 원산지 규정, MTN(기술장벽, 수입허가절차, 관세 평가, 정부조달, 갓트 조문) 및 TRIMs	Maciel 전 브라질 대사
TRIPs	지적재산권	Anell 스웨덴 대사
제도분야	분쟁해결, 최종의정서, 갓트 기능 강화	Lacarte 우루과이 대사
서 비 스	서 비 스	Jaramillo 콜롬비아 대사

2

0064

마. 91.5.24 미 의회는 미 행정부의 신속승인절차(Fast-track) 시한을
  93.5.31까지 2년간 연장 결정

  ㅇ 본격적인 UR 협상 재개 필요조건 충족

바. 91.5.24 EC 농무상 회의, 91/92년도 농업보조금 상한 설정 및 보조금 수준
  억제에 합의

  ㅇ EC 농산물 과잉생산 해소 및 CAP 개혁 계기 마련

  ㅇ UR 협상에서의 입장 변화와 연계는 불투명

사. OECD 각료이사회(6.4-5, 파리) 및 G-7 정상회담(7.15-16, 런던)에서 UR
  협상의 연내 타결 원칙에 합의

  ㅇ 구체적인 타결 방안은 제시하지 못함

아. 91.6.24. Dunkel 사무총장, 농산물 협상에 대한 대안문서(Option Paper)
  제시(Option Paper 요지 : 별첨 1 참조)

  ㅇ 협상의 쟁점 사항을 선택 가능한 대안(Option)으로 망라하여 정리

  ㅇ 획기적인 진전은 없으나 향후 협상의 기본자료로 유용
    - 시장접근 분야, 특히 관세화에 대한 대안을 보다 명확히 제시

  ㅇ 향후 협상 방향 제시에는 다소 미흡
    - 쟁점에 대한 각국의 관심사항을 거의 모두 대안으로 제시

자. 91.7.30 무역협상위원회(TNC) 개최

  ㅇ 6-7월중의 UR 협상 진전 상황과 9월이후의 협상 전략에 관한 Dunkel
    사무총장 발언(STATEMENT)만 청취하고 구체적 협의없이 종료
    (동 STATEMENT : 별첨 2)

3

○ UR 협상타결을 위한 정치적 Consensus 및 협상타결의 절박성에 대한
  공감대 확인

○ 동 TNC는 던켈 총장의 G-7 정상회담에서의 연내 UR 타결 결의 및 농산물
  및 서비스분야의 협상진전에 대한 긍정적 평가에도 불구, UR 협상 진전의
  획기적인 계기를 마련치 못한 것으로 평가됨

2. 하반기 UR 협상 전망

○ 던켈 총장은 7.30. TNC 회의에서 TNC 회의는 전분야의 균형된 진전을
  확보하기 위하여 일정을 별도로 정하지 않고 필요에 따라 수시 개최될
  예정이며, 9월이후 협상을 가속화하여 10 또는 11월에는 DEAL MAKING
  STAGE가 되도록 노력을 경주 하겠다고 밝힘.
  - 9월이후 협상은 각 그룹의장 책임하에 비공식, 양자 다자협의가 계속
    될 것으로 전망

○ 정치적 결정을 뒤로 미루지 않고 기술적 토의와 병행하여 정치적 절충을
  함께 시도 예정이므로 연내 특별 각료회의 개최 가능성은 희박한 것으로
  보여짐

○ G-7 선언 및 TNC 회의시 각국이 보여준 긍정적 자세로 년말 타결을 목표로
  9월부터 진지한 협상이 이루어 질 것으로 전망되나 상금도 많은 불확실
  요인으로 인해 10월 내지 11월에 가서야 연말까지의 타결 전망에 대한
  예측이 가능할 것임

4

3. 분야별 협상 경과 및 전망

1) 시장접근

가) 협상 경과

○ 브랏셀 회의이후 두차례 협상을 가졌으나 아래 장애요인으로
협상 부진
- 미국, EC의 의견 대립
  · EC : 미국의 섬유, 석유화학등 고관세 분야 개선 요구(관세조화)
  · 미국 : 자국관심분야 무관세 제안에 EC 참여 촉구
- 선.개도국간 이견
  · 선진국은 개도국의 실질적 기여 강조
  · 개도국은 열대 산품등의 선진국 OFFER 부실 및 자율적 자유화
  조치에 대한 CREDIT 요구

나) 하반기 협상 전망

○ 미국과 EC 간의 협상 결과에 따라 얼마만큼 상호 이견폭을 좁힐 수
있는가가 관건이며, 현재로서는 많은 어려움이 예상됨.

2) 섬 유

가) 협상 경과

○ 브랏셀 회의이후 UR의 전반적 부진, MFA IV 연장문제등으로 별다른
진전없이 품목 포괄범위(PRODUCT COVERAGE)등 일부 쟁점의 기술적
사항을 논의

나) 하반기 협상 전망

○ 대부분 미결 이슈가 정치적 결정을 요하는 사항임(쿼타 증가율, 단계별
갓트복귀 비율, 잠정 수입규제 제도등)

5

o UR 전반의 타결 수준과 관련되어 수입국의 양보 정도가 결정될 전망

o UR 마지막 단계에서 본격적 절충이 예상되나 합의가 어려운 분야는 아님

3) 농산물 협상

가) 협상 경과

o 91년 상반기중 기술적 문제 중심의 논의를 기초로 하여 6.24 협상 대안문서를 작성, 향후 협상 진행의 기초(BASIS FOR FUTURE WORK) 마련

나) 하반기 협상 전망

o 91.7 집중적 비공식 협의 과정을 통하여 논의의 범위(SCOPE)를 GREEN BOX, 관세화등 특정대안 중심으로 축소하여 사실상 협상 방향을 잡아 가면서 정치적 결단을 기다릴 전망

4) 규법 제정

가) 협상 경과

o 반덤핑, 보조금 및 상계관세, TRIMS, BOP등 4개 분야를 중점 논의키로 하고 긴급 수입제한 조치는 UR 마지막 단계에서 논의키로 합의

o 그러나 상기 4개 분야도 주요 쟁점에 대한 실질적 협상 진전은 없이 협상 현황 평가 및 추후 협상 일정에 대한 논의만 있었음.

나) 하반기 협상 전망

o 반덤핑 및 보조금.상계관세 : 일부 쟁점(분쟁해결등)에 대한 기술적 토론은 예상되나 농산물 협상등 PACKAGE와 관련 최종 단계에서 정치적 절충 예상

o TRIMS 및 BOP : 선.개도국간 근본적 입장차이로 진전 기대 곤란(여타 분야의 정치적 타결에 큰 영향을 받을 것으로 예상)

o 긴급수입제한 제도 : UR 협상 막바지에 선별 도입문제 해결시 협상 진전이 가능

6

0068

5) 지적재산권 협상

　가) 협상 경과

　　ㅇ 브랏셀 각료회의 이후 특별한 진전 사항은 없으며, 지난 6.27-28간
　　　공식회의에서 협상의 현황에 관한 각국의 입장표명이 있었음

　　ㅇ 아국은 기술이전 관련 분쟁예방절차(PRE-CLEARANCE SYSTEM)에 관한
　　　서면 제안함

　나) 하반기 전망

　　ㅇ 9월회의(9.16 주간 시작)에서는 정치적 문제는 뒤로 미루고 의견
　　　대립이 있는 기술적인 문제를 중심으로 협상 진행

　　ㅇ 농산물, 서비스 및 시장접근 분야의 협상 진전에 영향을 받을 것이며,
　　　정치적인 문제가 타결될 경우 협상은 무난히 타결될 전망

6) 제도 분야

　가) 협상 경과

　　ㅇ 브랏셀 각료회의 이후 1.22 및 3.20 두차례 주요국 비공식 협의를
　　　개최하였으나, 특별한 진전사항 없음.

　나) 하반기 협상 전망

　　ㅇ 분쟁해결 분야에서는 갓트 위반 일방조치억제, 보고서 채택, 보복승인
　　　문제등 정치적 결단을 요하는 사항들은 협상 최종단계에 가서 타결될
　　　전망

　　ㅇ 최종의정서는 협상 분야의 성격상 당분간 막후 비공식 협의를
　　　계속하다가 UR 협상 최종단계에 본격 거론 전망

　　ㅇ 갓트 기능분야는 미합의 사항이 많지 않으므로 향후 별다른 협의는
　　　필요치 않을 것으로 전망

7

0069

7) 서비스

가) 협상 경과

  ○ 91.7.25까지 주로 서비스 협정상의 기술적 문제와 관련된 협상에 주력
    - SCHEDULING OF COMMITMENT (SC), 노동력이동, 금융통신 부속서,
      분쟁해결등
    - MFN : MFN 일탈을 원하는 국가가 관련 자료를 9.20까지 사무국에
      제출

  ○ 또한 최초 양허 협상과 관련된 각국 OFFER 명료화 작업도 병행
    - 7.25 현재 32개국이 OFFER 제출 (9.20까지 REQUEST LIST 제출)
    - 양허 협상 관련 실질 협상 기준(SUBSTANTIVE GUIDELINE)은 9월초
      논의 예정

나) 하반기 협상 전망

  ○ 9월회의부터 SC, 실질양허 협상 지침, 노동력 이동, 금융통신, 해운등
    양허 협상과 관련된 규정의 협상에 우선 순위를 둘 예정

  ○ 기타 MFN 일탈, 분쟁해결, 경제 통합 문제등도 큰 과제

첨 부 : 1. Option Paper 요지
        2. 던켈 총장의 Statement.   끝.

8

0070

첨부 : Dunkel 농산물 협상그룹 의장의 협상 대안에 관한 의견서 요지

1991. 6.26.
통상기구과

1. 국내보조

가. 감축대상에서 제외되는 정책

(1) 감축/허용 대상 정책의 정의

  ㅇ 대안 1 : 감축 대상을 먼저 정하는 방식

  ㅇ 대안 2 : 허용 대상을 먼저 정하는 방식

(2) 허용대상 정책의 결정

  ㅇ 허용대상 정책의 결정 방식

   - 대안 1 : 예시표 사용

   - 대안 2 : 허용 기준의 설정

   - 대안 3 : 상기 2개 대안의 혼합

  ㅇ 허용대상 정책의 기준 설정

   - 대안 1 : 모든 정책에 일반적으로 적용되는 공통 기준을 설정

   - 대안 2 : 허용 정책별로 별도 기준을 사용

   - 대안 3 : 공통 기준을 설정하되, 특정 정책별로 별도 기준을
     추가로 설정

(3) 허용정책에 대한 점검과 감시

  ㅇ 허용 요건에 합치되는가를 점검, 감시할 수 있는 장치를 마련할
    필요가 있는지 여부

1

나. 감축 약속 이행 수단

(1) 감축 약속의 이행방법

○ 대안 1 : 특정 정책별로 지지가격, 예산지출등을 기준으로 약속

○ 대안 2 : 품목별 또는 품목군별로 총 AMS를 기준으로 약속

○ 대안 3 : AMS는 이행기간 동안의 개혁 목표만 제시하되, AMS를 구성하는 특정 정책별 또는 특정 정책군별로 약속

(2) 기 타

○ 지방정부 보조 및 가공업자에 대한 보조 포함 여부

○ 인플레 반영문제등

다. 규범 제정

○ 감축 약속방법이 보다 명확히 결정된 후 규범을 논의

라. 개도국 우대

○ 대안 : 감축율, 이행기간에서 특별우대

○ 추가 대안 : 감축원칙과 약속에 있어 전면적 또는 부분적 예외를 인정

2. 시장접근

가. 관세화 방법

(1) 관세화 대상 정책 범위

○ 수량제한, 가변부과금, 최저 수입가격, 수입 추천제, 국영무역, 수출자율 규제 협정, 기타 수입제한 조치등의 포함 여부

(2) 관세화 예외 인정 여부

○ 대안 1 : 모든 수입제한 조치를 예외없이 일률적으로 관세화

2

0072

ㅇ 대안 2 : 국가별로 관세화 예외품목을 인정

(단, 생산통제, 식량안보등 NTC 관련 조치들에 대한

규율 강화)

ㅇ 관세화 예외가 인정될 경우 인정기간

- 대안 1 : 경과조치 기간만 인정하고, 그후 관세화

- 대안 2 : 항구적으로 인정

(3) 관세상당치(TE) 설정 방식

ㅇ 대안 1 : TE를 국내,외 가격차 수준으로 한정

ㅇ 대안 2 : 최초 TE 수준을 국내.외 가격차보다 높게 설정

나. 시장접근 보장 수준

(1) 수입이 있는 경우 현행 시장접근 수준 보장

ㅇ 현행 수입쿼타 수준을 보장하고 점진적으로 확대

(2) 수입이 없는 경우 최소 시장접근 보장 수준

ㅇ 대안 1 : 모든 품목에 일률적으로 부여

ㅇ 대안 2 : TE가 수입금지적으로 높은 경우에만 부여

ㅇ 대안 3 : 관세화하지 않은 경우 부여

다. 특별 Safeguard 제도

(1) 발동기준

ㅇ 대안 1 : 수량기준

ㅇ 대안 2 : 수량 또는 가격 기준

ㅇ 대안 3 : 국제가격과 환율 변동을 고려하여 조절(Corrective Factor)

(2) 적용기간

ㅇ 대안 1 : 관세화의 경과기간 중에만 인정

ㅇ 대안 2 : 항구적인 조치로 운영

3

0073

라. 기 자유화 품목의 관세인하 방안

　　ㅇ 대안 1 : 관세 협상그룹에서 합의된 방식을 적용

　　ㅇ 대안 2: 별도 방식을 적용

마. 규법 개정

　(1) 11조 2항 C의 개정 및 식량안보의 반영

　　ㅇ 대안 1 : 11조 2항 C의 페지

　　ㅇ 대안 2 : 11조 2항 C의 명료화 및 개정

　　ㅇ 추가 대안 : 식량안보와 NTC를 현행 규범 또는 새로운 규범에 반영

　(2) 새로운 규법의 적용기간

　　ㅇ 대안 1 : 잠정적 조치로서 경과기간중에만 적용

　　ㅇ 대안 2 : 항구적으로 적용

바. 개도국 우대

　　ㅇ 대안 : 감축폭, 감축기간, 시장접근 확대에서 특별우대를 인정

　　ㅇ 추가 대안 : 개도국 수출 관심품목(열대산품 포함)에 대한 선진국의
　　　　　　　　 추가 의무 부담

3. 수출보조 및 위생.검역 규제

　　ㅇ 요지 생략.　　　　끝.

0074

4

SCTD

DRAFT

30.7.91

G_{VW}府?- 0282 /07301800
첨부

TRADE NEGOTIATIONS COMMITTEE

Tuesday, 30 July 1991 - 10 a.m.

Introductory remarks by Mr. A. Dunkel

This is the fourth time the TNC meets at official level since
Dr. Hector Gros Espiell reached the conclusion on 7 December 1990 at the
Brussels Ministerial meeting that "participants needed more time to
reconsider their positions in some key areas of the negotiations".

During the eight months which have elapsed since the Brussels meeting
we have achieved the following steps:

On 26 February 1991, the TNC decided to restart the negotiations in
all areas in which differences remained outstanding. It also adopted a
work agenda in each of the negotiating areas.

On 25 April the TNC adopted the new negotiating structure under the
GNG and the Chairman of the GNS informed the TNC of the organizational
decisions his Group had taken.

On 7 June the TNC adopted a programme of work for the months of June
and July. At that meeting we all agreed to reconvene in July, to review
progress and devise a negotiating strategy for the second half of 1991.

0075

TNC10/note-2

- 2 -

To review progress; to devise a negotiating strategy for the second half of 1991: This is our real agenda of today.

Let me therefore address these two points:

<u>First review:</u>

May I in this respect draw your attention to the three written reports which have been made available to you this morning.

- The report by Ambassador Felipe Jaramillo, assisted by Ambassador David Hawes on the negotiating Group on Services (document MTN.GNS/W/130)

- My report as Chairman of the Group of Negotiations on Goods (document MTN.GNG/W/28) which in fact brings to your attention the reports of the six negotiating groups on:

  - Market Access by Mr. Germain Denis
  - Rule-Making by Ambassador G. Maciel
  - Institutions by Ambassador J. Lacarté
  - Trade Related Aspects of Intellectual Property Rights by Ambassador L. Anell
  - Textiles and Clothing and Agriculture which are both under my Chairmanship

0076

TNC10/note-2

- 3 -

-   The report by Mr. Mathur on the Surveillance Body (document
    MTN.SB/W/12)

I propose that these reports serve as a basis for today's review.
Since they speak for themselves, they don't need any further introduction.
The time for procedural and general presentations is in any case over.
What we now need is to address the specifics and to set the scene for a
genuine negotiating phase.

What are in this respect our assets?

First, the political consensus behind the Round remains intact and a
sense of urgency is evident, along with a clearly stated intention not to
compromise the quality of results.

Second, notwithstanding the Brussels setback, we have seen an
impressive number of participating governments moving on an autonomous
basis, towards meeting the key objectives of the Round. It is worth
mentioning that many of these Governments are situated in the developing
world and in Central and Eastern Europe.

Third, the deeper the negotiating groups have gone into specifics, the
more it is recognized that technical and political questions are sides of
the same coin and therefore have to be tackled more and more in an
integrated way at every stage of the concluding phase of the Round. It
would be self defeating, as experience has shown, to expect that last
minute solutions will emerge through magic or good luck.

0077

TNC10/note-2

- 4 -

<u>Fourth</u>, more specifically, it appears that we have at hand all the elements necessary to finally carry the Round to a successful conclusion.

In such areas as agriculture, textiles and clothing, market access and services the combination of the work done before and after Brussels puts participants in a position to move with determination in the phase of negotiations proper. This is not to underestimate the tremendous amount of substantive work that still needs to be done.

In the areas where detailed stock-taking and review exercises took place on the basis of already available texts the general sense appears to be that matters are ripe for the final political trade-offs since most, if not all of the preparatory work has already been done. This is true of many of the rule-making areas and also in, TRIPs.

Even in areas where a common negotiating text is not yet available - TRIMs and anti-dumping for example - I sense a confidence that once the essential political decisions are taken, as identified in the commentary of MTN.TNC/W/35/Rev.1, agreements will fall into place fairly quickly.

On the balance-of-payments question, I feel that the decision whether or not to negotiate in this area will be easier to take once the general contours of the Uruguay Round package become clearer.

0078

TNC10/note-2

Dispute settlement and questions related to the institutional
arrangements have been kept on hold. This is because there was a
feeling that further progress implied more clarity in respect of the
rights and obligations emerging from the substantive agreements.
Since such clarity will have to be achieved very soon, these subjects
of fundamental importance must now be brought to the forefront of the
process.

This matter-of-fact review of the state of play makes it crystal clear
that the Uruguay Round is poised to enter the decisive phase immediately
after the summer recess.

Notwithstanding the multilateral character of the negotiating process,
each and every participant will have to assume full responsibility in the
effort to build consensus at every step of the Geneva negotiating process.

What will be essential, therefore, is a political resolve, based on
mutual trust, to allow agreements to be made on the basis that "nothing is
final before everything is done". In other words, the time has come to
negotiate boldly using the linkages in a positive manner.

Coming now to the strategy, I would like to propose that the TNC
assumes fully from now on its role of keeping the negotiating process
constantly under review and supervision, having particularly in mind the
requirements of transparency. To this end, it should remain -- not only
theoretically, but in practical terms -- on call for formal or informal
meetings and consultations. This is why I don't propose a specific date
for our next meeting.

0079

In other words, I reserve the right to bring, at any time, to the attention of the TNC any matter which threatens progress as a whole.

The work from September onwards will need to be accelerated substantially if we are to succeed. Also an enormous negotiating effort will have to be made particularly in October and November. This should be the "deal-making stage" of the Round.

You have in this room an indicative and incomplete calendar of meetings for the negotiating groups starting from September onwards. These are formal meetings and in this sense only a tip of the iceberg. What I expect is intensive informal, bilateral and plurilateral negotiating sessions ending in concrete results leading up to formal meetings of the groups to take note of these results and move the negotiations further along. Each chairman will be using his powers to achieve break-throughs in ways he finds most appropriate and productive, keeping fully in view, of course, the requirements of transparency and the man-power and other constraints of delegations.

In concrete terms this will mean constant updatings and revisions of the basic texts in MTN.TNC/W/35/Rev.1 to incorporate ongoing progress in negotiations.

Under such circumstances, the participating Governments, and of course the Secretariat, will have to ensure that all available resources are fully engaged in and committed to the negotiating process.

TNC10/note-2 0080

To conclude, the objectives of this strategy should be clear to all of us -- a balanced, substantial and generally acceptable package of results. This is essential if we are to put in place a multilateral trading system truly global in membership and in scope.

The Uruguay Round is too important for the world economy, and for each and every economy to risk failure or a drawn-out delay.

0081

TNC10/note-2

경 제 기 획 원

통조삼 10502-*599*   503-9149   1991. 8. 26.

수신 수신처참조

제목 UR대책 실무위원회 개최

1. 통조삼 10502-438 ('91.6.27)과 관련입니다.

2. 표제회의를 아래와 같이 개최코자 하니 참석하여 주시기 바랍니다.

아   래

가. UR/시장접근분야 대책

- 일시: '91.8.30(금)   16:00

- 장소: 경제기획원 소회의실 (1동 721호실)

- 회의자료준비: 재무부 (농림수산부, 상공부협조)

- 참석

ㅇ 경제기획원 대외경제조정실장(회의주재), 정책조정국장,

제2협력관

ㅇ 외 무 부   봉상국장

ㅇ 재 무 부   관세국장

ㅇ 농림수산부 농업협력봉상관

ㅇ 상 공 부   산업정책국장, 국제협력관

ㅇ 주제네바 대표부 담당주재관 (국내출장중)

나. UR/지적재산권분야 대책

- 일시: '91.9.3(화), 16:00

- 장소: 경제기획원 대회의실 (1동 727호실)   0082

- 회의자료준비 및 설명: 특허청

28399

- 참석

　　○ 경제기획원　대외경제조정실장(회의주재), 제2협력관
　　○ 외 무 부　통상국장
　　○ 재 무 부　관세국장
　　○ 농림수산부　농업협력통상관
　　○ 상 공 부　전자전기공업국장, 국제협력관
　　○ 보 사 부　약정국장
　　○ 문 화 부　어문출판국장
　　○ 과 기 처　기술개발국장
　　○ 특 허 청　기획관리관.　　끝.

경 제 기 획 원 장

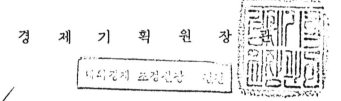

수신처: 외무부장관, 재무부장관, 농림수산부장관, 보사부장관, 상공부장관,
　　　　문화부장관, 과기처장관, 특허청장.

통람	8/통상기구과	담 당	과 장	심의관	국 장	차관보	차 관	장 관
		농업협						

0083

경 제 기 획 원

대총 10500- 64   503-9137   1991. 8. 30.

수신 수신처 참조

제목 제11차 대외협력위원회 회의결과 통보

1. 대총 10500-580('91.8.22)과의 관련입니다.

2. 제11차 대외협력위원회 회의결과를 다음과 같이 통보합니다.

                   다   음

가. 일시 : '91.8.27(화) 16:30-18:10

나. 장소 : 경제기획원 대회의실

다. 참석자: 부총리(주재), 재무부장관, 농림수산부장관, 상공부
              장관, 동력자원부장관, 건설부장관, 보건사회부장관,
              노동부장관,교통부장관,체신부장관,과학기술처장관,
              환경처장관, 교육부차관, 조달청장, 철도청장,외무부
              제2차관보, 국방부 제2차관보, 총리실 제2행정조정관

라. 회의결과

    (1) 의결사항

        - GATT정부조달협정 확장협상 참여계획(안): 원안의결

        - 화란 로테르담 한국유통분배센터(KTDC) 인수 및 운영

          계획: 수정의결

          0 인수방침 의결

          0 부자재원중 무역특계자금을 수출업계로 표현 수정

          0 농어촌 발전기금과 무역특계자금과의 출자비율은

            추후 실무협의를 거쳐 확정

          * 실무협의 결과 출자비율은 원안대로 확정

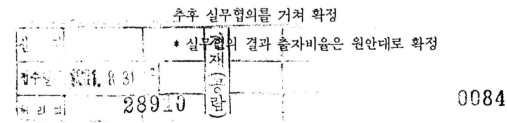

0084

대총 10500-   1991. 8. 30.

  (2) 보고사항

    - GATT무역정책검토(TPRM)보고서 작성추진 대책:원안접수

첨부: 제11차 대외협력위원회 회의록 1부.   끝.

경 제 기 획 원 장 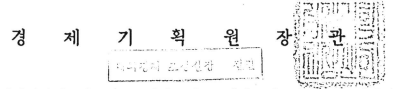 관

수신처: 국가안전기획부장, 외무부장관, 내무부장관, 재무부장관, 국방부장관,
     교육부장관, 농림수산부장관,상공부장관,동력자원부장관, 건설부장관,
     보건사회부장관,노동부장관,교통부장관,체신부장관,과학기술처장관,
     환경처장관, 대통령비서실(경제수석비서관, 외교안보보좌관),국무총리
     행정조정실장, 조달청장, 철도청장.

                                            0085

제11차 대외협력위원회 회의록

1. 회의개요

- 일시 및 장소: '91.8.27(화) 16:30-18:10, 경제기획원 대회의실

- 참 석 자 : 부총리, 재무부장관, 농림수산부장관, 상공부장관, 동력자원부장관,
  건설부장관, 보건사회부장관, 노동부장관, 교통부장관, 체신부장관,
  과학기술처장관, 환경처장관, 교육부차관, 조달청장, 철도청장,
  외무부 제2차관보, 국방부 제2차관보, 총리실 제2행정조정관

2. 회의결과

가. 의결사항

- GATT정부조달 협정 확장협상 참여계획(안) : 원안의결
- 화란 로테르담 한국유통분배센터(KTDC)인수 및 운영대책: 수정의결
    0 인수방침의결
    0 투자재원중 무역특계자금을 수출업계로 표현 수정
    0 농어촌 발전기금과 무역특계자금과의 출자비율은 추후 실무협의를 거쳐 확정
      * 실무협의결과 출자비율은 원안대로 확정

나. 보고사항

- GATT 무역정책검토(TPRM) 보고서 작성추진 대책: 원안접수

3. 회의내용

〈부총리〉

- 제11차 대외협력위원회 회의를 개최하겠음

- 먼저 의결사항인 "GATT 정부조달협정 확장협상참여계획(안)"에 대해 상공부
  장관으로 부터 제안설명과 보고를 듣도록 하겠음

0086

〈상공부장관〉

- 제안 설명

〈상공부 국제협력관〉

- 안건설명

〈부총리〉

- '90 한.미 봉상회담시 기 약속사항이며, 경제장관회의 및 대협위에서 가입
  방침을 이미 결정하였기 때문에 이의 변경은 실질적으로 어려움

〈부총리, 재무부장관〉

- 확장협상참여가 불가피하다 하더라도 서둘러 협상을 타결시키기 보다는 우리의
  산업에 미치는 영향이나 해외진출 기대효과등을 충분히 검토하여 신중한 대응
  필요

〈과학기술처장관〉

- 협정가입국이 너무 선진국에 치중되어 중진국인 한국의 경우 가입에 부담감.
  가입추진에 신중한 고려 필요

〈건설부장관〉

- 세계조달시장에 진출할 수 있는 좋은 기회로 활용 바람직

〈체신부장관〉

- 원칙에는 찬성하나 순수민간회사인 DACOM등의 양허협의 과제는 제고 필요

〈상공부장관〉

- 현재 본격 논의중인 확장협상에 적극 참여하여 우리의 입장반영을 위한 노력
  경주가 보다 바람직
  O 확장협상동향을 파악하여 관계부처 협의를 통한 아국의 Offer List 준비

0087

〈부총리〉

  - 상공부 제안대로 의결

    0 확장협상 공식참여

〈부총리〉

  - 다음은 역시 의결사항으로 "화란 로테르담 한국유통분배센터(KTDC) 인수 및
    운영대책"에 대해 농림수산부로 부터 설명을 듣도록 하겠음

〈농림수산부장관〉

  - 제안설명

〈농림수산부 농업통상협력관〉

  - 안건설명

〈교통부장관〉

  - 기본적으로 무역북개자금이 민간기금인 바, 동건 의견주문에서 동 기금을 직접
    거론하는 것은 적절하지 않음

〈상공부장관〉

  - 교통부장관 의견에 동의함. 정부의 안건에 민간기금을 직접 거론하는 것은 형식상
    맞지 않음

〈부총리〉

  - 표현이 문제가 된다면 동기금의 출처를 수출업계로 표현해도 무방할 것임. 보다
    중요한 것은 수지전망일 것인바, 수지전망이 너무 낙관적인 것은 아닌지?

〈농림수산부 농업통상협력관〉

  - 수지전망이 다소 낙관적이라고 볼 수 있으나, 우리가 적극 노력할 경우 달성할 수
    있을 것임

0088

<대조실장>

- 본 사업과 관련, 화란정부 Offer의 시한이 8월말인 만큼, 이번 회의에서 적어도
  인수방침 여부를 결정해 주시기를 건의드림. 본 사업은 이미 기존의 센터를
  유리한 조건으로 인수하는 만큼, 새롭게 입지를 물색하여 사업을 추진하는 것보다
  훨씬 용이하다는 점을 적이 고려해 주시기 바람

<부총리>

- 농수산부의 의욕적 계획을 존중하나, 농수산물 수출에 따르는 어려움을 감안
  무역북계자금 출자비율을 높히는 것이 어떤지?

<대조실장>

- 자금출자 비율조정은 실무차원에서 이견이 없으나 사업운영을 위해 주무부처를
  결정할 필요가 있음

<동력자원부장관>

- EC통합대비를 위해 로테르담진출은 매우 의의가 있음. 유통분배센터의 경우
  같은 시기에 센터를 설립한 데만이 한국보다 효율적으로 센터를 운영하고
  있다는 점을 심각히 검토해야 할 것임. EC통합 대비를 위해 동 센터의 운영은
  상공부 및 KOTRA가 담당해야 될 것으로 생각

<교통부장관>

- 로테르담의 위치 선정은 매우 좋다고 판단되나, KTDC시찰결과 현재 KTDC운영은
  영세 중소기업들의 창고기능 밖에 담당하지 못하고 있다는 느낌을 받았음.
  동 센터 활성화를 위해 상공부의 적극적인 자세가 필요하다고 봄

<상공부장관>

- KTDC인수 기본방침에는 동의를 하나, 자금출자비율에서는 보다 실무적인 검토가
  필요한 것으로 생각함

0089

경　제　기　획　원

봉조삼 10502-623　　　　　503-9149　　　　　1991. 9. 3.

수신　수신처참조

제목　UR대책 실무위원회 회의결과 통보

　　1. 봉조삼 10502-599 ('91.8.26)과 관련입니다.

　　2. 표제회의 결과를 별첨과 같이 통보하여 드리니 회의결과이행에 만전을
기해 주시기 바랍니다.

별첨: UR대책 실무위원회 회의개최 결과통보 1부.　끝.

경　제　기　획　원　장

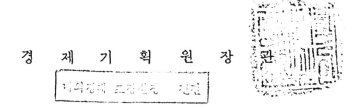

수신처: <u>외무부장관</u>(봉상국장), 재무부장관(관세국장), 농림수산부장관
　　　　(농업협력봉상관), 상공부장관(산업정책국장, 국제협력관).

0090

UR對策實務委 會議結果

1. 會議 概要

- 日　時: '91. 8. 30(금) 16:00 - 18:30
- 場　所: 經濟企劃院 小會議室
- 參席者: 經濟企劃院　對外經濟調整室長 (主宰)

　　　　　　　　　　　第2協力官, 政策調整局長(산업4과장 代參)

　　　　　外　務　部　通商局長(봉상기구과장 代參)

　　　　　財　務　部　關稅局長,(駐) 제네바 財務官

　　　　　農林水産部　農業協力通商官

　　　　　商　工　部　産業政策局長, 國際協力官

2. 會議 結果

가. 市場接近分野

- UR/市場接近分野 協商進行狀況 및 對策点檢. 특히 關稅無稅化 協商對策(案)을 중점적으로 논의
    - ○ 참여가능분야 및 품목의 선정에 있어서 品目別 接近方式내지 分野別(subcategory) 接近方式에 대한 選擇問題
    - . 分野別 接近方式을 채택하되 品目別 移行期間을 차등화하여 提示하는 方案도 檢討
    - ○ 關稅讓許案(IRP) 修正 提出時의 조건부 제안 작성문제
    - ○ 우리의 關心分野(섬유,신발,가구,완구등) 내지 主張을 積極 提案하는 방안등

0091

- 商工部에서 具體的 參與可能分野 및 品目에 대한 대응방안 마련을
9.2(월)까지 完了하여 實務協議를 거친후 차후 UR對策實務委에서
確定토록 함

나. UR關聯 韓美兩者協議

① 會議日程

- 가급적 我側이 提示한 協議日程(9.23) 대로 推進하되 美側이
수용하기 어려울 경우 다시 논의

② 對策資料作成 및 分野別 UR對策 實務會議 日程

- UR對策 實務委員會(8.30)에서 配布한 對策資料에 따라 차질없이
準備

0092

경 제 기 획 원

봉조삼 10502-63ㅏ   503-9149   1991. 9. 5.

수신 수신처참조
제목 UR대책 실무위원회 회의결과 통보

    1. 봉조삼 10502-599('91.8.26)와 관련입니다.
    2. 표제회의 결과를 별첨과 같이 통보하여 드리니 회의결과이행에 만전을
기해 주시기 바랍니다.

별첨: UR대책 실무위원회 회의개최 결과통보 1부. 끝.

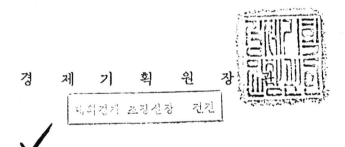

경 제 기 획 원 장

대의견거 조정실장 전진

수신처: 외무부장관(봉상국장), 재무부장관(관세국장), 농림수산부장관
        (농업협력통상관), 상공부장관(전자전기공업국장, 국제협력관),
        보사부장관(약정국장), 문화부장관(어문출판국장), 과기처장관
        (기술개발국장), 특허청장(기획관리관)

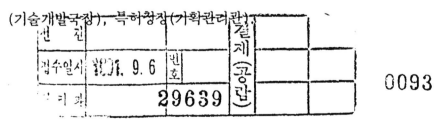

접수일시 1991. 9. 6 번호
                29639

0093

UR對策 實務委員會 會議結果

1. 會議槪要

- 日　　時: '91.9.3(화)　16:00-19:00

- 場　　所: 經企院 大會議室

- 參 席 者: 經濟企劃院　　對外經濟調整室長 (會議主宰)
　　　　　　　　　　　　　第二協力官

　　　　　　公正去來委員會 政策企劃課長
　　　　　　外 務 部　　通商局長 (통상기구과장 대참)
　　　　　　財 務 部　　關稅局長
　　　　　　商 工 部　　國際協力官
　　　　　　　　　　　　電子電氣工業局長 (전자부품과장 대참)
　　　　　　農林水産部　農業協力通商官 (국제협력담당관 대참)
　　　　　　保 社 部　　藥政局長
　　　　　　文 化 部　　語文出版局長 (저작권과 사무관 대참)
　　　　　　科學技術處　技術開發局長 (정보산업기술과장 대참)
　　　　　　特 許 廳　　企劃管理官

- 會議案件: UR/知的財産權 協商展望 및 對策

0094

2. 會議結果

- 協商對策点檢이 必要한 18개의제중 다음 15개의제에 대하여는 特許廳
  에서 關係部處 意見을 종합하여 提示한 方案대로 우리입장을 정립하여
  協商에 對應. 다만, 協商對應類型은 우리측 立場을 明白히 할 부분과
  소극적 대응으로 임할 부분으로 구분

    o 國境措置 適用範圍
    o IC保護
    o 善意의 IC購買者
    o 貸與權 (대여금지권)
    o 音盤遡及保護
    o 經過規定
    o 紛爭豫防節次
    o 紛爭解決節次
    o 特許의 强制實施權 實施範圍
    o 貸與權 (보상청구권)
    o 不特許對象
    o 外國有名商標 保護
    o 立證責任의 전환요건
    o 特許權의 保護期間
    o 公共目的의 사용

0095

- 關係部處에서 추가적인 검토가 필요한 다음사항또는 누락사항에
  대해서는 特許廳이 關係部處의 의견을 수렴하여 차기 UR對策實務
  委員會(9.6)에 上程

     o 컴퓨터 프로그램 보호

     o 權利濫用 및 反競爭的 行爲

     o 政府提出資料의 公開禁止

0096

전 언 통 신 문

통주이 10520-58   503-9147

수신   외무부장관

발신   경제기획원장관

제목   <u>UR 대책 실무위원회 개최</u>

표제 회의를 다음과 같이 개최코자 하오니 참석하여 주시기 바랍니다.

- 다   음 -

1. <u>일   시 : 1991. 9. 6(금) 15:00</u>

2. 회의장소 : 경제기획원 대외경제조정실장실(726호)

3. 회의내용(자료 준비)

   ㅇ UR 농산물 분야 (농림수산부)

     - 협상 대안서(Option Paper)와 부록서(addenda)에 대한

       내용을 중심으로

   ㅇ UR 시장접근 분야 (재무부)

     - 관세 무세화 협상 대응 방안을 중심으로

4. 참석범위

   ㅇ 경제기획원 대외경제조정실장(주재), 정책조정국장, 제2협력관

   ㅇ <u>외무부 통상국장</u>

   ㅇ 재무부 관세국장

   ㅇ 농림수산부 농업협력통상관

   ㅇ 상공부 산업정책국장, 국제협력관

   ㅇ 특허청 기획관리관

   ㅇ 현지 대표부 주재관.   끝.

담 당	과 장	신의관득 강	차관보	차 관	참
송병헌					

송 화 자 : 배 용 현

수 화 자 : 이 영 심

통화일시 : 1991. 9. 3(화) 15:25

0097

UR 대책 실무위원회 회의 결과

1991. 9. 7.
통상기구과

1.   회의일시 및 장소 : 91. 9. 6(금) 15:00-18:00, 경기원 대조실장실

2.   참 석 자 : 경기원(대조실장 회의 주재), 외무부(통상국 심의관), 재무부,
     농림수산부, 상공부, 특허청 관계국장

3.   회의 결과

   가. 무 세 화

      ○ 참여 대상분야

        - 전자, 건설장비중 수용 가능한 분야를 우선 제시하고(별첨 재무부
          안중 1안), 미국등 여타 협상국의 반응을 보아 전자, 건설장비
          전 분야 참여(2안) 여부 검토

      ○ 아국 입장 제시 방법

        - 9.16주간 개최될 예정인 시장접근 분야 한.미 양자협의 결과를 보아
          수정 IRP 제출 여부 결정(2안)

   나. 9.16 UR/농산물 협상 대책

      ⊃ 농림수산부 안(별첨 2) 보고

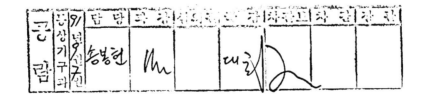

1

0098

o product coverage

   - 임산물, 수산물등 포함 여부는 관련부처 검토후 차기 UR 대책
     실무위에서 논의

o 쌀이외의 관세화 예외품목 선정을 내부적으로 사전 검토

다. UR/농산물 협상 한.미 양자협의 대책

   o 농림수산부 안 (별첨 3) 보고

   o 외무부 제기사항
      - 1.9. 대외협력위 결정사항을 Non-paper로 미측에 전달, 아국 입장
        개선 내용을 정확, 명료하게 설명 필요
      - BOP 협의 결과와 UR 협상 결과 연계 문제 관련, 미측 입장은
        '92-'94 수입자유화 예시 계획에 관심 품목 반영이 미흡하고 BOP
        품목은 BOP 협의 결과에 따라 97년까지 단계적으로 자유화 해야
        한다는 것인 바, BOP 협의 결과는 97년까지 갓트 규정 합치
        또는 자유화이므로 11조 2항 C, 세이프가드등 갓트 규정 합치
        (UR에서 식량안보 관련 갓트 규정 정립시 동 규정 합치 포함)로
        해석되어야지 UR에서 논의되고 있는 관세화라는 자유화 이행방법
        합치는 문제가 있음. 특히, 미국의 오해 소지를 줄이기 위해서도
        최소한 쇠고기에 대해서는 갓트 패널 결론도 있고 하니 97년까지
        자유화함을 미측에 명확히 밝힐 필요가 있음.
      - 농산물 협상에서 EC편에 서지 말라는 미측 요구에 대한 아국 대응
        방안 수립도 필요

   o 외무부 제기사항에 대한 경기원, 농수부 입장
      - 아측 입장을 Non-paper로 미측에 전달하는 것은 적극 검토
      - BOP와 UR 연계 문제에 대하여는 갓트 패널로 가더라도 기존 입장
        고수 (경기원)
      - 농산물 협상에서 EC편에 서지 말라는 미측 요구는 수용 곤란(농수부)

2

0099

라. TRIPs

　ㅇ 미합의 하기 3개 의제에 대한 별첨 4 경기원(안) 채택

　　- 권리남용 및 반경쟁적 행위

　　- 정부 제출 자료의 공개 금지

　　- 컴퓨터 프로그램 보호

마. UR/한.미 양자협의 대책

　ㅇ 별첨 5 경기원(안) 채택

　　- 9.16이후 개최되는 협상 분야별 협의 추진

　　- 전체 의제에 대한 양자협의는 10월중 개최 추진

첨　부 : 1. 무세화 협상 대책.

　　　　2. 9.16 UR/농산물 협상 대책.

　　　　3. UR/농산물 협상 대미 협의 대책.

　　　　4. TRIPs/미합의 3개 의제에 대한 검토 의견.

　　　　5. UR 한.미 양자협의 대책.　　　　끝.

경 제 기 획 원

봉조삼 10502-<u>68</u>   503~9149   1991. 9. 10.
수신 수신처참조
제목 UR대책 실무위원회 회의결과 및 개최계획 통보

    1. 봉조이 10520-58('91.9.3) 관련으로 개최한 회의결과를 별첨과
같이 송부하여 드리니 동 회의결과에 따라 분야별 UR협상 및 양자간 협의에
대처하기 바랍니다.

    2. 아울러 향후 분야별 UR협상 및 양자간 협의에 대한 정부의 입장
정립을 위해 추가협의가 필요한 분야에 대해서 아래와 같이 UR대책 실무
위원회를 개최코자 하오니 참석하여 주시기 바랍니다.

                    아   래

    가. 일 시 : '91. 9.12(목), 15:00

    나. 장 소 : 경제기획원 소회의실 (1동 721호실)

    다. 의 제 (회의자료준비)

        ① 서비스협상대책(경제기획원)

        ② 서비스 분야별 부속서 협상대책
            · 금융 (재무부)
            · 통신 (체신부)
            · 해운 (해운항만청)

        ③ 제도분야 및 최종의정서 (외무부)

                                            0101

봉조삼 10502-　　　　　　　503~9149　　　　　　1991. 9. 10.

　　　라. 참 석

　　　　　- 경제기획원　대외경제조정실장(회의주재), 제2협력관
　　　　　- <u>외 무 부　봉상국장</u>
　　　　　- 재 무 부　국제금융국장, 관세국장
　　　　　- 농림수산부　농업협력봉상관
　　　　　- 상 공 부　국제협력관
　　　　　- 교 봉 부　수송정책국장
　　　　　- 체 신 부　봉신정책국장
　　　　　- 북 허 청　기획관리관
　　　　　- 해운항만청　해운국장.

　　첨부 : 회의결과 1부.　끝.

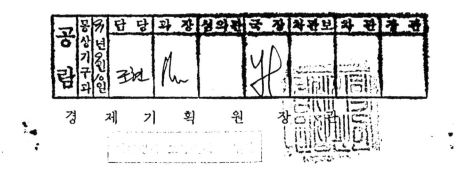

경 제 기 획 원　　　　장

수신처 : <u>외무부장관(봉상국장)</u>, 재무부장관(국제금융국장, 관세국장),
　　　　농림수산부장관(농업협력봉상관), 상공부장관(국제협력관),
　　　　교봉부장관(수송정책국장), 체신부장관(봉신정책국장),
　　　　북허청장(기획관리관), 해운항만청장(해운국장)

0102

UR/對策實務委員會(9.6) 會議結果

1. 農産物 分野

가. 9.16 주간 農産物協商對策

- 基本事項은 農水産部 對策案에 따라 대응

- Product Coverage 問題는 關係部處(農水産部,財務部, 商工部)間 實務 協議後에 차기 UR對策實務委員會에 上程하여 決定토록 함

나. UR/農産物 兩者協議對策

- 基本事項은 農水産部 對策案에 따라 대응

- 兩者協議時 지난해의 입장에서 전향적으로 변화된 우리의 입장이 명백히 인식될 수 있도록 '91.1.9 對外協力委員會에서의 결정된 基本立場을 지난해 입장에 대비하여 明瞭하고 具體的인 <u>書面形式 으로 作成, 提示</u>토록 함

- BOP合意事項과 UR協商을 연계시키지 않을 경우 美國등 利害關係國 에게 반드시 유리하지 않을 수 있다는 점을 具體的인 資料를 가지고 설명토록 함

  ○ BOP품목중 개방시점에서 非議許品目의 關稅引上可能性이 있는 品目名을 統計的으로 計量化하여 나열

  ○ BOP品目에 대해서 UR協商結果에 따라 T.E를 설정할 경우 그 자체 로서 美國에는 市場接近이 보장된다는 점의 설명등

3 - 1

0103

다. 其他 事項

- 關稅化 例外對象品目의 검토작업을 經濟企劃院 政策調整局과 협조
  하여 추진

2. 市場接近分野 : 無稅化協商對策

- 無稅化 參與方案 및 이행기간에 대해서는 財務部 報告案中 제1안으로
  대응하고, 我國立場 提示方案에 대해서는 제2안으로 대처

- 美國의 關心分野로서 반영도가 낮은 ADP등 항목에 대하여는 對應 說明
  論理를 商工部에서 별도로 작성.준비

3. 知的財産權(TRIPs)

- 項目別 我國立場

  ○ 權利濫用 및 反競爭的 行爲, 컴퓨터 프로그램 保護, 政府提出
    資料 公開禁止의 3개항목에 대한 我國立場은 일단 현단게에서는
    先進國案에 反對하는 것으로 하되 컴퓨터 프로그램 보호, 권리
    남용 및 반경쟁적 행위의 2개항목에 대하여는 관련사항 점검후
    다시 논의

  ○ 여타 16個 項目은 9.3 UR對策 實務委員會 決定에 의함.

- 9/16주간 UR/TRIPs 會議 및 兩者協議에는 다음 방향으로 대응

  ○ 공공목적의 사용, 특허권의 보호기간, 입증책임의 전환요건, 외국
    유명상표 보호, 대여권(보상청구권) 등 5개분야와 경과기간, 특허의
    강제실시권 실시범위, 분쟁예방절차, 경과규정, 음반소급보호, 권리
    소진이론, 대여권(대여금지권), 정부제출자료의 공개금지, 선의의
    IC구매자, IC보호, 국경조치 적용범위 등 11개 분야에 대하여는
    아국입장을 제시

○ 저작인격권, 불특허대상, 분쟁해결절차 등 3개분야에 대하여는 협상
　진행대세를 존중하는 입장 제시

○ 권리남용 및 반경쟁적 행위, 컴퓨터 프로그램 보호 등 2개분야에
　대하여는 아국입장의 구체적 제시를 유보

4. 韓.美 分野別 兩者協議

- UR對策 實務委員會에서 分野別로 확정한 입장에 따라 積極的으로 대응
　하고 美側의 關心事項을 정확히 파악하는데 주력

- 全體協議에 대응한 資料作成 作業 계속 추진

3 - 3

0105

발 신 전 보

	분류번호	보존기간

번   호 : WGV-1230   910914 1709   FN 종별 :

수   신 : 주   제네바   대사. 총영사

발   신 : 장 관 (통 기)

제   목 : UR 대책 실무위원회 개최 결과

1. 향후 분야별 UR 협상 및 양자간 협의에 대한 정부 입장 정립을 위해 9.12(목)

    개최된 UR 실무위원회는 소관부처가 상정한 아래 분야의 대책안을 심의·결정하였음.

    ㅇ 서비스 협상 대책

    ㅇ 서비스 분야별 부속서 협상 대책

      - 금융, 통신, 해운

    ㅇ 제도분야 및 최종의정서

2. 상기 UR 실무위원회에서 결정된 대책 자료중 서비스 분야별 부속서 협상 대책은

    별첨 송부하며, 나머지 대책 자료는 파편 송부 예정임.

첨   부(fax) : 상기 대책자료 1부 (25 매)   끝.

(통상국장   김 용 규)

앙고재	91년 7월 3일	통기과	기안자성명	조현	과 장		심의관		국장	전결	차 관	장 관	

보안통제	
외신과통제	

0106

기 안 용 지

분류기호 서번호	통기 20644- **34196** (720 - 2188)	시 행 상 특별취급	
보존기간	영구. 준영구 10. 5. 3. 1.	장	관
수 신 처 보존기간			
시행일자	1991. 9.16.		

보조 기관	국 장	전 결	협 조 기 관		문 서 통 제
	심의관				
	과 장				
기안책임자		조 현			

경 유 수 신 참 조	주 제네바 대사	발 신 명 의	

제 목	UR 대책 실무위원회 개최 결과

연 : WGV-1230

9.12(목) 개최된 표제 회의 결과 보고서 및 관련 자료를 별첨

송부하나 하니. 분야별 협상대책에 참고하기기 바랍니다.

첨 부 : 1. UR 대책 실무위원회 회의 결과 보고서.

2. UR/제도분야 협상 대책.

3. UR/서비스 협상 대책.　　　　　　끝.

0107

경 제 기 획 원

통조삼 10502-65*   503-9149   1991. 9. 14

수신 수신처참조

제목 UR대책 실무위원회 결과통보 및 회의개최통보

    1. UR대책 실무위원회('91.9.12)에서 결정된 사항을 별첨과 같이
통보하니 동 회의결과에 따라 분야별 협상 및 양자협의에 만전을 기해
주시기 바랍니다.
    2. 아울러 섬유 및 규범제정분야 협상대책 협의를 위해 다음과 같이
UR협상 실무위원회를 개최코자 하니 참석하여 주시기 바랍니다.

                         다   음

    가. 일 시 : '91. 9.20(금), 16:00
    나. 장 소 : 경제기획원 소회의실 (1동 721호실)
    다. 의 제 (회의자료준비)
        ① 섬유분야 (상공부)
        ② 규범제정분야 (상공부)
    라. 참 석
        - 경제기획원 대외경제조정실장(회의주재), 정책조정국장, 제2협력관
        - 외 무 부 통상국장
        - 재 무 부 관세국장
        - 농림수산부 농업협력통상관
        - 상 공 부 국제협력관
        - 특 허 청 기획관리관

별첨 : 1. UR대책 실무위원회 회의결과 1부.

0108

수신처 : 외무부장관, 재무부장관, 농림수산부장관, 상공부장관, 교통부장관,
         체신부장관, 특허청장, 해운항만청장

30851

〈 添附 〉 UR/對策 實務委員會 會議結果

Ⅰ. 會議槪要

- 日 時 : '91. 9.12(木), 14:00~17:30

- 場 所 : 經濟企劃院 小會議室(과천청사 1동 721호)

- 參席者 : 經濟企劃院 對外經濟調整室長, 第2協力官,
  外務部 通商審議官,
  財務部 國際金融課長,
  農林水産部 農業協力通商官,
  商工部 國際協力擔當官,
  交通部 國際協力課長,
  遞信部 通信協力團長,
  海運港灣廳 海運局長

- 議 題 : ① UR/서비스 協商對策
  ② 海運分野 協商對策
  ③ 金融附屬書 協商對策
  ④ 通信附屬書 協商對策
  ⑤ 制度分野 및 最終議定書 協商對策
  ⑥ 農産物協商 對象品目(Product Coverage)
  範圍問題

0109

Ⅱ. 會議決定事項

1. UR/서비스協商對策

① 經濟企劃院에서 작성한 方案을 중심으로 대응하되 紛爭解決節次와 관련하여 商品과 서비스間 交叉報復 許容問題(회의자료 p4)는 일단 旣存立場(교차보복 반대)을 견지함.

② 業種別 MFN 逸脫 및 Request List 關聯資料는 빠른 시일내에 經濟 企劃院에 제출토록 함.

③ 컴퓨터 關聯 서비스에 대한 所管部處問題는 실무적으로 再協議 하여 結論을 내리도록 함.

2. 海運分野 協商對策

① 海運港灣廳에서 작성한 方案을 중심으로 協商에 대응토록 함.

② 韓·美 協商結果에 대한 MFN 適用問題는 구체적인 조치를 중심으로 검토하여 經濟企劃院에 제출하되 海運港灣廳(交通部)이 關係部處의 立場을 조정하기 어려운 분야는 UR對策 實務委員會를 통하여 調整 토록 함.

3. 金融分野 協商對策

① 財務部에서 작성한 方案을 중심으로 協商에 대응토록 함.

0110

② 다만, 9.11 Discussion paper에 제시된 대안중 我國이 선택할
수 있는 爭點別 代案을 上記對策을 중심으로 선정하여 우리의
立場을 定立하여 협상에 임하도록 함.

③ 讓許表 作成方式과 관련한 我國의 立場은 金融分野 協商動向에 따라
신축성있게 대처해 나가되 金融分野의 作業量이 방대하므로 他分野의
作業進度에 맞추어 내부적으로 讓許表 修正作業을 촉진토록 함.

④ 금번 金融附屬書 관련 협상결과 및 동향을 UR/對策 實務委員會에
보고토록 함.

4. 通信附屬書 協商對策

① 遞信部에서 작성한 方案을 중심으로 協商에 대응토록 함.

5. 制度分野 및 最終議定書 協商對策

① 外務部에서 작성안 方案을 중심으로 協商에 대응토록 함.

② 향후 協商의 本格化에 대비 다음의 과제들에 대하여는 계속 檢討를
추진토록 함.

- 紛爭解決節次에 대한 조화Text와 관련하여 農産物에 대한 紛爭을
GATT 紛爭解決節次의 대상에 포함시킬지 여부

0111

- 多者間 貿易機構의 설립(MTO), 國際 巨視經濟政策(通貨, 金融, 貿易)의 일관성 유지(Coherence), 小規模 閣僚會議의 설치 등 論議에 대한 立場을 보다 積極化하는 문제

6. 農産物協商 對象品目 範圍問題

① 보조금 및 상계관계분야 協商動向에 대한 보다 정확한 내용파악과 關係部處에서의 신중한 검토가 필요한 事案이기 때문에 9월16일 주간에 實務會議를 통하여 추가검토후 立場을 定立토록 함.

7. 其他事項

① UR協商動向 및 展望에 대한 정보를 經濟企劃院과 外務部가 주기적으로 작성하여 關係部處에 送付·活用토록 함.

② 제네바에서의 分野別 實務級 兩者協議日程은 현지 회의상황을 감안하여 兩側의 代表가 협의하여 進行토록 함.

0112

경 제 기 획 원

봉조삼 10502 - 675   503-9149   1991. 9. 25

수 신 수신처 참조

제 목 UR대책 실무위원회 결과통보 및 회의개최 통보

      1. UR대책 실무위원회('91.9.20)에서 결정된 사항을 별첨과 같이
통보하니 동 회의결과에 따라 분야별 협상 및 양자협의에 만전을 기해
주시기 바랍니다.

      2. 아울러 규범제정분야등 협상대책협의를 위해 다음과 같이
UR협상 실무위원회를 개최코자 하니 참석하여 주시기 바랍니다.

다   음

  가. 일 시 : '91. 9.27(금), 16:00

  나. 장 소 : 경제기획원 소회의실(1동 721호실)

  다. 의 제

    - UR 규범제정 (상공부)
    - 다자간 조선협상 (상공부)

  라. 참 석

    - 경제기획원 대외경제조정실장(회의주재), 정책조정국장
    - 외 무 부 통상국장
    - 재 무 부 관세국장
    - 상 공 부 국제협력관
    - 특 허 청 기획관리관
    - 해운항만청 해운국장

별첨 : UR대책 실무위원회 회의결과 1부.   끝.

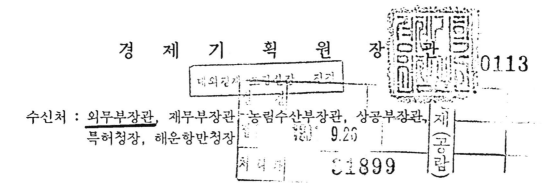

경 제 기 획 원 장

수신처 : 외무부장관, 재무부장관, 농림수산부장관, 상공부장관,
        특허청장, 해운항만청장

〈 添附 〉　UR/對策 實務委員會 會議結果

1. 會議概要

- 日　時 : '91. 9.20(金), 16:00∼18:00

- 場　所 : 經濟企劃院 小會議室(과천청사 1동 721호)

- 參席者 : 經濟企劃院 對外經濟調整室長,
　　　　　　外　務　部 通商審議官,
　　　　　　農林水産部 國際協力課長,
　　　　　　商　工　部 國際協力官,

- 議　題 : 纖維分野協商對策

2. 會議結果

- UR 纖維分野協商은 商工部에서 마련한 방안을 중심으로 대응토록
　함.

- 韓·美 兩者協議는 ① 規制中인 品目에 대한 最小年增加率 1% 인정
　및 ② 協定對象品目의 범위에 대한 기존의 立場을 견지하면서 其他
　爭點事項에 관해서는 美側의 立場을 정확히 파악하는 선에서 대처
　토록 함.

0114

경　제　기　획　원　　　알, 이

봉조이 10520-<del>689</del>　　　　(503-9147)　　　　1991.9.30.

수　신　수신처 참조

제　목　UR대책 실무위원회 결과통보

　　　'91.9.27 UR대책실무위원회에서 논의된 규범제정 및 투자분야
와 관련 별첨과 같이 결정된 사항을 통보하니 동회의 결과에 따라
분야별 협상 및 양자협의에 만전을 기해 주기 바랍니다.

첨부: UR대책 실무위원회 회의결과 1부.　　　끝.

경　　제　　기　　획　　원　　장　관

수신처: 외무부장관(통상국장), 재무부장관(관세과장),
　　　　농림수산부장관(농업협력통상관), 상공부장관(국제협력관),
　　　　특허청(기획관리관).　　10 2

　　　　　　　32660　　　　　　　　　　　　　0115

〈添附〉　UR/對策實務委員會 會議結果

1. 會議 槪要

- 日時: '91. 9. 27(금), 16:00 - 18:30

- 場所: 經濟企劃院 大會議室

- 參席者: 經濟企劃院　對外經濟調整室長(主宰)
　　　　　外務部　　　通商審議官
　　　　　財務部　　　關稅協力課長
　　　　　農林水産部　農業協力通商官
　　　　　商工部　　　國際協力官
　　　　　特許廳　　　國際協力課長

- 議題: 規範制定 및 投資分野 協商對策

2. 會議 結果

- 反덤핑분야에 있어 我國立場 反映必要事項들이 過多하다고 판단
  됨에 따라 이를 再檢討하여 調整
  O 反映 우선순위가 낮은 부문부터 양보가능 분야로의 전환검토

- 補助金/相計關稅 分野의 開途國 分類問題에 대해서는 他 協商
  分野와의 균형문제등을 고려하여 我國이 開途國 分類에 포함
  되도록 하는 立場 견지
  O 아울러 여타 UR협상분야에서도 我國이 開途國分類에 포함
  　되어야 한다는 一貫된 立場 표명

- 세이프가드등 기타분야는 商工部에서 종합한 協商對策方案을
  중심으로 대응
  O 다만 BOP條項 改正과 관련하여 他 協商分野의 論議時에 필요
  　한 我國立場의 一貫된 對應論理를 外務部에서 종합정리하여
  　제공토록 함

- 其他 關聯事項
  O 원산지 규정과 관련한 대응방안 강구를 위하여 來週中 當院
  　主管下에 關係部處(외무부, 재무부, 상공부, 관세청등) 會議를
  　개최키로 함
  O 최근의 UR전체 협상동향과 관련하여 필요시 10월중 對外協力
  　委員會를 개최.보고키로 함

0116

경 제 기 획 원

통조삼 10502-693   503~9149   1991. 10. 4.
수 신 수신처 참조
제 목 UR/대책 실무위원회 개최

　　1. 통조삼 10502-675('91.9.25)과 관련입니다.

　　2. 표제회의를 아래와 같이 개최코자 하니 참석하여 주시기 바랍
니다.

아　　　　　래

　가. 일　　시 : '91. 10.9(수), 15:00

　나. 장　　소 : 경제기획원 소회의실(1동 721호)

　다. 회의내용
　　　- UR 분야별협상 종합점검 및 향후협상 대응전략

　라. 참석범위
　　　- 경제기획원　대외경제조정실장(주재) 정책조정국장,
　　　　　　　　　　제2협력관
　　　- 외 무 부　통상국장
　　　- 재 무 부　관세국장
　　　- 농림수산부　농업협력통상관
　　　- 상 공 부　국제협력관
　　　- 특 허 청　기획관리관

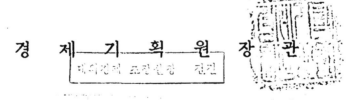

경 제 기 획 원 장 관

수신처 : 외무부장관, 재무부장관, 농림수산부장관, 상공부장관, 특허청장,

33186   0117

10.9. UR 협상 대책실무위 회의 자료

91. 10. 7.
통상기구과

1. 실질 협상대책

가. UR 농산물협상

(1) 최근의 농산물협상 동향

○ 9.20 농산물협상 공식회의, 주요국 그린룸협의시 및 9.18 아국과의
비공식협의시 던켈 사무총장 언급내용과 주제네바대표부 보고 내용을
종합해볼때 동 총장이 11월초까지 제시할 예정인 농산물협상 시장접근
분야에서의 타결안은 예외없는 관세화원칙을 골자로 할 것으로 전망.

○ 또한, 아국 및 일본을 제외한 사실상 모든 협상 참가국들이 예외없는
관세화원칙을 수용할 가능성이 큰 것으로 전망.
  - 북구, NTC 관련 국내보조가 허용대상 국내보조에서 적절히 반영될
    경우 예외없는 관세화원칙 수용의사 표명
  - EC, 관세화원칙에서 예외를 둘 경우 문제를 복잡하게 하므로 국내
    보조 허용대상 정책에서 NTC 문제를 적절히 해결하는 것이 바람직
    하다는 입장 표명

○ 이럴 경우 쌀수입개방 불가입장을 견지하고 있는 아국으로서는 예외
없는 관세화원칙을 수용할 것인지 또는 거부할 것인지(take it or
leave it)를 결정해야 하는 상황에 처할 가능성도 배제곤란.

1

0118

(2) 협상 대책

ㅇ 상기 상황에도 불구, 일본이 쌀수입개방 불가입장을 계속 견지할 경우
아국으로서도 쌀수입개방 불가입장을 계속 고수하되 하기 관련 사전
대책 수립이 긴요.
- 브랏셀 각료회의때처럼 협상결렬 비난의 표적이 될 가능성
- 미국으로부터의 통상압력
· 11월중 APEC 각료회의(Hills, Baker 등 참석 예정), VIP 방문등

ㅇ 일본이 쌀수입개방 불가입장을 포기할 경우, 아국 단독으로서는 협상력
한계로 인해 입장관철이 어려운 것이 현실이므로 관세화 기본틀내에서
실익을 최대한 확보할 수 있도록 예외없는 관세화원칙을 조건부로 수용
하는 것이 불가피.

ㅇ 따라서, 관세화 기본틀내에서 실익을 확보할 수 있는 아래 방안으로
대처하되 11조 2항 C, 특별 세이프가드, 국내보조분야에서 아국입장
반영에 주력하는 것이 바람직.
- (1안) : 장기 유예기간후 관세화하는 방안
- (2안) : 유예기간 없이 장기간동안 고율의 TE 유지후 완만한 TE
감축 방안

(3) 고위 협상 및 교섭대표 파견

ㅇ 고위급 협상대표를 제네바에 파견, 최종단계 협상에서의 아국 입장
반영을 위한 노력 필요.

ㅇ 민자당등 국회측과도 긴밀히 협조, 국회사절단의 제네바 파견
가능성도 검토 필요.
- '하다' 전 농림수산대신등 일 국회사절단, 10월중순경 제네바 방문,
농산물협상 관련 일측 입장 전달 예정

ㅇ 농민단체 대표를 제네바에 파견, 협상 분위기 파악토록 할 가능성도 검토
필요.

2

0119

나. 여타분야 협상

(1) 양자 협의 대책

　　o 11월이후 개최되는 UR 서비스.시장접근 분야의 양자협의에 협상
　　　담당부처의 실무대표단 장기 파견 검토.

　　　- 11월초 UR 협상 최종문서 작성이 완료되는 경우, 11월이후의
　　　　협상은 서비스. 시장접근 분야의 양자협의를 중심으로 이루어질 전망.

　　　- 따라서 어느정도 책임있는 실무대표가 제네바에 상주면서 양자 협상에
　　　　직접 참여 필요.

(2) 반덤핑, 섬유등 아국이 공세적 입장을 취할 수 있는 분야입장 재점검

　　o 반덤핑, 섬유등 아국이 공세적 입장을 취할 수 있는 분야를 재점검,
　　　주요사항별로 정리, 필요시 중점 교섭 시행

　　　- 협상 종료후 국내 홍보측면도 고려

　　　- 여타 분야와의 trade off 가능성도 고려

(3) 본부 협상대표 파견

　　o 여타 협상분야 중에도 섬유, 서비스등 주요 분야에 대해서는
　　　10월중순-11월초간 본부 협상대표 파견, 효율적 대처

2. 국내대책

가. 각료급 회의 개최

　　o 주요사안 (특히, 합의 초안에 대한 아국입장)은 UR 대책 실무
　　　위원회에서 검토후 대외협력위원회에 상정

　　　- 협상진전상황에 대한 각료들의 인식 필요

　　　- UR 대책 실무위원회 결정사항에 대한 장관들의 확인절차 필요

0120

3

나. 국내 홍보

o 협상진행 현황, 특히 농산물 협상의 현황을 가급적 사실대로
   국내에 홍보
   - 농산물 협상의 진행상황을 일상적으로 사실 그대로 국내 언론에
     홍보
   - 던켈 총장이 구상하는 합의 초안이 아국에 미치는 영향등을 언론
     브리핑 Box 기사 게재등을 통해 언론에 홍보
   - 90.6. De Zeeuw 의장 초안이 제시되었을 때와 같은 상황이 국내에서
     재현되지 않도록 하는 것이 바람직

o UR 협상대책 실무위원회 차원에서 공동 대응

다. 국회 대책
   o 농산물을 위시한 주요 협상 동향을 국회 농수산위등 관계 요로에
     수시 설명.   끝.

4   0121

분류번호	보존기간

발 신 전 보

WGV-1357   911010 1855 BE

번   호 : _____   종별 : _____

수   신 : 주   제네바   대사. 총영사 (사본 : 주미국, 일본, ~~0500~~ 대사) WUS -4624 WJA. -4570

발   신 : 장 관 (통기)

제   목 : UR 대책 실무위 개최 결과

1. 10.9(수) UR 대책 실무위원회가 개최되어 UR 분야별 협상 종합점검 및 향후 협상
    대응 전략에 대해 협의한 바, 우선 11월초 UR 협상 최종 ~~문서~~ (합의) 초안 작성에 대비,
    특히 농산물 분야의
    아국 입장 반영을 위한 교섭차 정부 고위 사절단을 제네바 및 주요국에 파견하는
    문제를 검토키로 하고, 10월말, 11월초 UR 협상에는 현지에서 주요사항을
    결정할 수 있도록 ~~제~~ 관련부처 고위 실무대표를 제네바에 파견키로 잠정 결정하였음.
    (동 회의 결과 보고서 및 관련자료는 파편 송부함)

2. 한편, 이와는 별도로 Dunkel 총장의 최종 ~~문서~~ (합의) 초안 작성 이전에 국회사절단 및
    농협등 농민단체 대표단도 아국 입장 설명 및 지지 요청차 제네바 및 주요국 방문을
    계획 ~~하고~~ (중인용) 있다하니 참고바람.   끝.   (통상국장 김용규)

일반문서로 재분류 (19*81 . 12 . 31.*)

보안통제	〰

앙고재	*91년10월10일*	동기과	기안자성명 *고현*		과장 〰	심의관 〰	국장 전결		차관	장관 〰

외신과통제

0122

UR 대책 실무위 회의 결과

1991. 10. 10.

통 상 기 구 과

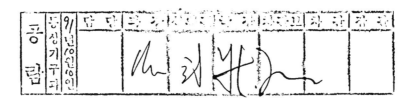

0123

1. 회의일시 및 장소 : 1991.10. 9.(수) 15:00-17:00, 경제기획원 소회의실

2. 참 석 자 :
   ㅇ 경제기획원 대조실장 (회의 주재), 제2협력관
   ㅇ 외 무 부 통상국장
   ㅇ 재 무 부 관세국장
   ㅇ 농 수 산 부 농업협력통상관
   ㅇ 상 공 부 국제협력관
   ㅇ 특 허 청 기획관리관

3. 회의 결과 요약

   ㅇ UR 협상 전망 및 대책

   - 미국이 mini-package에 반대하고 있어 협상의 조기 타결 전망은 밝지 않음.

   - 그러나, 협상이 예외없는 관세화의 방향으로 타결될 것에 대비하여 강구 필요

   ㅇ 관련 조치사항

   - 고위 대표단을 조속한 시일내에 주요국 수도에 파견키로 하되 대표단
     구성, 대상국가는 부처간 협의후 결정
   - 10월말-11월초에는 본부 고위 협상팀을 제네바에 파견

4. 회의 내용

   가. UR 협상 전망
       ㅇ 농수산부 :
          - 던켈 총장은 11월초까지 합의 초안 작성, 11월중 각국이 이 초안을
            수락할 것인지를 결정, 금년내에 협상 framework에 대한 합의를
            도출할 것을 계획함.
          - 미국이 small package를 수용할 가능성이 없고, EC는 농산물에서의
            rebalancing, corrective factor등 어려운 요소를 다시 주장하고
            있으므로 금년내 타결은 어려운듯 함.

1   0124

o 외 무 부 :

- EC 내부의 CAP 개혁 합의가 장기화되고, 미국이 small package는
  받기 어렵다는 태도이므로 단시일내 타결은 어렵겠으나, 이러한
  전망 보다는 우리의 대책이 문제임.

- 미.EC간에 보조금과 관련한 이견은 뒤로 미루고 예외없는 관세화를
  추진하여 협상의 돌파구를 마련하려는 움직임에 대비해야 함.

o 경 기 원 :

- 전망은 중요치 않으며, 협상이 어떤 형태로 마무리 되는냐에 상관없이
  국내적 대비를 해야함.

- 10월말-11월초에는 고위 협상팀을 제네바에 파견, 현지 대응 태세를
  갖추어야 함.

나. 측면 지원 교섭단 파견 문제

o 외 무 부 :

- 고위 교섭사절단을 주요국가의 수도에 조속히 파견하여 우리의
  입장을 알리고 주요국의 반응과 협상 동향을 파악한후, 우리 입장을
  재점검해야 함.

o 농 수 산 부 :

- 고위 교섭 대표단 파견이 필요하며 대조실장을 단장으로 하는 대표단
  파견이 바람직 함.

- 농협 대표단 파견을 추진중이며 국회 농수산 위원회 위원장에게도
  국회사절단 파견 필요성을 거론하였음.

- 제네바 대표부의 보다 적극적인 교섭 활동이 필요함.

o 경 기 원 :

- 주요국에 대한 교섭 대표단 파견 문제는 각부처별로 검토하여
  10.11까지 경기원에 대상인사, 지역등을 통보바람.

- 장관급은 위험부담이 있으며 차관보급이 바람직함.

2

0125

다. 국내 홍보 문제

   ㅇ 농수산부 :

   - 최근 농산물 협상 현황과 관련한 언론 보도로 인해 농수산부 내에서
     어려움을 겪고 있음.

   ㅇ 경기원 :

   - 최근 언론보도는 그 시기 내용면에서 바람직하지 못한 측면이 있음.

   ㅇ 외무부 :

   - 현지의 협상 분위기는 그 상황이 어떻든간이 사실 그대로 국민에
     알려야 함.

라. 실질 협상 대책 문제

   ㅇ 외무부 :

   - 최악의 상황에 대비하여 미리 대안을 준비해야 하는지 또는 기존
     입장을 마지막까지 계속 유지하는 것이 좋은지에 대한 검토가 필요함.

   ㅇ 농수산부 :

   - 계속 기존 입장을 강하게 주장해야 함.

   ㅇ 경기원 :

   - 사전에 입장을 재검토하는 것은 어려움.

   - 그러나 기존 입장을 강하게 주장할 경우, 협상이 결렬시 우리에게
     협상 실패의 책임이 전가될 우려가 있음.

마. APEC 대책

   ㅇ 경기원 :

   - 11월 APEC은 UR 협상의 결정적 시기에 개최되므로 제네바에서 작성된
     보고서의 검토, APEC 참가 각료들과 국내 고위인사들과의 면담자료
     작성등에 있어서 각부처간 통일된 행동이 필요함.

바. 기   타

   ㅇ 경기원 :

   - UR 협상 관련 전문 배포가 신속하고 원활하게 이루어지기 바람.

   - 10.17. APEC 관련 해외협력위원회가 개최되는바, 동 회의에 각료들에게
     UR 협상 현황을 설명하도록 추진함.   끝.

3

0126

91-
663

5
8

UR농산물협상 참석결과 및 향후대책

1991. 10. 9.

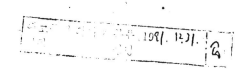

농 림 수 산 부

0127

- 목　　차 -

13 - 1

0128

I. 회의개요

1. 일시 및 장소

   o 1991. 10. 1(화) ~ 10. 4(금), 제네바 GATT 본부

2. 참 석 자

   o 본 부 : 최양부 장관자문관, 국제협력담당관실 손정수과장, 윤장배사무관

   o 제네바 대표부 : 천중인 농무관, 김종진 농무관보

3. 회의일정

일 시	내 용
o 10. 1 (화)	o 협상대상 품목의 범위 (Product Coverage) o 보조감축 측정장치(AMS) 계측문제
o 10. 2 (수)	o 현행 시장접근 (Current Market Access) o 최소시장 접근 (Minimum Market Access)
o 10. 3 (목)	o 관세(Tariff) 및 관세상당액 (TE) 감축 o 생산자 부담 수출보조금(Producer Financed Export Subsidy)
o 10. 4 (금)	o 향후 작업 추진 방법 o 점검 (Monitoring) 및 Review ※ Wolter GATT 농업국장 면담

13 - 2

II. 향후 협상의 전망과 대책

1. 던켈총장의 Framework 작성 의도

언급사항

1. 10. 16~18 회의로 3월이후 추진해온 기술적 협의종료

2. 10월말~11월초에는 전분야에 대한 협상초안 제시

   - 의장책임으로 제시하는 문서로 함.

3. 11월중 각국이 이 Framework을 받을 것인지 여부를 결정

   - 금년이내에 Framework 작성종결

4. 내년 2월까지 UR협상 종결을 목표로 협상을 추진하겠다는 의사표시

평 가

1. 종래와 같이 각 그룹별로 협상초안의 채택여부를 묻는 것이 아닌 의장개인 책임으로 종합적인 문서를 제시하여 세부사항별로 쟁점이 상존하는 현재의 상황을 우회

2. 대부분 회원국에서 UR협상 전분야의 「모습」을 보기위한 문서작성 자체를 거부할 명분은 없음.

3. 그러나 던켈이 준비하는 종합적인 협상안이 만족스런 정도의 균형을 갖출수 있는지의 문제와 내년초까지 협상종결에 대해서는 대부분이 회의적임...

13 - 3

0130

2. 농산물분야의 협상초안 작성 추진문제

    가. 던켈총장의 의도

        o 던켈총장의 농산물 그룹의장 책임으로 제시

            - 주요국간의 타협에 애로가 상존하는 상황 우회

            - 회원국들에게 받을 것인가, 아닌가의 단순한 상태로 압축

        o 시장개방, 국내보조, 수출보조의 각분야에 걸쳐서 타결 형식을 중심으로 제시

            - 시장개방은 「예외없는 관세화」방향으로 가되 NTC등 어려운 문제는 「관세화
              형식」을 갖추는 범위내에서 부분적 예외조치 고려 (단, 협상과정에서 방식결정)
                                    (이행기간)

    나. 「예외없는 관세화」 방향에 대한 반응

        o 한국, 일본, 카나다(11조 2C), 멕시코, 이스라엘등이 「예외없는 관세화」는
          받을 수 없으며, 이러한 형식의 협상초안이 나오는 경우 수용할 수 없다는 거부
          의사를 표명

        o 스위스등 EFTA 국가는 이같은 반응은 유보하고 있음.

            - 협상 추이와 전체적인 윤곽을 본뒤 기본입장을 결정하겠다는 태도

13 - 4

0131

3. 전망과 대책

전 망

o 던켈총장이 「예외없는 관세화」등 강경입장을 거듭표명하는 것은 각국의 정치적 입장변화 유도를 위한 사전포석으로도 해석됨. *(11.4 이란 조께더)*

o 최종적인 결정은 10월하순경에 할 것으로 봄.

각국의 동향

o 전반적으로 협상초안 작성에 반론을 제기하지 못함

o 던켈총장등 사무국에 자국의 중요관심사항 포함을 계속 종용하는 활동을 하고 있음

대 책

- 던켈총장의 협상초안 작성이전의 활동이 중요 -

(1) 우리의 분명한 입장을 알려야 함.

o 쌀등의 「관세화 예외」 인정이 반영되지 않는 경우 협상초안을 수용할 수가 없다는 입장을 사전전달

※ 관세화의 형식을 받은뒤 융통성을 갖는 것은 고려 불가능함을 명시

o 던켈총장 및 미국, EC, 일본, 카나다, 호주, 뉴질랜드등 주요국에 입장전달

13 - 5

0132

(2) 10월중에 별도 교섭단의 제네바 파견으로 우리의 입장을 사전통보하는 문제도
검토

   o 던켈의 초안작성에 우리입장 반영을 촉구

   o 초안제시후 쌀등으로 인하여 UR농산물협상 Package를 수용할 수 없다는 것을
   미리 예고해야만 함. (사후의 UR타결 비협조등 타국의 비난여지 사전봉쇄)

   o 파견되는 대표들은 주요국 대표들도(제네바 주재대사 또는 각국 수도)만나서
   우리입장을 설명하게 함.

(3) 제네바 대표부에 대해서 총력활동 체제지원

   o 제네바 대표부의 마무리 협상노력 지원강화

(4) 11월중 회의의 가속화에 대비한 대표단 구성등 사전대비

   o 시기별 협상동향을 감안 상주대표 파견 문제 검토(Geneva)

   o 11월중 APEC, UR, FAO등 다양한 회의에 효과적 대응

      - 11월중 APEC회의에서 던켈 Paper를 Set로 지지하는 공동성명 시도 가능성에
      대한 사전대비등 → EPB, 외무부등과 협조 추진

   o 특히 던켈 Paper제시후 TNC회의나 Green-Room회의 대책강구

(5) 국내대응 체제의 강화

13 - 6

0133

Ⅲ. 금차회의 의제별 논의내용

협상대상 품목(Product Coverage)

< 논의배경 >

o Dunkel의장의 option paper의 부속서(Addenda)에 제시된 농산물 협상 대상품목중 각국이 추가적으로 관심을 갖는 품목을 제기하여 이를 종합하고자 함.

< 주요국별 의견 >

o 한 국 : 누에고치, 생사류, 제조담배 및 변성전분 포함

o 일 본 : 누에고치, 생사류, 수산물, 임산물 포함

o E C : 누에고치, 생사류, 제조담배, 전분 포함

o 미국 및 호주등 케언즈 : Addenda에 제시된 품목에 이견없음

< 평 가 >

o 한국, 일본, EC등이 제시한 누에고치, 생사류, 제조담배, 변성전분등은 추가하는데 어려움이 없을 것임.

o 일본이 포함을 희망하는 임산물, 수산물 문제는 반영이 어려울 것으로 전망
   - 추후 계속 논의예상

13 - 7

0134

AMS 대상품목 분류방법

o 한국 : 재정지출을 기준으로 AMS를 측정하는 것이 가장 적절하며 품목별, 품목군별로 탄력적인 접근이 필요함을 강조

o 호주, 뉴질랜드, 알젠틴등 케언즈그룹 : 가능한 품목별로 세분화하여 가급적 엄격하게 감축기준을 설정해야 한다는 입장 제기

o EC : 국내보조 계측 문제는 국내가격 정책(가변과징금을 합축하는 것으로 보임)과 밀접히 연계되어 있기 때문에 정치적인 면도 내포하고 있음을 감안하여야 함을 언급

시장접근 (Current M. A & MMA)

o 한국 : TE계산이 양자협상의 대상이 되어서는 안된다는 점과 쌀에 대한 MMA는 허용할 수 없음을 강조

o 미국 및 케언즈

  - 최소시장접근(MMA)은 품목별로 5% 허용

  - 기본 관세 수입쿼타(TQ)는 년차적으로 확대

o EC : Rebalancing의 필요성 언급

o 카나다, 이스라엘, 멕시코 : 11조 2c등에 의한 관세화 예외 필요성 주장

13 - 8

0135

기본관세 및 TE의 감축방식

o 미국 및 케언즈그룹

- 관세 및 TE를 공식(Fomula)에 의해 10년간 75% 감축

- 특히 경과기간후 관세 및 관세상당치는 최고 50%를 넘어서는 안됨.

- TE감축과 TQ증량을 동시 진행 궁극적인 자유화 달성

- 개도국에 대해서는 이행기간과 감축폭에 융통성 부여

o 한국, 일본, 스위스, 이스라엘

- 농산물은 품목별 중요도가 다른만큼 일괄적인 공식 적용은 불합리

- 따라서 Request/offer 방식이 적합함을 강조

- 기본관세와 TE를 동시에 감축하는 것은 곤란하며 감축방식도 분리

< 던켈총장 의견 > 조속히 결정할 사항을 제시

① 기본관세 및 TE의 양허문제

② 기본관세 및 TE를 구별하여 취급하는 문제

③ 감축방식 (Formula 또는 Request / offer)의 결정

④ 감축 기간 (5~10년)의 결정

⑤ 예외인정의 문제등

13 - 9

0136

생산자 부담수출 보조(Producer Financed Export Subsidy)

o 카나다(소맥등), 콜롬비아(커피)등 국가에서 직간접으로 관리하는 출입 조직
(Marketing Board등)을 갖고 있는 나라의 생산자가 부담하는 수출보조에 대해
서는 규제를 최소화 할 것을 주장

o 미국은 이에대해 생산자 부담수출 보조가 허용되기 위해서는 정부의 직간접 개입
이 없어야 하고 순수한 생산자에 의해서 보조 재원이 조성되어야 함을 강조

가공품 수출보조

o 케언즈그룹 : 원료 농산물 뿐 아니라 가공품에 대한 수출보조도 엄격히 규제

o EC, 스위스, 북구 : 원료분에 대한 가격이 국제가격보다 높은 경우, 그 가격차
감축 주장

점검(Monitoring)및 Review

o 대체적으로 큰 이견은 없음.

  - 이행계획 수립단계, 이행단계, 이행후등 3단계 점검방식 희망

o EC, 일본등은

  - 이행 과정에서 행정상의 과중한 부담우려

  - 좀더 협상이 진전된 후에 본격논의 희망

13 - 10

0137

< 참고자료 >

주요국 대표등과의 면담내용 (요지)

Wolter 농업국장

(아측대표)

o 던켈총장이 「예외없는 관세화」만을 강조하는 것은 한국을 Single-out하는 것으로 우려됨. Framework는 시장접근, 수출보조, 국내보조등 전체적으로 균형되게 제시되어야 함을 강조

(Woler 국장)

o 던켈 총장도 각부문간 균형을 위해 최대한 노력하고 있음.

o Rev. 2는 최종적인 것이며 더이상의 협상안은 없을 것임.

(아측대표)

o NTC는 시장접근 분야보다 국내보조에서 반영하는 경향이 있는데 양분야에서 균형되게 반영되어야 함.

o BOP예시계획 제시, 구조개선 대책 추진등 농업개혁을 시작하는 단계에서 쌀 문제가 제기될 경우 정치적으로 수용이 불가함.

(Wolter 국장)

o 관세화 원칙은 던켈의장의 확고한 신념임.

o 쌀문제는 고율관세 또는 긴급구제조치(SSG)를 통해 반영되는 방법이 있을것임.

(아측대표)

o 국내보조에 있어 투자지원, 구조조정은 허용대상에 포함되어야 함.

(Wolter 국장)

o 투자지원, 구조조정 문제에 대해 Take Note 하겠음.

(아측대표)

o 감축약속과 관련, 한국은 개도국 우대가 적용되어야 하며, 미국, EC등 선진국과 동일한 의무이행은 할 수 없음.

(Wolter 국장)

o GATT에서 개도국 Self Difine하는 것이 관례임.

o 그러나 한국을 개도국으로 보지 않으려는 경향을 감안해야 함.

18 근 B

일 본

o 던켈총장이 관세화등 Market Access만 분리해서 Framework를 제시하는데 반대할 것임.

o 일본의 전 차관이 던켈총장과 면담시 균형되지 않은 Framework은 받을수 없다는 강력한 의사표명

o 던켈총장의 시도는 매우 위험 (Risky)하다고 보고 있음.

o 「예외없는 관세화」에 대한 반대입장을 견지하여 공동보조해 나가기로 함.

0139

13 - 12

미 국

o 관세화 예외를 인정할 경우 다른 국가에도 인정해야 하는 연쇄효과(Chain Effect)가 발생

o 예외를 인정할 경우 미국이 Waiver로 보조하고 있는 품목에 대한 정치적 부담이 가중되는 문제가 있음.

카 나 다

o 11조 2항 c와 관련, 「예외없는 관세화」에 반대입장을 명백히 함.

o 아측에 대해 반대입장을 계속 견지해 나가야 한다는 점을 강조

이스라엘, 스위스

o 관세화만을 강조하는 불균형된 협상초안을 제시하는데 반대

멕 시 코

o 아측이 「예외없는 관세화」에 대한 분명한 입장표명을 촉구한데 대해 회의시 발언을 통해 반대입장을 밝힘.

o 관세화만을 강조하는 불균형된 Framework은 받을 수 없다는 입장을 밝힘.

13 - 13

0140

向後 UR協商關聯 主要課題檢討

1991. 10. 9

經 濟 企 劃 院
對外經濟調整室

目 次

0142

I. 向後 UR協商展望과 관련한 對策

- 던켈 議長이 제시한 일정대로 協商이 전개될 경우 10월말
  에서 11월초가 協商의 주요한 고비가 될 전망

  ○ 11월초 TNC 會議에서 各 協商그룹별 議長報告書(또는
    Concensus Paper) 접수

  ○ 이를 기초로 92년 3~4월까지 農産物, 서비스, 市場接近
    分野에 대한 國家別 讓許協商 進行

- 이와같은 協商推進過程에서 제시될 각국의 입장에 따라
  UR協商의 早期妥結與否 및 協商 Package 水準이 결정될 전망

  < 시나리오 I > : Small package로 92년 3월 妥結

  ○ EC회원국간 農業改革案 合意 및 美國의 受容
  ○ 서비스, TRIPs, 市場接近(關稅無稅化)등 분야에서 합의
    도출

  < 시나리오 II > : 기본원칙합의후 明示的인 協商 연장

  ○ 農産物, 서비스, 市場接近등 주요분야에서 基本原則만
    합의
  ○ 讓許協商의 충실화를 근거로 最終協商時限을 92년말까지
    연장

  < 시나리오 III > : 美國과 EC의 합의실패로 協商長期化

  ○ EC회원국간의 農業改革案 합의실패
    → 이경우 美國은 協商妥結의 명분 상실
  ○ 協商의 長期化로 사실상 협상결렬 우려

0143

- 1 -

- 上記 協商動向과 관련 주제네바 대표부 건의사항 및 向後
  主要協商관련 日程에 대한 對應方案 검토 필요

  ① 向後協商展望 (實現性이 가장 높은 시나리오)

  ② 10월말 本部代表團의 제네바 출장 문제

  · 本部代表團 구성
  · 協商代案 제시 수준문제

  ③ 11월 APEC會議時 대책

  · APEC會員國 제네바 현지보고서 검토
  · 關係長官의 각급면담 관련대책
  * UR관련 韓·美 兩者協議 개최시 대책

  ④ 상기대책과 관련「對外協力委員會」개최 여부

0144

- 2 -

Ⅱ. 農産物 協商對策 檢討

- 현재로서는 協商展望이 매우 불투명하기 때문에 3가지 協商
  시나리오를 가상하여 協商代案을 마련하는 것이 불가피

- 農産物 協商에 있어서는 우리의 關心事項이 대내외에 걸쳐
  크게 부각되어 있는 상황이어서 伸縮性있는 立場提示가 매우
  어려운 상황

  ○ 10월말부터 본격화될 政治的 절충과정에서 우리에 대한
    最終立場提示 압력가중 예상

  ○ 이와 같은 압력은 經濟的 論理보다 政治的 協調에 대한
    결단을 요구하는 形態가 될 것으로 전망

  ○ 我國이 既存立場을 견지할 경우 협상이 타결되거나 協商
    이 실패할 경우에도 부담 초래
    · 協商妥結時 : 협상결과 수용불가피
    · 協商失敗時 : 협상실패 책임분담

  ○ 我國의 立場變更을 위해서는 극심한 國內的 어려움 직면

- 이와 같은 狀況을 감안하여 10월중 協商對策 마련 필요
  ① 현재立場의 확인
     ※ 별첨자료 참조
  ② 앞으로 취해야 할 우리立場에 대한 점검
  ③ 協商對應方式의 검토
  ④ 國內弘報對策

0145

Ⅲ. 其他分野別 協商對策 樹立

- 農産物을 제외한 여타분야에 있어서는 현재의 我國立場을
  중심으로 伸縮性있게 대응해 나가도 큰 문제는 없을 것으로
  판단

  ○ 協商의 대세에 따르더라도 무리없이 受容이 가능한 分野
    가 다수

  ○ 앞으로 市場接近, 서비스등 分野는 讓許協商 過程에서
    우리에게 敏感한 分野를 최대한 반영

- 다만, 分野別 協商 爭點중 브랏셀 閣僚會議對策('90.12월)
  및 지난 1월 9일 對外協力委員會에 보고하여 결정한 협상
  대책(1월 15일 TNC對策)중 立場變更이 필요한 쟁점을 재정리
  하여 綜合協商 對策案 마련 필요

- 따라서 分野別 爭點事項을 다음과 같이 구분하여 10월 17일
  까지 기일엄수 經濟企劃院에 제출

  ① 分野別 協商動向 및 豫想合意水準 판단

  ② 協商對策 및 對應論理

    ⅰ) 전체 협상과 연계시켜 立場反映이 필요한 主要事項
    ⅱ) 계속 分野別 協商에서 反映이 필요한 事項
    ⅲ) 協商大勢 受容分野

0146

< 參考 > 協商對策(例示)

1. 全體協商과 연계시켜 立場反映이 필요한 사항

① 經濟發展 및 開放水準에 적합한 義務의 分擔

   - 開發途上國에 대한 우대

② 先進國의 協調

   - 先進國의 一方措置 抑制公約(제도분야)

   - 섬유협정 대상품목의 범위를 현행 MFA品目으로 한정하고
     1%의 最小 年增加率 認定(섬유)

   - 新分野(TRIMs, TRIPs, 서비스)에서의 과도한 要求 自制

       o TRIPs에서의 知的財産權 침해 IC회로 내장품목에 대한
          通關制限 및 善意의 購買者에 대한 報償要求 自制
       o 서비스 讓許協商 過程에서의 과도한 開放要求 자제

   - Safeguard 措置에 있어서의 MFN原則 준수
   - 關稅無稅化 協商에서의 應能 부담
   - 反덤핑, 相計關稅의 발동절차를 明瞭化하고 덤핑마진계산
     및 被害判定基準을 강화

③ 農産物協商 (別途檢討)

④ 其他

   - 모든 先·開途國이 참여할 수 있는 協商結果의 도출
     (Single Undertaking)

0147

2. 分野別 協商에서 反映이 필요한 事項

分 野	主 張 事 項
① 市場接近	① 關稅無稅化에서 應能負擔의 원칙 견지 　- 參與分野 : 철강, 전자 및 건설장비(부분) 　- 檢討可能分野 : 종이, 목재, 비철금속(원광석), 　　　　　　　　　의료기기(의료용 소품) ※ 關稅調和協商에 대한 立場定立 필요
② 纖維	① GATT복귀 對象商品은 기본적으로 현 MFA상의 規制 　品目으로 하되, 반영이 어려울 경우 일부 關心 　品目 삭제 주장(섬유원료, 면직물 제외 천연섬유 　직물, Chapter 30~49 및 64~96상의 品目) ② 殘存規制品目의 年 輸出增加率이 1% 미만인 品目 　에 대한 최소증가율(1%) 보장 ③ 暫定 Safeguard 적용에 있어 市場占有率 적용배제 ④ GATT복귀 이행검증에 있어 關聯當事國의 협의절차 　반영
③ 規範制定 　1) 反덤핑	① 加重平均에 의한 輸出價格, 正常價格 비교실시 ② 國內價格決定時 원가이하의 판매인정 : 원가이하 　의 판매가 합리적 기간내에 總費用을 회수하지 　못하는 경우를 제외하고는 正常的去來로 인정

0148

分　野	主　張　事　項
	③ 構成價格算定時 利潤算定基準 : 輸出業者의 실제 회계자료를 기초로 할 수 없는 경우·當該 輸出業者 가 동일부류의 製品販賣에서 실현한 이윤을 우선 적용 ④ De minimus 덤핑마진(5%) 및 덤핑輸入量(輸入國 市場占有率 : 3%)에 대한 기준설정 ⑤ Cumulation 認定與否 : 各國의 수입에 의한 피해 는 각각 獨立的으로 평가하는 것을 原則으로 하고 Cumulation은 극히 例外的인 경우 認定
2) 補助金및 相計關稅	① 農産物 補助金의 同 協定適用 반대 ② 許容補助金의 重複支給禁止에 반대하고 制限條件의 數値上向調整 ③ 國內産業의 定義에 있어 50% 주장을 중심으로 伸縮性있게 대응 ④ 我國이 부속서 8 該當國(開發途上國)에 포함되도록 주장
3) 세이프 가 드	① MFN原則 준수 빛 회색지대 조치 철폐주장 - 회색조치 철폐기한 : 3년 - MFN原則 준수시 : 8년 인정검토 ② 上記 立場反映時 여타쟁점에 대해서는 伸縮性있게 대응

0149

分　　野	主　張　事　項
4) GATT條文	① 關稅同盟 및 地域協定의 결성과 확대에 따른 보상 지불 ② BOP 條項에 대한 具體的 立場表明 自制
5) 貿易關聯 投資制限 措置	① 開途國에 대한 例外範圍를 인정하고 TRIMs 規制를 위한 撤廢期限 도입
④ 制度分野	① GATT위반 일반조치 억제공약 ② GATT 소규모 閣僚會議設置時 我國의 참여확보 ③ MTO/WTO 設置問題에 적극 참여 ④ 最終議定書의 Single Undertaking 支持
⑤ 知的財産權	① IC칩이 내장된 最終製品까지 보호반대 및 선의의 IC購買者 보호 ② TRIPs협정의 國內施行에 2년이상의 經過期間 부여 ③ 컴퓨터 프로그램의 保護範圍에서 Idea등은 제외 ④ 通關猶豫措置 認定範圍를 상표권, 저작권 침해 상품에 한정 ⑤ 不特許對象 認定(동·식물 변종) ⑥ 音盤遡及保護 불인정 ⑦ 貸與禁止權 불인정

0150

分　野	主　張　事　項
⑥ 서비스 1) 一般原則 　協商	① 南北韓 서비스交易에 대한 MFN原則 예외인정 ② 讓許表에 등재하지 않은 業種에 대한 開放水準 　凍結約束 반대 ③ 多者間 規範의 초석으로서 MFN原則의 최대한 　존중
2) 主要 附屬 　書 協商	① 金融 　- 금융감독관련 國內規制(Prudential Regulation) 　　를 一般原則으로 규정하되 同 條項의 남용방지 　　장치 마련 ② 通信 　- 企業內 通信에 대해서는 國內回線 利用制度上 　　수용할 수 있는 範圍內에서 수용 　- 公衆通信 서비스의 접근 및 이용에 대한 제한은 　　公衆通信事業의 안정적 수행을 위해 필요한 　　最小限의 範圍로 제한 ③ 人力移動 　- 商業的 駐在와 관련한 必須管理人力에 대해서는 　　이동을 허용하되 여타인력에 대한 이동은 讓許 　　協商 過程에서 반영

0151

分　野	主　張　事　項
3) 讓許協商	① 基本的으로 현재의 開放水準을 중심으로 讓許協商 대응
	② 追加開放問題는 3년주기로 개최될 讓許協商을 통하여 해결
	③ 각국이 共通的으로 개방을 요구한 事項에 대해서는 별도 검토대응

3. 協商의 大勢受容分野 : 여타쟁점

0152

경 제 기 획 원

봉조삼 10502-715   503~9149   1991. 10. 12

수 신 수신처 참조

제 목 UR/대책 실무위원회 결과통보

　　　UR대책 실무위원회('91.10.9)에서 결정된 사항을 별첨과 같이 통보

하니 결정사항이행에 만전을 기해 주시기 바랍니다.　　끝.

경 제 기 획 원 장 관

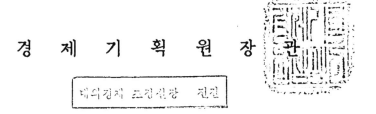

수신처 : <u>외무부장관</u>, 재무부장관, 농림수산부장관, 상공부장관, 특허청장,

34087   0153

UR/對策 實務委員會 會議結果

I. 會議槪要

- 日時 및 場所 : '91.10.9, 15:00～17:00

    (經濟企劃院 小會議室)

- 參席範圍

    ○ 經濟企劃院 : 對外經濟調整室長(會議主宰)
                           第2協力官, 産業1課長
    ○ 外　務　部 : 通商局長
    ○ 財　務　部 : 關稅局長
    ○ 農林水産部 : 農業通商協力官
    ○ 商　工　部 : 國際協力官
    ○ 特　許　廳 : 企劃管理官

- 會議議題 : ① "向後 UR協商關聯 主要議題檢討"(經濟企劃院)

                      ② 農産物協商 參席結果 및 向後對策(農林水産部)

II. 主要會議結果

① 현시점에서 UR協商, 특히 農産物 協商分野에서 我國의 旣存立場을
   견지(1.9, 對外協力委員會 報告)하되 앞으로의 協商戰略등은 추가
   적으로 계속 검토토록 함.

   - 駐제네바 代表部등 在外公館에서도 旣存立場의 범위내에서
     대응토록 함.

0154

② 우리입장의 綜合的 說明과 全體協商動向 把握을 위한 政府代表團
  파견문제는 關係部處 의견수렴후 검토토록 함.

③ 본격적인 협상이 추진될 11월초 經濟企劃院 對外經濟調整室長을
  대표로 UR/對策 實務委員會 委員이 전원 제네바에 出張하여
  협상에 대처하는 방안을 강구토록 함.

④ 11월중순에 개최될 APEC회의(서울)에서 美國등 通商關聯閣僚들이
  대거 참석 예정인 바, 關係部處長官들이 면담시 UR協商에 대한
  봉일된 입장이 제시될 수 있도록 基本面談資料를 작성 활용토록
  함.

⑤ 브랏셀 會議對策 및 금년 1.15 제네바 TNC對策樹立時 정립한
  我國의 立場을 조정하였거나 조정이 필요한 사항을 分野別로
  作成(회의자료 별도예시 참조)하여 10월 17일까지 經濟企劃院에
  제출하고 이를 기초로 향후 UR協商 綜合對策을 마련토록 함.

⑥ 최근의 UR協商 進行狀況과 向後對策 推進課題를 종합하여 10.18일
  개최될 對外協力委員會에 보고토록 함.

0155

경 제 기 획 원 〔수기〕

대총 10500-7/3   503-9137   1991. 10. 12.

수신 수신처 참조

제목 제12차 대외협력위원회 개최

　　　대외협력위원회 규정(대봉령령 제12535호)에 의한 제12차 대외협력위원회를
다음과 같이 개최코자 하오니 참석하여 주시기 바랍니다.

다   음

1. 일시 : '91.10.18 (금)   15:00

2. 장소 : 경제기획원 대회의실 (과천청사1동 7층)

3. 안건

　　- 제3차 아.태각료회의 준비현황(외무부)

　　- OECD 조선 다자간 협상대책 (상공부)

　　- 최근의 UR협상 동향 및 대응(경제기획원)

4. 참석범위

　　- 위원장 : 부총리겸 경제기획원 장관

　　- 위 원 : 외무부 장관

　　　　　　　재무부 장관

　　　　　　　농림수산부 장관

　　　　　　　상공부 장관

　　　　　　　동력자원부 장관

　　　　　　　건설부 장관

　　　　　　　보건사회부 장관

　　　　　　　노동부 장관

　　　　　　　교통부 장관

　　　　　　　채신부 장관

〔수기〕

3406　　　　　　　　　　　　　　　　0156

대총 10500-　　　　　　　　503-9137　　　　　　　　1991. 10. 12.

　　　　　　　　　　　과학기술처 장관
　　　　　　　　　　　환경처 장관
　　　　　　　　　　　대통령비서실(경제수석비서관,외교안보보좌관)
　　　　　　　　　　　국무총리 행정조정실장
　　　　　　　　　　　국가안전기획부 제2차장　　끝.

　　　　　경　제　기　획　원　장　　관

수신처 : 국가안전기획부장, 외무부장관, 재무부장관, 농림수산부장관, 상공부
　　　　장관, 동력자원부장관, 건설부장관, 보건사회부장관, 노동부장관,
　　　　교통부장관, 체신부장관, 과학기술처장관, 환경처장관, 대통령비서
　　　　실장(경제수석비서관, 외교안보보좌관), 국무총리 행정조정실장

　　　　　　　　　　　　　　　　　　　　　　0157

10.18 對外協力委員會時 말씀자료

1991.10.16.
통상기구과

案件 3 : 最近의 UR 協商 動向 및 對應 方向

(最近의 UR 協商 動向과 展望)

o 當初 9月부터는 各 分野別로 政治的 折衷을 包含한 實質 協商을 推進하고자
하였으나, 9月以後 지금까지 協商에서도 技術的 事項만이 論議되고 主要事項에
대해서는 各國의 旣存 立場만 再確認 되었음. 따라서 農産物, 써비스,
知的財産權等 主要 分野에서 多數의 未合意 爭點이 남아있음.

※ 農産物 協商에서의 主要爭點
- 美國, EC間 補助金 減縮關聯 異見
- EC 會員國間 異見
- 日本의 關稅化를 통한 쌀시장 開放 불가 立場 堅持

o Dunkel 總長은 9.20 그린룸 協議에서 11月初까지 모든 協商 分野에서 綜合的인
協商 草案을 마련하겠다는 의사를 表明하고 10.10 그린룸 協議에서도 이 協商
戰略 推進을 再强調 하였으며, 美國, EC등 모든 參加國들도 이러한 協商 戰略에
대해 原則的인 同意를 表明하였음.

o 따라서 向後 UR 協商은 모든 分野를 망라한 協商 草案(global package)을
11月初까지 導出하여 이를 基礎로 本格的인 政治的 妥結을 試圖하고, 이에
成功하는 境遇, 來年初까지 技術的인 問題를 妥結하여 協商을 終結짓는다는
計劃으로 進行될 豫定임.

1

0158

(向後 協商 對應 方向)

o Dunkel 總長의 協商 草案이 일단 提示되면, 이에 反對하는 것은 政治的으로 매우 어려우므로 協商 草案 作成 過程에서 우리 立場을 최대한 反映하는 것이 보다 緊要함. 따라서 11月初 協商 草案이 작성될 때까지 向後 수주간이 우리의 UR 協商 交涉에 있어서 매우 重要한 시기가 될 것임.

o 그러므로 이기간중에 가능한 모든 方案을 동원하여 農産物 協商에서 쌀등 基礎食糧에 대한 예외 인정등 우리나라의 核心 利益을 協商 草案에 反映시키기 위하여 民間團體, 國會, 政府等을 包含하는 범국가적 次元에서의 總體的인 對外 交涉을 시급히 推進하는 것이 바람직함.

   - 農協會長 巡訪 : 10.12-20 (제네바, EC)
   - 國會使節團 : 10.22-26 (제네바)
   - 政府 高位代表團 : 農水産部 次官 제네바 및 主要國 訪問 檢討中

o 또한 餘他 協商 分野에서도 協商이 最終 段階에 있고 우리 主張을 모두 反映시키기가 어려움을 감안, 각 協商 分野에서 核心事項에 重點을 두어 協商에 參加하는 것이 매우 重要함.

o 그러나 多者間 協商의 性格上 이러한 우리의 努力에도 불구하고, 던켈 總長의 協商 草案에 우리 立場이 그대로 反映되지 못할 可能性도 있다는 점을 인식해야함. 이러한 만약의 事態에 對備하여 政府에서도 조용히 內部的으로 對應 方案을 檢討할 必要도 있음.

2

0159

○ 또한 協商 過程에서 基礎食糧에 대한 關稅化의 例外는 繼續 주장하더라도,
11月初에 提示될 協商 草案에 우리 立場이 反映되지 않을 境遇, 이를 協商의
基礎로 使用하는것 조차 反對할 수는 없을 것임〔協商 決裂의 非難을 받게 될
것이므로 어느 나라도 反對하기 어려울 것임〕.
따라서 同 草案을 協商의 基礎로 하는 것은 反對하지 않되 內容에는 많은
修正과 協商이 必要하다는 立場을 취해야 할 것임.

○ 協商의 進行 狀況은 國民에게 明確히 알리고, 國會에 대해서도 소상히 報告하여,
어떠한 協商 結果가 나오더라도 이에 대한 國民的 理解와 共感帶가 形成되도록
하는 것도 매우 重要함.

(細部 協商 對策)

① 農産物 協商 關聯 我國 立場 反映 및 主要國 動向 把握을 위한 代表團 派遣
- 代表團은 주요협상 대상국에 대하여 基礎食糧에 대한 關稅化가 불가하다는
우리의 기본 입장을 분명하고, 설득력있게 전달하여야 함.
- 따라서 農産物 協商을 直接 擔當하는 農水産部 責任者(最小限 次官)를
派遣하는 것이 바람직 함.

② 제네바 實務 協商 強化
- 協商이 決定的인 時期에 있음에 비추어 現地에서 어느정도 決定權을 갖고
協商에 임할 수 있는 高位 實務代表의 派遣도 必要함.

3

0160

③ 在外公館에서의 UR 協商 關聯 活動 强化

- 이미 美國, EC, 日本等 主要公館에 UR 協商과 關聯한 交涉 努力을
  倍加하고 關聯 動向도 수시 報告토록 指示한 바 있음.

④ APEC에서의 我國 立場 反映 努力 展開

- 던켈 총장의 협상 계획대로 11月初 協商 초안이 提示되면 서울 APEC
  閣僚會議에서도 UR 協商 關聯 議題 討議 過程에서 이 協商 초안을 基礎로한
  UR 協商 타결 방안이 擧論 될 可能性이 큼.

- 이 境遇 우리는 APEC 閣僚會議 議長國이므로 會議의 成功的인 進行과 農産物
  協商과 關聯한 우리의 立場 反映을 調和시켜야 하는 어려운 立場에 처하게
  될 것이나, 美,濠州等 擧論 可能性이 높은 代表團과의 事前 幕後 交涉을
  통하여 APEC이 아직도 形成 段階에 있는 協議體이며 協商體가 아님을 감안,
  UR 協商 論議는 各國의 政治的 意志 表明에 局限시키도록 說得, 誘導하는
  것이 要望됨

첨 부 : UR/對策 實務委員會 報告資料.   끝.

4

最近의 UR協商動向과 對應方向

1991. 10. 18

UR/對策 實務委員會

0162

目　·　次

0163

I. 最近의 UR協商動向

— 작년말 브랏셀 閣僚會議(12.3~7)以後 9月까지
   UR協商은 7個分野에 걸쳐 實務的 爭點을 중심으
   로 進行

   ○ 協商妥結의 관건이 되고 있는 農産物分野는 그
      간 9차에 걸쳐 公式 또는 非公式會議가 개최
      되어 각국의 입장이 보다 명료하게 개진된 상황

   ○ 市場接近, 서비스, 知的財産權등 여타분야에 있어
      서도 實務協議가 거의 마무리 되었으며 政治的
      爭點만 남아 있는 상황

— 이와 같은 協商結果를 토대로 던켈 GATT 事務總
   長은 지난 9.20 實務級 貿易協商委員會(TNC)를
   개최하여 向後 協商日程 提示와 함께 92年初까지
   協商을 타결시키겠다는 의지표명

-1-

0164

○　協商分野別로　「第2次　最終協商草案」(1次草案
은　브랏셀會議時　作成)을　10월말　또는　11월
초까지　作成

○　市場接近, 서비스　및　農產物에　대한　國家別　讓
許協商을　내년초까지　진행시켜　協商을　終了

─　특히　던켈事務總長은　11월초까지　제시될　分野別
協商草案을　한데　묶어　各國에　提示함으로써　UR協
商全體를　Package로　하여　이를　協商의　기초로
受容할　것인지　拒否할　것인지 (take it or le-
ave it)를　判斷토록　하겠다고　言及

0165

Ⅱ. 그간 우리의 UR協商에 대한 對應

一' 브랏셀 會議以後 我國은 全體 UR協商에 기여한다
는 側面에서 對外協力委員會(1.0) 議決을 거쳐 主
要協商分野에 대한 다음 立場을 1.15 TNC會議에
제시

   ○ 農産物分野에서 伸縮性있는 立場提示 의지표명

   ○ 서비스協商에서 讓許計劃(Initial Offer Li-
     st) 제시

   ○ 우리의 能力 範圍內에서 關稅無稅化 協商에 參與

一 我國은 上記立場을 중심으로 2월이후 계속된 各
   級 分野別 協商에 積極 參與하여 왔으며 4월中
   協商그룹의 變化(15個그룹 → 7個그룹)에 따라
   5.20 對外協力委員會 議決을 거쳐 國內協商體制의
   調整과 함께 UR協商關聯 後續對策을 마련 추진중

-3-

0166

- 4 -

－ 특히 9月부터 再開된 下半期 協商에는 UR / 對策
實務委員會를 常時體制로 운용하여 統一된 政府의
立場을 마련 協商에 對應

```
┌─────〈 UR / 對策   實務委員會  主要會議實績 〉─────┐
│  ① 農産物 (8.2, 9.6, 9.12)                        │
│  ② 市場接近 (8.30, 9.6)      ③ 서비스 (9.12)       │
│  ④ 知的財産權 (9.3)          ⑤ 制度分野 (9.12)     │
│  ⑥ 規範制定 (9.27)           ⑦ 纖  維 (9.20)        │
└───────────────────────────────────────────────────┘
```

－ 앞으로 UR 協商의 주요고비가 되는 10월말부터
協商動向을 銳意分析하면서 이에 綜合的으로 대처
해 나갈 수 있도록 汎部處 次元에서의 努力을 加
一層 强化할 필요.

0167

Ⅲ. 向後 協商對應方向

┌─────────────〈 基 本 方 針 〉─────────────┐

◇ 우리의 既存 立場이 반영될 수 있도록 集

中的인 努力을 傾注

◇ 10月~11月에 걸쳐 主要國에 대한 說得

및 제네바에서의 協商活動强化等 對外交涉

努力을 보다 積極的으로 展開

└──────────────────────────────────┘

① 分野別 草案提示 以前段階에서의 우리立場反映을 위

한 對外交涉努力 展開

— 10月 16日부터 進行되고 있는 各分野別 協商에

적극적으로 대처하고 主要國動向을 심도있게 把握

② 分野別 草案提示 段階에서의 제네바 實務協商 强化

— 各 分野別 草案이 제시될 10月末에서 11月初

가 協商의 고비가 될 것으로 判斷

— 5 —

0168

- 本部 UR 協商 實務代表團 파견

  ○ 代表團長 : 經濟企劃院 對外經濟調整室長

     代   表 : UR / 對策 實務委員會 委員 (分野別

          實務責任者인 經濟企劃院, 外務部, 財

          務部, 農林水産部, 商工部, 特許廳의 局

          長級 關係官)

     * 기타 關係部處實務者 및 專門家 參與

③ 제네바 및 主要國 駐在公館에서의 UR 協商 關聯

   活動 强化

  - 제네바 代表部에서 우리立場 반영을 위한 現地

    活動 積極 展開

  - 美國, EC, 日本등 주요국의 公館에서는 駐在國

    의 協商關聯動向把握 및 我國立場 說得努力强化

長官報告事項

報告畢

[서명]

1991. 10. 18.
通商局
通商機構課(54)

題 目 : 對外協力委員會 會議 結果

1. 會議 槪要

   ○ 會議日時 및 場所 : 10.18(金) 10:00-12:20, 經企院 會議室

   ○ 參席者 : 經濟企劃院 長官等 14개 關係部處 長官 또는 次官 (外務次官 參席)

   ○ 議 題 : OECD 多者間 造船協商, APEC 閣僚會議, UR 協商 對策

2. 主要 議決事項

   가. OECD 多者間 造船協商 對策

      ○ 我國에 가장 問題가 되는 덤핑 賦課金 徵收 問題에 最大 力點을 두어 交涉

         - 船舶 購入者가 賦課金을 納付토록 交涉

   나. APEC 閣僚會議 對策

      ○ 關聯部處에서 所管事項에 대해 關心을 가지고 參加 準備

      ○ 會議 開催에 따른 豫算 支援

   다. UR 協商 對策

      ○ 11月中旬 最終 協商案 提示에 앞서 農水産部 次官을 首席代表로 하는

         高位級 政府代表團 派遣

         - 分野別 協商 實務代表團 派遣과는 別途

      ○ 協商이 我國에게 不利한 內容으로 妥結될 境遇에 對備한 對策 檢討

         (事案의 敏感性을 감안, 적절한 時期에 非公式 關係 長官 會議에서 論議)

      ○ UR 協商 進展狀況이 言論에 報道되도록 誘導

3. 言論 對策 : 今日 會議 結果 금 10.18 夕刊에 旣報道.   끝.

발 신 전 보

번   호 : WGV-1428   911018 1721 BE   종별 :

수   신 : 주   제네바   대사 . 총영사 (사본 : 주 미, EC, 일 대사)   : WUS-4749   WEC-0637   WJA-4715

발   신 : 장 관   (통 기)

제   목 : UR 협상 대책

일반문서로 재분류(1991. 12. 31.)

    금 10.18. 경제기획원장관겸 부총리 주재 대외협력위원회 회의에서 논의된 UR 협상
대책을 아래 통보하니 협상 참가 (및 대주재국 교섭)에 참고바람. (경북에서는 장관님코서오정일
                                                                    하라 하심)

1. 던켈 갓트 사무총장이 추진하고 있는 협상 전략에 따라 11월초순에 종합적인 협상
    타결안이 제시될 것으로 예상되며 동 타결안이 단순한 협상 기초가 아닌 최종안의
    형태로 제시될 가능성이 있음에 비추어 동 타결안 제시까지 특히 농산물 협상에
    촛점을 두고 전력을 기울여 협상에 참가토록 하며, 하기와 같이 정부대표단을
    파견키로 함. (당부는 타결안을 take it or leave it base로 제시하기 위해
    동 문서 제시가 11월중순이후로 연기될 것이라는 것이 최근 현지 협상 분위기임을
    부연 설명)

    가. 현재 제네바를 방문중인 농민대표단, 10.22-26간 제네바 방문 예정인 국회
        사절단과는 별도로 농수산부 이병석 차관을 수석대표로 하고 관계부처
        실무자로 구성된 고위급 정부대표단을 조기에 제네바 및 주요 관련국에
        파견하여 농산물 협상에 대한 아국 입장을 최대한 설득토록 함.
                                        10월말-11월초
    나. 이와 별도로 각 협상 그룹별 협상 참가를 위해 ~~타결안 제시~~에 관계부처
        국장급으로 구성된 실무 협상 대표단을 장기 파견함.

		보 안 통 제	(서명)

앙 고 재	91 년 10 월 18 일	통상국 과	기안자 성명 송봉헌		과 장 (서명)	심의관 (서명)	국 장 (서명)		차 관 (서명)	장 관 (서명)		외신과통제

0171

2. 농산물 협상과 관련, 정부와 협상 대표는 아국 입장을 끝까지 고수할 것이며
    이를 관철키 위해 계속 최선의 노력을 다할 것이라는 입장을 견지함

    ~~(달여하로는 접촉부수의 접수이 비는 운동으로부 문건 운동으로에 대하ᄀ로 발보도~~
    ~~정방함 이러하ᄀ로 서부하함)~~

3. 협상 결과 국내 수용에 대비, 협상 진전상황을 언론에 보도되도록 하고 국회에도
    가급적 소상히 알림으로써 협상 결과에 대한 국민의 이해와 공감대가 형성되도록
    함.   끝.   (통상국장   김 용 규)

제 목 : 대외협력위원회(10,18) 회의록

1. 회의 개요

　ㅇ 일시 및 장소 : 1991.10.18(금) 10:00-12:00, 경기원 회의실

　ㅇ 참 석 자 : 경제기획원장관겸 부총리 (주재)

　　　　　　　　외무부, 법무부 및 11개 경제부처 장.차관

　ㅇ 의　　제 :

　　- OECD 다자간 조선협상 대책 (상공부 보고)

　　- APEC 각료회의 준비 현황 (외무부 보고)

　　- UR 협상 대책 (경기원 보고)

2. 토의내용

가. OECD 다자간 조선협상 대책 (의결사항)

　　ㅇ 상공부장관 : 제안 이유 설명

　　　- 상공부 추준석 통상협력관 : 대책(안) 설명

　　ㅇ 교통부장관 :

　　　- 대책안을 고심해서 만든 것으로 생각됨.

　　　- 우리가 전체적인 협상력이 낮기 때문인 것으로 아나, 미국의 Jones
　　　　Act나 EC의 국영조선소, 일본의 연구개발 지원을 예외적으로 인정해
　　　　주는 것은 지나친 양보라고 생각됨 (보고서 22페이지 참조)

　　　- 따라서 이러한 예외 인정을 우리 요구와 연계하여 교섭토록 해야함.

1

o 부총리 :

- 미국이 Jones Act 같이 국내건조 의무의 철폐원칙에 정면으로 위반되는
  것을 주장하면서 우리에게 계속 계획 조선제도의 철폐를 요구하는 것은
  사리에 맞지 않으므로 이 문제에 대해서는 강경한 입장을 취해야
  할 것임.

o 상공부 추준석 협력관 :

- 우리도 Jones Act에 강경한 입장을 표명하여 왔으며, 일본과 EC도
  협상 타결을 위해 Jones Act의 철폐가 필요하다는 입장을 견지하고
  있음. 다만, 미국은 동 법에 의해 건조되는 배가 년 3척에 불과함을
  들어 금후 10년간의 건조 계획을 제시하면서 철폐에 정치적인
  어려움이 있다고 설명하고 있음.

o 법무부장관

- 덤핑규제 및 분쟁해결 절차와 국내법 관계를 부연 설명코자 함.
  (18, 19페이지 대안 참조)
- 제1안 (패널 판정 결과가 최종적이며 구속력을 갖는 안)은 우리
  헌법상 국민이 재판받을 권리를 부인하는 문제점이 있음. 예를들어
  우리 공정거래법에 의거 정부가 과징금을 징수할 경우, 이의있는
  징수 대상자는 이를 법원에 제소할 수 있는 *권리가 인정되어야함.*
- 제2안 (패널의 결정을 피소 조선소의 국내 사법절차에 의해
  심사받도록하는 안)은 우리법원에 제소를 가능하도록 하기 때문에
  문제가 없으나 여타국이 반대하기 때문에 문제임.
- 제3안 (제소국내의 사법심사 또는 패널에 의한 심사를 받을수 있는
  선택적 권한을 조선소에게 부여하는 안)은 우리 민사소송법에 의거
  외국법원 판정을 인정해 주는 경우가 있기 때문에 요건만 맞으면
  수용 가능함. 그러나 이경우에도 다음 몇가지 선행 조건이 있음.
  . 첫째 : 조선소가 재판 받을 수 있는 권리를 갖어야함.
  . 둘째 : (재판과 절차가) 사법적 요건을 갖추어야 함.
  그러나 최선은 국제상사재판소 또는 스위스등 제3국에 재판을
  의뢰하는 것이 가장 공정하고 우리 이익 확보에도 유리할 것임.

2

0174

- 결론적으로 제3안을 보완하는 안을 대책으로 해야할 것임.

o 부 총 리 :

- 반덤핑 과징금을 조선소에 부과하는 것은 세상에 없는 사례임.
  과징금을 선주에 부과하면 문제가 자동적으로 해결될 것임.
- 우리에게 그래도 경쟁력이 있는 분야가 조선인데, 금리변동,
  보조금 철폐, 계획 조선은 크게 문제될 것이 없으므로 오히려 우리가
  공격적인 자세로 나가 미, 일, EC가 갖고 있는 제도를 없애도록
  하는 것이 필요함.
- 딱 한가지 문제가 덤핑 과징금 징수 문제인바, 우리 입장에 융통성이
  있는 상기 분야를 leverage로 하여 덤핑분야에서 우리 입장을
  관철토록 하는 협상 전략으로 나가야 할 것임.

o 상공부장관 :

- 덤핑 과징금을 조선소(maker)가 지불하는 것은 전혀 전례없는 일임으로
  끝까지 이를 수락할 수 없다는 입장을 견지하고, 이 문제에 주력하여
  협상토록 하겠음.

o 부 총 리 :

- 대우, 한진에 대한 정부의 지원은 이미 지원을 약속한 것이니 약속대로
  지키도록 해야 할 것임.

o 상공부장관 :

- 한가지 말씀드릴 점은, 우리가 이러한 대책을 갖고 협상에 임할
  것이나 마지막 순간에 우리만 수락못한다고 버티기 어려운 문제가
  있음.

o 부 총 리 :

- 조선분야 협상에서는 우리가 상대적으로 유리한 입장에 있다고
  생각함.

o 상공부장관 :

- 막바지 협상에서 일본 입장이 바뀔 가능성도 있음.

3

0175

o 부 총 리 :

- 회의 결과를 요약하여 아래와 같이 의결함.

   ① 덤핑 문제에 대한 우리 입장을 관철토록 하고, 덤핑 과징금을
      조선소가 부담할 경우 제3안을 보완한 안으로 대처함.

   ② 금리변경, 보조금 철폐등에서는 우리가 공세적인 자세로
      나감으로써 덤핑에서 우리 입장을 관철되도록 하는 협상 전략을
      추진함.

o 과기처장관 :

- 국제상사재판소 회부안 추진이 좋을 것으로 생각됨.

o 법무부장관 :

- 지금까지 협상에서 동 안이 제기되지 않았으나 동 방안 검토가
  가능할 것으로 생각됨.

나. APEC 각료회의 준비 현황 (보고사항)

o 외무부차관 :

- 금번 APEC 각료회의에는 15개국 대표 약 700명이 참석 예정임.
- 특히 중국이 상당히 양보해서 홍콩, 대만과 함께 참석케 된것은
  우리의 외교적 성공임. 이에 대해 미국의 Baker 국무장관과 Bush
  대통령도 서한등을 통해 축하의 뜻을 표해온 바 있음.
- 중국이 APEC에 들어오려는 이유는 NAFTA 협상, EC 단일시장 형성
  임박등 지역주의 상황하에서 APEC이 금후 아.태지역 협력의 모태로
  발전할 것임으로 이에 참여가 필요하다는 인식에 따른 것으로 봄.
- 중국외에 인도, 멕시코, 칠레등 남미국가도 참석을 희망해 오고 있어
  금후 참가국이 대폭 확대되어 광범한 지역 협력체로 발전할 것으로
  전망됨.
- 금번 서울 각료회의가 UR 협상의 결정적 시기에 개최되며 EC 통합
  직전에, NAFTA 협상이 진행되고 있는 시기에 개최된다는 점에서
  특히 중요함.

4

o 이시영 대사 : APEC 각료회의 준비 현황 보고

o 상공부장관 :

   - 부총리께서 결정해 주실 사항이 한가지 있음 (예산지원 문제 시사)

o 부 총 리 :

   - 그 문제는 잘 알고있음. 회의를 성공적으로 주최하기 위한 예산은
     지원되어야 할 것임.

   - 금번 APEC 회의에서 예상치 않은 기발한 제안이 나올 가능성은
     없는지 ?

o 외무차관 :

   - APEC이 UR 협상과 OECD 조선협상의 결정적 시기에 개최됨으로
     동 협상분야와 현안 문제에서 협조와 해결을 요구해올 가능성이 있음.

한배간 엥자간부에

다. UR 협상 대책 (보고사항)

o 기획원 제2협력관 : 보고

o 부 총 리 :

   - UR 대책을 토의하려면 자세한 보고가 있어야 하나, UR이 정치적으로
     예민해서 자구 하나 하나에 신경을 써야함으로 금일 보고서를 일반적인
     내용으로 작성했음.

   - 그러나 금일 다음 3가지 문제를 검토코자 함.

     ① 국회사절단(단장 : 지연태) 제네바 방문 문제

     ② 10월말 11월초 협상 대비 정부 차관급 대표 파견 문제

     ③ APEC에 미국에서 3명의 장관(국무, 상무, USTR)이 온다면 UR과
        쌍무문제에서 많은 얘기가 있을 것이고, 미.EC간 농산물 문제가
        타결된 경우 우리에게 올 문제에 대비, 계속 정부가 최선의 노력을
        다한다고만 할 것인지의 문제 (이 문제는 공개적으로 토의할 수
        없다는 점을 아울러 언급)

5

0177

o 외무차관 :

- 결론적으로 국회, 농협, 정부대표를 공히 파견할 필요가 있다고 생각함.

- 최종 타결안이 제시되는 시기가 11월중·하순으로 연기된다는 것이 최근 제네바 현지의 분위기임. 이는 타결안을 단순한 토의의 기초가 아니라 거의 손을 못대는 paper로 만들어 제시하겠다는 던켈 갓트 사무총장의 협상 전략에 따른것임

- 따라서 paper가 나오기 전에 전력을 다해야 할 것으로 생각함.

o 부 총 리 :

- 외무차관 말씀에 따르면 paper가 나온후 협상 여지가 거의 없음으로 paper가 나오기 전에 전력을 다해야 할 것임.

- 실무자 회의에서는 농업문제가 중요함으로 농수산부 차관을 수석으로 하고 각 부처가 참여하는 고위 정부대표단을 제네바와 EC등 관계국에 파견함이 좋겠다는 의견이 있었다고 보고 받았음.

- 본인으로서도 농수산부 차관이 인솔하는 고위 정부대표단을 파견하는등 정부로서는 최선을 다해야 하지 않겠느냐고 생각하고 있음.

o 농수산부장관 :

- 협상이 7개 분야인데, 타분야에서는 문제가 없는지 ?

o 부 총 리 :

- 타분야에서도 문제가 없지는 않지만, 초점은 농산물쪽에 있음.

- 이번 대표단은 우리 입장을 잘 설득해야 함으로 대표단 구성에 특히 유의해야 할 것임.

o 농수산부장관 :

- 10.11(금)에 제네바 박수길 대사와 통화한바 동 대사도 농민대표, 국회사절단외에 정부대표단이 오는 것도 좋다고 하였음.

- 농수산부 차관을 가급적 빨리 보내도록 하겠음.

6

0178

o 외무차관 :

- 한가지 추가로 말씀 드리겠음.

- 협상 여건이 변화하고 있고, 다자교섭임에 비추어 협상 진행상황을
  국내에 알려 협상 결과가 뭐가 나와도 충격이 없도록 하고 국민적
  공감대도 형성토록 할 필요가 있음.

o 부 총 리 :

- 3번째 검토사항은 앞으로 장관들이 모여서 논의키로 함.

o 농수산부장관 :

- 지난번 농수산부 담당국장이 협상 진행상황을 기자에게 브리핑
  해주었고 국회에도 보고하였음.

- 그렇다고 지금 정부가 대책을 검토한다고 얘기할 수는 없음.

o 부 총 리 :

- 정부는 끝까지 우리 입장 관철을 위해 최선의 노력을 다할 것이라는
  입장을 견지하고 그렇게 얘기해야 할 것임.

- 지난 3월 제네바 박대사도 협상 진행을 알린다는 취지에서 얘기한
  것이 물의가 된바, 진행사항을 알리는 것도 조심해서 해야 할 것임.

o 농수산부장관 :

- 지난번에는 모장관이 대책을 검토해야 한다고 발언해서 농민단체가
  들고 일어나는등 온통 난리가 난바 있음.

- 따라서 정부 고위인사는 여사한 발언에 조심해야 할 것임. 정부와
  모든 협상 대표는 거꾸로 우리 입장에 반하는 협상 결과는 결코
  수용 못한다고 해야 할 것임.

o 상공부장관 :

- 시간은 가고 문제는 있는데 언제까지 정부가 최선의 노력을 다한다고만
  할 것인지 ? 11월중순 이래야 한달밖에 없는데 문제가 터지면 어떻게
  대처할 것인지 ?

7

0179

ㅇ 부 총 리 :

- 이 문제는 정식 위원회를 소집해서 논의할 것은 아니므로 적절한

  시기에 비공식 회의를 소집토록 하겠음.   끝.

기 안 용 지

분류기호 통기 20044- 문서번호 5641	(전화 : 720 - 2188)	시 행 상 특별취급	
보존기간	영구. 준영구 10. 5. 3. 1.	장　　　관	
수 신 처 보존기간			
시행일자	1991.10.30.		

보 조 기 관	국 장	전 결	협 조 기 관		문 서 통 제	검열 1991 통제관
	심의관					
	과 장	대결			발 송 인	
기안책임자		조 현				

경 유 수 신 참 조	주 제네바 대사	발 신 명 의	

제 목	대외협력위원회 회의록 송부

연 : WGV-1428

10.18(금) 개최된 제12차 대외협력위원회 회의록을 별첨

송부합니다.

첨 부 : 상기 회의록 1부.　　　　끝.

0181

경 제 기 획 원

3/21

대총 10500-76   503-9137   1991.10.25.

수신 수신처 참조

제목 제12차 대외협력위원회 회의결과 통보

1. 대총 10500-713('91.10.12)과의 관련입니다.

2. 제12차 대외협력위원회 회의결과를 다음과 같이 통보합니다.

- 다 음 -

가. 일 시 : '91. 10. 18(금) 10:30~12:20

나. 장 소 : 경제기획원 대회의실

다. 참석자 : 부총리(주재), 농림수산부장관, 상공부장관,

동력자원부장관, 건설부장관, 보건사회부장관,

노동부장관, 교통부장관, 체신부장관, 과학기술처

장관, 환경처장관, 외무부차관, 재무부차관, 총리실

제2행정조정관, 법무부장관(OECD협상관련 특별위원)

라. 회의결과

(1) 의결사항

- OECD/다자간 협상대책(안) : 원안의결

공람	동상기구월협	담 당	과 장	심의관	국 장	차관보	차 관	장 관
	91년월구	조현		청장국				

(2) 보고사항

- 제3차 아.태 경제협력 각료회의 준비현황 : 원안접수

- 최근의 UR협상동향 및 대응방향 : 원안접수

첨부 : 제12차 대외협력위원회 회의록 1부. 끝.

경 제 기 획 원 장 관

수신처 : 국가안전기획부장, 외무부장관, 법무부장관, 재무부장관, 농림수산부

장관, 상공부장관, 동력자원부장관, 건설부장관, 보건사회부장관,

노동부장관, 교통부장관, 체신부장관, 과학기술처장관, 환경처장관,

대통령비서실(경제수석비서관,외교안보보좌관), 국무총리행정조정실장

첨부물에서 분력되면 일반문서로 재분류

0182

제12차 대외협력위원회 회의록

1991. 10.

경 제 기 획 원
대외경제조정실

1. 회의개요

- 일시 및 장소: 91.10.18(금), 10:30~12:20, 경제기획원 대회의실

- 참석자 : 부총리, 농림수산부장관, 상공부장관, 동력자원부장관, 건설부장관,
　　　　　보건사회부장관, 노동부장관, 교통부장관, 체신부장관, 과학기술처장관,
　　　　　환경처장관, <u>외무부차관,</u> 재무부차관, 총리실제2행정조정관, 법무부장관
　　　　　(OECD협상관련 특별위원)

2. 회의결과

가. 의결사항

- OECD/다자간 조선협상대책(안) : 원안의결

　0 보조금 문제에 대해 전향적 자세를 취하는 한편 덤핑문제에 대한 우리입장
　　관철에 최대한 노력
　0 보조금 환수 및 부과금 징수와 관련하여 위헌문제를 최소화 할 수 있는
　　대안으로 협상에 임하되 최소한 제3안은 관철

나. 보고사항

- 제3차 아.태 경제협력 각료회의 준비현황 : 원안접수

- 최근의 UR협상동향 및 대응방향 : 원안접수

3. 회의내용

가. OECD/ 다자간조선 협상대책

〈상공부장관〉 : 제안설명

〈상공부 국제협력관〉 : 안건보고

〈동자부장관〉

- 우리가 보조금지급, 덤핑문제에 수세적으로 대처하고 Jones Act, 국영조선소등
  다른 국가의 문제있는 정책은 그대로 수용하는 태도를 취해서는 곤란

  ㅇ 다른 국가 정책의 문제점을 지적하며 협상을 우리에게 유리하게 이끌 필요

〈법무부장관〉

- 보조금환수 및 덤핑부과금 징수와 관련한 협상대안중

  ㅇ 현행 협정안은 헌법위반으로서 수용불가
  ㅇ 제2안은 국내법상 문제 없으나 협상에서 관철하기 어려움
  ㅇ 따라서 부득이 위헌문제를 최소화할 수 있다고 보여지는 3안을 선택하여야
    할 것임

- 가능하면 3안중 덤핑의 경우 제소국내의 사법심사 대신 제3국의 중립적 사법심사를
  받을 수 있도록 하거나, 또는 국제상설상사 재판소설립을 통해 사법심사를 받는안을
  실제 협상에서 제시하기 바람

〈부총리〉

- 우리나라 산업분야중 조선산업은 상당히 비교우위가 있고 경쟁력이 있는 분야중의
  하나이며,

  ㅇ 또한 조선산업 현황과 현재의 보조금 규모가 미미하고 향후 보조금 지급 계획도
    없는 상황임을 고려할때 CIRR 도입문제, 계획조선 문제등 각 협상쟁점의 전향적
    수용이 가능함

- 보조금 철폐 관련 쟁점에서의 전향적 자세를 통해 동협정 체결시 영향이 클 것으로
  생각되는 덤핑문제에 있어서 기존 우리 입장(덤핑 과징금은 선주에게 부과)을
  관철할 수 있도록 최대한 노력하여야 할것임

0 보조금 철폐와 관련 신축적 자세를 취하되 상대국의 문제점 있는 제도(Jones Act, 국영조선소등)를 공격하는 방법으로 덤핑과 관련한 우리의 실익을 확보

- 분쟁해결 절차와 관련하여

0 현재 협정안의 과징금 조선소 부과안은 국제관례상 전혀 새로운 제도로서 국내헌법상 문제가 크므로 기존입장(선주에게 부과)을 계속 유지

0 다만 협상의 대세가 일본의 양보등으로 조선소 부과안으로 결정될 경우 협상 자체를 거부할 수는 없는 우리 입장에서는 대안제시를 봉해 관철할 수 밖에 없음

0 따라서 대안 선택에 있어 위헌문제를 최소화 할 수 있는 안을 선택하되, 최소한 안건 제3안 정도의 안은 관철되어야 할 것임

나. 제3차 아.태경제협력 각료회의준비 현황

<외무부 차관> : 안건취지 설명

<외무부 정책기획실장> : 안건보고

<상공부장관>
- 관계부처 협조사항과 관련해 이 자리에서 부총리가 예비비지원 결정을 내려야 함

<부총리>
- 원만하게 각료회의가 개최될 수 있도록 협조
- 이번 각료회의에서 특별한 제안이 나올 가능성이 있는가?

<외무부차관>
- 그간 3차례의 실무회의를 봉해 APEC 기구화문제등 토의의제에 대해서는 대부분 논의가 진행되어 특별한 제안이 있을 것 같지는 않으나

- 이번 회의가 UR협상이 새로운 국면에 접어들고 있는 시점에서 개최되는 점에서 미국이 UR타결을 촉진시키는 기회로 활용할 가능성이 있음

- 미대표로 참석하는 Baker, Hills, Mosbacher등이 우리측 관련 인사들과 활발한 접촉을 통해 한.미봉상현안에 대해 미측의 입장을 적극적으로 주장할 것으로 보임

<부총리>
- "제3차 아.태경제협력 각료회의 준비현황"은 원안대로 접수

다. 최근 UR 협상방향 및 대응

< 경제기획원 제 3협력관 > : 안건보고

<부총리>

- 다음 사항에 대한 논의 필요

    0 농협대표 및 국회대표단의 제네바 방문문제

    0 실무협상시작전 정부관계부처 차관을 단장으로 한 대표단을 파견하는 문제와 10월말 또는 11월초에 실무협상 대표단을 파견하는 문제

    0 11월중 개최될 APEC 회의참가를 위해 방한할 미측대표단과의 쌍무.다자간 협력문제

    0 UR협상이 미국, EC간의 정치적 절충을 통해 타결될 경우에 대한 정부의 대책

<외무부차관>

- 국회 및 정부대표단 파견은 필요하다고 판단됨

- 협상초안 제출시기는 11월 중순 또는 하순이 될 것이며 제시된 초안은 최소한의 수정만을 받아들이고 신속히 처리할 방침이므로 가급적 초안제출 전에 신속히 대표단을 파견하여 우리의 입장을 반영해 나가는 것이 바람직함

〈부총리〉

- 농업분야에 중점을 둔다는 의미에서 농림수산부 차관이 대표단장이 되고 관련
  부처도 참여하는 대표단을 파견하여 주요국에 대해 이해와 설득을 하는 것이
  바람직 하다고 판단됨

〈농림수산부장관〉

- 가급적 빠른 시일내에 농림수산부 차관을 단장으로 관계부처 관계관이 참여한
  대표단을 구성하여 파견토록 하겠음

〈외무부차관〉

- 협상진행상황에 대한 국내홍보문제도 논의하는 것이 필요함

〈부총리〉

- 우리는 어떤 경우에도 우리의 기존입장을 견지하고 이의 관철을 위해 최선의
  노력을 다하는 것이 정부의 입장임

- 협상동향을 국내 홍보하는 것이 필요하나 협상진행 상황을 설명하는 과정에서
  자칫 우리의 입장에 오해가 발생할 우려가 있으므로 신중하게 대처해야 할 것임

- 이와 관련하여 추후 소규모 관계부처회의를 개최하여 별도협의 추진토록 하겠음

UR 대책 실무위 회의 결과

1991.10.26.
통상기구과

1. UR/서비스 협상 대책

   ○ 일   시 : 1991.10.25(금) 15:00-17:00

   ○ 장   소 : 경기원 소회의실

   ○ 참 석 자 : UR/서비스 협상 관련 15개부처 담당 국.과장

   　　　　　　　 (당부 홍종기 통상기구과장 참석)

   ○ 회의 결과

   　① UR/서비스 협상 대책

   　　- 경기원 작성 UR/서비스 협상 대책(별첨 1)대로 결정

   　　- 서비스 양자협의 관련 가급적 많은 부처 협상 대표 파견

   　② UR/서비스 양자협의 대책

   　　- 경기원 작성 UR/서비스 양허협상 국가별 업종별 대책자료에 대해 *(별첨2)*

   　　　아래 사항을 제외하고 대체로 합의

   　　　. 재무부(금융), 법무부(법무)등 현재의 입장이 소극적인 부처는

   　　　　장기적인 국제화 필요성등을 고려 입장 검토를 계속 추진

   　　　. 농수산부(농산물 유통), 체신부(기본통신)등 자료 누락 부분은

   　　　　추가 자료 작성

   　　- 미국등 주요국의 대아국 request는 양자간의 시장개방 압력으로

   　　　나타날 가능성이 있으므로 대응 방안을 면밀히 검토

2. UR 정부 실무대표단 파견 및 활동계획

   ○ 일   시 : 1991.10.25(금) 17:00-18:00

   ○ 장   소 : 경기원 소회의실

   ○ 참 석 자 : UR 대책 실무위원회 위원 (당부 홍종기 통상기구과장 참석)

ㅇ 회의 결과 :

- 경기원은 11.2-11.10간 파견 계획을 제시

- 외무부는 주 제네바 대사 건의를 토대로 정부 실무대표단 파견시기를 협상 추세를 보아가며 10월말경 결정할 것을 요청

- 경기원, 재무부는 국회, APEC 각료회의등 국내일정상 대표단 파견 가능 시기가 극히 제한되어 있으며, 만일 11월중순경 협상 초안이 제시될 경우에는 실기할 우려가 있으므로 계획대로 파견할 것을 주장

- 상공부는 현재 협상에 각국의 분야별 Chief negotiator들이 참여하고 있으므로 시급히 고위대표단을 파견해야 한다고 주장

- 농수산부는 파견시기는 제네바 대표부 의견에 따를 것을 희망

- 의장(대조실장) 아래와 같이 결론을 내림

  . 정부 실무대표단 파견 가능 시기가 극히 제한되어 있으므로 계획대로 11.2 출국토록 하고, 제네바 도착후 현지 사정을 보아가며 체재기간을 정함.

  . 필요한 APEC 각료회의후 대표단의 재파견을 검토함.

  . 10.29(화)까지 특별한 사정 변경이 없는한 상기와 같이 추진함.

3. 대일본 지적재산권 문제

ㅇ 노영욱 특허청 기획관리관은 최근 일본 특허청으로부터 대일본 지적재산권 보호 문제와 관련한 서한을 접수 하였다하고, 이에 대한 정부 차원의 입장 정립을 요청 (서한 사본 별첨)

ㅇ 대조실장은 조만간 관계부처 회의를 통해 입장을 검토 하겠다고 함. ✓ 끝.

경 제 기 획 원

봉조삼 10502-762   503~9149   1991. 10. 29

수 신 수신처 참조

제 목 UR대책 실무위원회 개최

    UR대책 실무위원회 개최('91.10.25)결과를 별첨과 같이 통보하니
결정사항의 이행에 만전을 기해 주시기 바랍니다.

첨부 : UR대책 실무위원회 개최결과 1부.   끝.

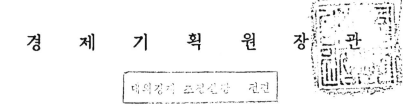

경 제 기 획 원 장 관

수신처 : 외무부장관(통상국장), 재무부장관(관세국장), 농림수산부장관
      (농업협력통상관), 상공부장관(국제협력관), 특허청장(기획관리관)

36153   0191

UR대책 실무위원회 개최결과

I. 會議槪要

- 日時(場所) : '91.10.25(金), 17:00~18:00(經濟企劃院 小會議室)

- 議 題 : UR政府實務代表團 派遣 및 活動計劃

- 參 席

　　○ 經濟企劃院　對外經濟調整室長(會議主宰)
　　　　　　　　　　　第2協力官, 通商調整3課長
　　○ 外 務 部　通商局長(通商機構課長 代參)
　　○ 財 務 部　關稅局長(國際關稅課長 代參)
　　○ 農林水産部　農業協力通商官
　　○ 商 工 部　國際協力官
　　○ 特 許 廳　企劃管理官

II. 會議結果

① '91.10.18 對外協力委員會의 결정에 따라 다음과 같이 政府實務
　代表團을 제네바에 파견하기로 결정

　　○ 出張期間 : '91.11.2(土)~11.10(日)
　　○ 代表團構成
　　　　· 團長 : 經濟企劃院 對外經濟調整室長
　　　　　　　＊農林水産部 第2次官補
　　　　· 團員 : UR/對策 實務委員會 委員(局長級) 全員

0192

② 外務部는 上記代表團 派遣決定을 駐제네바 代表部에 통보

③ 各部處의 代表는 대표단 단장과 동행하여 출발. 다만 分野別
   協商參加등으로 인해 별도 출발이 필요한 부처는 개별적으로
   출발하되 11.4(월) 오전에 개최될 제1차 對策會議에 代表團
   全員이 참가

④ 各部處別로 불가피한 사정이 있어 UR對策 實務委員會 委員의
   파견이 어려울 경우 本部의 課長을 派遣하거나 또는 現地
   駐在官이 참가토록 조치

⑤ UR政府 實務代表團이 활용할 대책자료는 各部處에서 기 제출한
   자료를 종합하여 經濟企劃院에서 作成하여 10.30까지 배포

0193

경 제 기 획 원

봉조삼 10502-774   503~9149   1991. 11. 2

수 신 수신처 참조

제 목 UR대책 실무위원회 회의결과

　　　UR대책 실무위원회 개최('91.11.1) 결과를 별첨과 같이 통보하니
결정사항의 이행에 만전을 기해 주시기 바랍니다.

　　　첨부 : UR대책 실무위원회 개최결과 1부.　　끝.

경 제 기 획 원 장

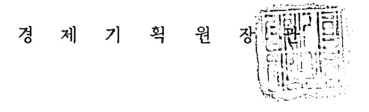

수신처 : <u>외무부장관(통상국장)</u>, 재무부장관(관세국장), 농림수산부장관
　　　　(농업협력통상관), 상공부장관(국제협력관), 특허청장(기획관리관)

36769   0194

〈 添附 〉 UR對策 實務委員會 會議結果

I. 會議概要

- 日時(場所)：'91.11.1(金), 10:40～11:10(經濟企劃院 小會議室)

- 議 題：UR關聯 政府實務代表團 派遣期間 延期에 관한 件

- 參 席
  ○ 經濟企劃院 對外經濟調整室長(會議主宰)
  ○ 外 務 部 通商局長
  ○ 財 務 部 關稅局長
  ○ 農林水産部 農業協力通商官
  ○ 商 工 部 國際協力官

II. 會議決定事項

① 당초 11월초 추진키로 한 UR關聯 政府實務代表團의 제네바 派遣은
   全體協商日程을 감안하여 원칙적으로 11월 16일 派遣을 推進토록 함.

② 앞으로 分野別 協商 및 政府實務代表團 제네바 파견에 대해서는
   다음과 같이 對處토록 함.

   - 11월 11일부터 分野別 協商이 본격적으로 이루어 질 것이 예상
     되므로 各分野別 協商에 關係部處 實務代表가 적극 참여

   - 특별한 사정이 없는 한 政府實務代表들은 11월 18일(월) 제네바
     현지에서 개최될 駐제네바 代表部와 政府實務代表團과의 1차
     회의에 참여할 수 있도록 日程을 調整

   - 政府實務代表團의 현지 主要人士面談에 있어서는 최소한 7개협상
     그룹의장을 代表團長, 關係部處 實務代表, 關聯 駐제네바 派遣官
     동석하에 면담할 수 있도록 일정을 마련(外務部와 駐제네바
     代表部 긴밀 협의)

0195

- 協商이 막바지 단계에 있음을 감안 對外協力委員會에서 결정이 필요한 사항을 제외한 餘他事項에 대해서는 현지에서 駐제네바 代表部와 政府實務代表團이 협의하여 협상에 伸縮性있게 대응해 나가는 것이 필요하므로 分野別 協商을 담당하고 있는 부처는 協商反映 優先順位 등을 再點檢하여 현지파견에 대비

③ 앞으로 協商이 진전됨에 따라 어느때 보다도 一貫性 있는 政府의 立場表明이 요청되기 때문에 同 委員會에서 일단 결정된 사항에 대해서는 公式的인 立場變更이 없는 한 이를 政府의 決定으로 하여 一貫된 立場이 견지될 수 있도록 유념토록 함.

0196

기 안 용 지

분류기호 문서번호	통기 20644- **41392**	(전화: 720 - 2188)	시 행 상 특별취급	
보존기간	영구. 준영구 10. 5. 3. 1.	장 관		
수 신 처 보존기간				
시행일자	1991.11. 6.			

보 조 기 관	국 장	전 결	협 조 기 관		문 서 통 제
	심의관				검열 1991 11 07 통제관
	과 장	대결			
기안책임자		조 현			발 송 인

경 유 수 신 참 조	주 제네바 대사	발 신 명 의	

제 목	UR 대책 실무위원회 회의 결과

연 : WGV-1518

11.1(금) 개최된 UR 대책 실무위원회 회의 결과 보고서를 별첨

송부하니 관련 업무에 참고하시길 바랍니다.

첨 부 : 상기 회의 결과 보고서 1부.   끝.

0197

경 제 기 획 원

우 427-760 / 경기도 과천시 중앙동1 정부제2청사 / 전화 503-9149 / 전송 503-9141

문서번호 봉조삼 10502-856
시행일자 1991. 12. 3.

선결			지시	
접수	일자시간	91 . : 12.5	결재·공람	
	번호	40530		
	처리과			
	담당자			

수신 수신처참조
참조

제목 UR대책실무위원회 개최

표제회의를 아래와 같이 개최코자 하니 참석하여 주시기 바랍니다.

- 아 래 -

1. 일   시 : '91.12.6(금), 10:30(회의후 오찬예정)
2. 장   소 : 경제기획원 대외경제조정실장실(1동 726호)
3. 의   제
   - 최근의 UR협상동향 평가 및 대응
4. 참석범위
   - 경제기획원 대외경제조정실장(주재), 제2협력관
   - 외 무 부 통상국장
   - 재 무 부 관세국장
   - 농림수산부 농업협력통상관
   - 상 공 부 국제협력관
   - 특 허 청 기획관리관

경 제 기 획 원 장

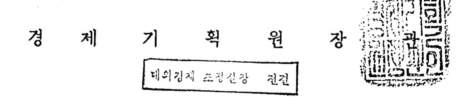

대외경제 조정실장 전결

수신처 : <u>외무부장관</u>, 재무부장관, 농림수산부장관, 상공부장관, 특허청장

0198

경 제 기 획 원

우 427-760 / 경기도 과천시 중앙동1 정부제2청사 / 전화 503-9149 / 전송 503-9141

문서번호 봉조삼 10502- 877
시행일자 1991. 12. 9 .

선결			지시		
접	일자 시간	41 . . 1r . 11 :	결재.공람		
수	번호	**41237**			
처리과					
담당자					

수신 수신처참조
참조

제목 UR대책 실무위원회 개최

　　UR대책 실무위원회 개최('91.12.6) 결과를 별첨과 같이 통보하니 결정사항의 이행
에 만전을 기해 주시기 바랍니다.

첨부 : UR대책 실무위원회 개최결과 1부.　끝.

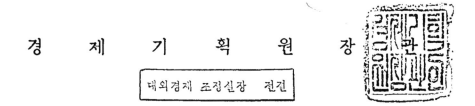

경 제 기 획 원 장

수신처 : 외무부장관(통상국장), 재무부장관(관세국장), 농림수산부장관(농업협력
　　　　통상관), 상공부장관(국제협력관), 특허청장(기획관리관)

0199

UR對策 實務委員會 開催結果

I. 會議槪要

- 日時(場所) : '91.12.6(金), 10:30～12:20
  (經濟企劃院 大會議室)

- 參席

  ○ 經濟企劃院　對外經濟調整室長(會議主宰)
  　　　　　　　第2協力官
  ○ 外　務　部　通商審議官
  ○ 財　務　部　關稅局長
  ○ 農林水産部　農業協力通商官
  ○ 商　工　部　國際協力官
  ○ 特　許　廳　企劃管理官(國際協力課長 代參)

- 會議案件

  ① 知的財産權 協商對策
  ② UR制度分野 : 交叉報復問題
  ③ UR/農産物 協商展望과 對策
  ④ UR協商動向과 對應方向

II. 會議結果

① 知的財産權 協商對策

- 特許廳에서 제시한 協商對策을 중심으로 협상에 대응하되
  技術的인 事項에 대해서는 特許廳과 商工部 등에서 추가
  검토토록 함.

0200

② UR制度分野

- 交叉報復을 반대한다는 既存立場의 범위내에서 소극적으로
  대응해 나가되 協商動向을 보아 代案提示與否는 UR對策
  實務委員會의 별도 검토를 거쳐 결정토록 함.

③ UR/農産物 協商展望과 對策

- 包括的 關稅化를 반대하고 있는 국가들과의 共同對應問題는
  協商動向 및 實益確保側面을 고려하여 신축성있게 대응토록
  함.

- 다음 技術的 事項에 대하여는 關係部處 實務協議를 통하여
  대안을 발전시켜 나가되 實務協議에서 결론이 나지 않은
  사항에 대해서는 同 委員會에서 다시 검토하여 立場을 정리
  토록 함.

  ⅰ) 關稅化 및 國內補助減縮 기준년도
  ⅱ) 開發途上國 差別優待問題
  ⅲ) 開途國優待에 있어 期間 또는 減縮率中 어느것이 유리
      하느냐 문제
  ⅳ) 減縮率 및 基準年度등 우리의 구체적 입장을 一般原則
      으로 주장한 것인지 또는 개별적으로 주장한 것이지
      여부등

④ UR協商動向과 對應方向

- 우리의 協商力에 한계는 있으나 우리가 논리적으로 우위에
  있는 분야는 가급적 강력하게 주장하여 최종 단계에서
  農産物分野등과의 Trade-off에 대비토록 함.

  ㅇ 이를 위해 關聯部處는 分野別로 우리의 主要關心事項에
    대한 會議資料를 보완하여 經濟企劃院에 통보

0201

- UR政府代表團 派遣日程은 내주초 協商動向을 지켜본 後 결정
  토록 하되 各部處의 協商實務責任者들은 分野別 協商進行
  日程에 따라 개별적으로 제네바에 출장하여 대처하고 政府
  代表團이 파견될 경우 이에 합류토록 함.

- 앞으로의 協商動向을 파악하여 필요할 경우 UR協商關聯對策
  을 長官會議에서 논의 결정하도록 건의토록 함.

0202

외   무   부

110-760 서울 종로구 세종로 77번지   / (02)720-2188   / (02)725-1737

문서번호 통기 20644- **45769**

시행일자 1991.12.12.(   )

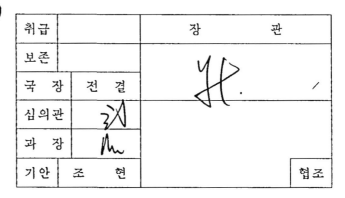

수신 주 제네바 대사

참조

제목 UR 대책 실무위원회

　　91.12.6 개최된 표제 회의 토의 및 결정 내용을 별첨 통보하니 참고하시기

바랍니다.

　　에서의

첨 부 : UR 대책 실무위원회 개최 결과 1부.　　　　　　　　　　끝.

외   무   부   장   관

0203

경 제 기 획 원

우 427-760 / 경기도 과천시 중앙동1 정부제2청사 / 전화 503-9149 / 전송 503-9141

문서번호 봉조삼 10502-ク○○

시행일자 1991. 12. 19.

수신 수신처참조

참조

선결			지시	
접수	일자시간	'91. 1ㅇ. ㅇㅇ	시결	
	번호	42276	재·공	
처리과			람	
담당자				

제목 UR대책 실무위원회 개최

　　1. '91.12.20 TNC회의에 제출예정인 UR협상 협정문초안(Draft Final Act)에 대한 정부의 대응방안에 대해 협의하기 위해 다음과 같이 표제회의를 개최코자 하니 참석하여 주시기 바랍니다.

- 다 　 음 -

　가. 일 시 : '91. 12.24(화), 10:00
　나. 장 소 : 경제기획원 소회의실(7층 722호실)
　다. 참 석 : 경제기획원 대외경제조정실장(회의주재), 제2협력관
　　　　　　　　외 무 부 봉상국장
　　　　　　　　재 무 부 관세국장
　　　　　　　　농림수산부 농업협력봉상관
　　　　　　　　상 공 부 국제협력관
　　　　　　　　특 허 청 기획관리관

　　2. 아울러 동 회의에 상정할 종합자료를 작성코자 하니 현재까지 파악된 범위내에서 '91.12.20 TNC회의에 제출될 분야별협상 Text상의 주요쟁점 및 아국입장을 별첨자료에 따라 정리하여 '91.12.21(토)까지 당원에 제출하여 주시기 바랍니다.

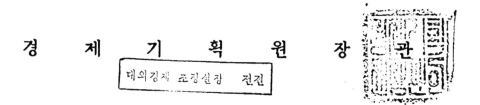

경 제 기 획 원 장 　관

　　　　대외경제 조정실장 　전결

수신처 : 외무부장관, 재무부장관, 농림수산부장관, 상공부장관, 특허청장

0204

< 添附 >

< ○○分野 >   分野別 議長協定文案案에 대한 主要爭點 및
　　　　　　　우리의 立場

主要爭點	議長協定文草案 1」	우리의 立場 反映與否 및 對應方案	備 考 2」

1」 기존의 議長協定文草案과의 차이가 있을 경우 차이점 명시
　　 (變更事由를 간략히 명시)

2」 비고란에는 各國의 立場 및 向後協商展望등 참고사항 명시

0205

UR 대책 실무회의(91.12.24) 관련 자료

1991. 12. 23.

외 무 부 통 상 기 구 과

0206

1. 제도분야 의장 협정문(안) 주요쟁점 및 아국 입장

주요쟁점	의장 협정문 초안	아국 입장 반영 여부 및 대응 방안	비 고
1.일방조치 억제	○여타국의 무역조치의 갓트 위반 여부 판정, 합리적 이행기간 결정, 보복의 수준 결정 및 보복조치 발동과 관련 체약국은 반드시 갓트 분쟁해결 절차를 준수해야 함(일방조치라는 표현 불사용)	○분쟁해결과 관련, 일방조치를 발동 해서는 안된다는 아국 입장 반영	○모든 협상 참가국이 이의없이 동의
2.무역관련 법령의 갓트일치	○분쟁해결 text에서 언급하는 대신 MTO 협정 문안 제16조 (Final provision) 4항에 "수정이 필요한 경우 이를 위하여 모든 조치를 취하기 위하여 노력해야 한다"고 규정	○아국의 입장이 무역 관련 법령의 갓트 일치 의무화인데 반해 의장 협정문 초안은 이를 임의 사항으로 남겨둠 으로써 아국 입장의 반영 정도가 미흡하나 미국의 강한 입장 때문에 현실적으로 관철이 어려움.	○국내무역 법령의 갓트일치를 임의 사항으로 하는데 모든 협상 참가국이 이의 없이 동의
3.교차보복	○원칙적으로 동일분야에서 보복 허용 ○동일분야에서의 보복이 비현실적이거나 비효과적일 경우 동일 협정하의 다른 분야에서의 보복 허용 ○동일 협정하에서의 보복이 비현실적이거나 비효과적일 경우 여타 협정하에서의 보복 허용	○엄격한 기준하에 교차보복이 허용 되어야 한다는 아국 fall-back position에 비추어 큰 문제 없음.	○모든 참가국이 합의된 것으로 양해
4.MTO 협정 발효 및 가입시한	○각료회의(Implementing Conference)를 개최하여 MTO 협정 발효 시점 결정	○MTO 설립에 원칙적 으로 반대치 않는 입장이므로 각료 회의에서 MTO 협정 발효 시점을 결정 하도록 한것은 별다른 문제가 없음	○모든 참가국간에 합의가 이루어진 것으로 양해

0208

주요쟁점	의장 협정문 초안	아국 입장 반영 여부 및 대응 방안	비 고
	○갓트체약국의 MTO 협정 가입시한은 동 각료회의에서 달리 정하지 않는한 95.1.1까지로 함.	○MTO 협정 가입 시한에 대해서는 신중한 입장이나 컨센서스가 이루어 지는 경우 이에따름	○UR 협상 결과에 대한 참가국들의 평가에 따라, 논란의 여지가 있을 것으로 분석됨.
5.Single Under- taking (일괄수락)	○MTO 협정문 11조에 "UR 협상 결과를 전체로서 수락하는 갓트체약국을 원회원국으로 한다"고 규정함으로써 UR 협상 결과의 선별 수락 가능성 배제	○UR 협상 결과를 일괄 수락하는데 대해 아국은 반대치 않는다는 입장	○인도, 브라질이 일괄 수락에 반대 입장인바, 향후 논란의 대상이 될 소지가 있음
6.최종 의정서 (Final Act)	○UR 협상 결과의 국제적 이행 여부에 관한 결정을 위한 각료급 갓트 특별총회를 92년말 이전에 개최	○푼타 델 에스테 각료선언에 의거한 것인바, 별다른 문제가 없음.	○협상 참가국간에 별다른 이의가 없음
	○제반 UR 협정의 발효일자 결정을 위한 각료급 회의를 92년말 이전에 개최	○UR 협상 참가국의 국내 수락 절차 완료 상황을 고려하여 UR 협정 발효일자를 결정하게 되므로 별다른 문제가 없음	○협상 참가국간에 별다른 이의가 없음.
	○제반 UR 협정의 발효일자 : 93.1.1	○UR 협상 결과에 대한 아국의 전반적인 평가가 이루어 진후 결정할 문제	○일본은 93.7.1 스위스는 94.1.1, 미국은 협상 종료후 가장 빠른 시점을 주장하는등 협상 참가국간에 의견이 일치하지 않고 있음.

0209

2. 최종의정서

1. 91.12.20 이후 UR 협상 추진 일정 (예상)

91.12.20   UR 협상 최종 draft package (Dunkel paper) 배포

92. 1.13   TNC 회의 개최

- UR 협상 참가국, Dunkel paper에 대한 원칙적인 수락
  여부 표명

92.1-3   하기 분야에서 UR 최종 마무리 협상 진행

(분야별 양허 schedule 작성)

- 시장접근

- 농 산 물 (국내보조, 수출경쟁)

- 서 비 스

92.4월경   마무리 협상 종료후 Final Act(UR 협상 최종 package) 채택

92년말 이전   각료급 갓트 특별총회 개최
(Final Act 채택
회의와 동시   - UR 협상 결과의 국제적 이행 문제 결정
개최하는 것으로
양해)   (푼타 델 에스테 각료선언에 의거)

92년말 이전   제반 UR 협정 및 MTO 설립 협정 발효일자 결정을 위한

각료회의 개최 (Implementing Conference)

- 동 결정시 각국의 국내 비준 상황 고려

(93.1.1)   제반 UR 협정(MTO 설립 협정 포함) 발효

- 상기 UR 협정 발효일자 결정을 위한 각료회의의 결정에

따라 변경 가능

0210

(95.1.1) 　　　　MTO 설립 협정 수락 시한

　　　　　　　 - 94년말까지 MTO 설립 협정 수락을 통해 UR 협상 결과를
　　　　　　　　 일괄 수락치 못하는 갓트 체약국은 갓트 체약국으로서
　　　　　　　　 가입 조건 협상없이 MTO 회원국 지위를 획득할 수 있는
　　　　　　　　 권리 상실

2. 대 책

ㅇ 최종의정서 협의 과정에서 바람직한 Final Act 발효일과 관련하여 일본이
　　93.7.1, 스위스가 94.1.1을 제의 하였으나, 미.EC등 다수국 희망대로
　　93.1.1로 결정될 가능성이 가장 클 것으로 예상됨.

ㅇ 발효일 문제는 정치적인 약속으로서 실질적인 사항은 MTO 설립과 관련하여
　　논의될 것이므로 특별한 대책 마련 불요.　　　　　　　　 끝.

3. UR/제도분야 최종 협정문 내용 및 평가

I. 분쟁해결

> 모든 참가국간 합의 또는 대체적 양해하에 작성 되었으며 Final Act 채택 시점까지 기술적 협상을 거쳐 단일 분쟁해결 절차 (IDS : Integrated Dispute Settlement System) 형태로의 궁극적인 통합을 상정하고 있음.

1. 주요내용

가. 통합 text

○ 하기 사항을 주요 내용으로 하고 있으며, 발효후 4년 이내에 전반적인 재검토 예정

- 분쟁해결의 매단계 자동화

- 66년 절차 적용에 관한 규정 존치 (2-Tier System)

- 분쟁해결의 전체 및 단계별 시한 설정 (전체 18개월)

- 상소제도 및 합리적 이행기간 개념 신규 도입

- 보상, 보복과 관련 중재 제도 도입

- 일방조치 배제 (갓트 분쟁해결 절차 준수)

- Non-violation 분쟁에 관한 별도 규정 신설

나. 단일 분쟁해결 절차(IDS) text

- 분쟁해결 기구(Dispute Settlement Body) 설치, 표준 TOR, 협정간 절차 규정 상충시의 적용절차, 협정간 실질규정 상충시의 처리 방법등 UR 협상 종료후 상품, 서비스 협정을 총괄하여 통일적으로 적용될 IDS 문안에 포함될 요소를 나열

0212

다. 교차보복 관련 별도 문안

- 궁극적으로 IDS 문안에 포함될 사항인 교차보복의 기준 및 절차등을 규정

2. 분석 및 평가

가. 절차 자동화

- 분쟁해결 매단계별 및 전체시한 설정, 매단계 이사회 결정 방식의 완전 자동화 등을 통해 분쟁해결 절차 과정에서의 봉쇄(blockage) 요소가 완전 제거된 반면, 상소제도 도입, 합리적 이행기간 개념의 도입, 보상, 보복관련 중재 제도 도입등 완전 자동화에 따라 있을 수 있는 부작용에 대한 견제장치도 아울러 마련

나. 일방조치 억제 공약

- 상기 분쟁해결 절차 자동화와 연계된 쟁점인 일방조치 억제 공약과 관련, 분쟁의 판정, 합리적 이행기간 결정, 불이행시의 보복의 수준 결정 및 보복조치 발동등 GATT 관련 모든 분쟁을 새로운 분쟁해결 규율에 따라서만 해결토록 한다는 문안에 대해 합의가 이루어짐으로써 일방적 무역 조치에 대한 억제가 가능하게 됨. 다만 무역관련 국내법령의 갓트 일치 문제와 관련, 이를 의무사항이 아닌 임의 사항으로 MTO 설립 협정 제16조 4항에 규정함으로써 당초 목표보다는 다소 미흡하나, 미국 입장에서는 최대한의 양보선이라고 판단됨.

다. 통합절차

- 또한 92.4까지 분쟁해결 관련 단일절차(IDS)가 마련될 전망이며, 이에 따라 지금까지 GATT내 다수 분쟁해결 절차의 병존에 따라 발생되어 오던 문제점(Fragmentation 및 Forum shopping)이 해소될 것으로 전망됨.

0213

라. 교차보복

  - 다만 아국에 대해 다소 불리하게 작용될 소지가 있는 교차보복이
    도입 됨으로써 부담이 되는 면은 있으나, 이는 UR 협상 결과 다자간
    무역규범이 상품 분야뿐만 아니라 써비스, 지적소유권등 여타 모든
    분야로 확대됨에 따른 불가피한 결과임.

3. 전망 및 대책

  - 1.13 이후 92.4월중순까지를 목표로 IDS 마련을 위한 실무, 기술적
    협상이 진행될 것임.

  - 특별한 어려움은 예견되지 않으나, 각 협정간의 절차적 또는 실질적인
    상충 가능성을 해소하기 위한 작업에 다소 시일이 걸릴 것으로
    예상되며, 이를 위해 기본적으로 사무국이 기초자료를 제공하게 될
    것이나, 아국으로서도 UR 협상 전분야 협상 결과 형성될 제반 규범에
    대한 면밀한 비교 검토가 필요함.

II. MTO

1. 문서의 성격

  - MTO 설립 협정안은 EC, 카나다가 제안하여 91.11.6부터 본격 논의하기
    시작 하였으며, 논의 과정에서 참여국의 의견을 반영하여 의장이
    작성함. MTO 문제는 1.13이후 추가 협의가 필요한 분야로서 의장의
    주석에도 언급되어 있음.

2. 주요내용

  가. MTO의 범위(2조)와 관련 상품 협정, 서비스 협정, TRIPs 협정을
      개도국의 입장을 반영, 별도 category로 분류

0214

나. MTO의 기능(3조)중의 하나로서, 통합 분쟁해결 절차 포함
(선진국 입장 반영)

다. MTO의 구조와 관련 일반 이사회 산하에 상품, 서비스 및 TRIPs
이사회를 각각 설립 (개도국 입장 반영)

라. 특정 회원간의 협약 부적용 규정(13조)와 관련 개도국 주장을 반영
분야별 부적용을 허용

마. 수락, 발효
- UR 참여 갓트체약국은 92.11.1부터 가입 가능
- 각료회의를 개최하여 MTO 협정 발효시점 결정 (93.1.1 예정)
- MTO 협정 발효일로부터 2년이내에 UR 협상 결과를 일괄 수락하여
MTO 협정을 수락치 않는 갓트체약국은 갓트체약국으로서 가입 조건
협상없이 MTO 회원국 지위를 획득할 수 있는 권리 상실

바. 최종 조항 (16조)
- 유보 불가 문제는 PPA 관련 협상 결과에 따름 (미국 입장 반영)
- UR 협상 결과 이행을 위한 국내법 개정 최대 노력
(일방조치 억제 차원)

3. 대 책

- 1.13 이후 추후 협의에 대비, UR 협상 결과를 전반적으로 검토하여
아국 입장 점검.

0215

Ⅲ. 갓트 기능

1. 주요내용

가. 갓트의 감시기능 강화

1) 각국 무역정책검토(TPRM)

- 88.12 중간평가 결과 89.4부터 시행중인 TPRM 실시 재확인

- 갓트이사회가 TPRM 실시 상황을 재검토하여 92 갓트 정규총회에 검토 결과 보고

2) 국제무역환경 검토

- 88.12 중간평가 결과 89.4부터 시행중인 연례 국제무역환경 검토 제도 재확인 및 계속 실시 권고

3) Domestic transparency

- 각국의 무역정책 결정과 관련한 명료성을 자발적으로 제고하는데 합의

4) 통고제도 개선

- 기존의 갓트상의 통고 공약 재확인

- 중앙통고문 기탁소를 갓트사무국에 설치

- 기존 갓트상의 통고 의무 및 절차 재검토 (이를 위한 작업반을 UR 협상 종료직후 설치)

나. 세계경제 정책 결정시 일관성 제고

- 갓트가 통화 및 금융관련 국제기구와의 협력 관계를 추구하고 발전시켜 나가야 함. (이 경우 각 국제기구의 권한, 비밀준수 의무 및 독립성을 존중하여 각국에 cross-conditionality나 여타 추가적인 의무를 부여하는 것을 피해야 함)

0216

- 국제경제 정책 수립시 일관성(coherence) 제고를 위하여 갓트 사무총장이 IMF 및 World Bank 총재와 함께 이들 국제기구간의 협력 방안을 검토할 것을 권고함.

2. 평 가

- 갓트기능 분야에서 상기와 같이 합의가 이루어짐으로써 TPRM이 갓트의 주요기능으로서 정착하는 계기 마련

- 또한 TPRM과 함께 연례 국제무역환경 검토 연례화, 갓트사무국내 중앙 통고문 기탁소 설치, 기존 갓트상의 통고 의무 및 통고절차 검토를 위한 작업반의 UR 협상 종료직후 설치에 합의가 이루어짐으로써 갓트의 감시 기능(surveillence)이 현저하게 강화됨.

- 통화, 금융 및 무역정책간의 일관성 제고 문제와 관련 각 기구의 mandate나 독자적인 지위에 영향을 미치지 않고 또한 각국에 추가적인 의무를 지우지 않는 범위내에서 GATT, IMF 및 World Bank간의 협력 관계를 강화하도록 권고함으로써 무난하게 합의가 이루어짐.

3. 대 책

- 갓트기능 강화와 관련하여 합의된 사항은 아국 입장에서 특별한 이해 관계가 없는 분야이므로 별도 대책이 불필요함.   끝.

갓트 조문관련 draft text 내용 및 평가

1991. 12. 24.

외 무 부   통 상 기 구 과

0218

1. 의장안의 성격

- 90.12. Brussels 각료회의시까지 2조 1항(b), 17조 및 28조에 대해 잠정 합의

- 철폐시한만 결정되면 타결될 예정이던 25조 5항(waiver)와 잠정 적용 의정서 및 가입의정서상의 조부 조항에 대하여는 철폐시한에 대한 합의가 이루어지지 않음으로써 괄호가 그대로 남아 있는바, Brussels Text와 동일

- 일부 참가국들이 초안 내용의 법적 의미에 대한 검토 완료시까지 유보한 조문인 35조(갓트 협정 부적용) 및 합의가 이루어지지 않은 분야인 24조 (관세동맹 및 지역협정)의 경우도 Brussels Text와 동일

- 따라서 의장이 자신의 책임하에 text를 제시한 BOP 조항의 경우만 제외하고는, 금번 최종 draft text중 갓트조문 관련 부분은 Brussels Text와 동일함.

2. BOP 조항 관련 내용

- BOP 조치 발동시 철폐일정을 가급적 조속히 공표 (동 철폐일정은 BOP 사정에 따라 변경 가능)

- 동 조치 발동은 가급적 수량규제보다는 가격 조치(price-based measure)가 되어야 함.

- 수량제한 조치 발동시 이에대한 justification을 제시해야 함.

- BOP 조치는 필요한 최소한에 그쳐야 하며 명료하게 취해져야 함.

- 새로운 BOP 조치를 도입하거나 기존의 BOP 조치를 강화하는 경우 체약국단에 통고해야 함.

- BOP 위원회는 BOP 협의 결과 보고서에 권고사항을 포함시키도록 노력해야 함.

0219

3. 분석 및 평가

- 갓트조문 협상그룹은 협상대상 조문중에서 선.개도국이 가장 첨예하게
  대립하고 있던 BOP 조항에 대해 우선적으로 협상을 진행할 수 밖에 없었던
  관계로 여타 미결 조문에 대해서는 실질적인 협상이 이루어지지 못하였음.

- BOP 조항과 관련 의장은 BOP 조항의 원용을 어렵게 하는 방향으로 관련
  규정의 개정을 요구하는 선진국과 동 조항을 협상의 대상으로 삼는데에
  반발하는 개도국들의 입장을 절충하여, BOP 조항과 1979년 선언을 실질적으로
  변경시키지 않는 범위내에서 관련 규율을 강화하는 text(안)을 제시한바,
  선.개도국들의 입장이 적절히 반영된 것으로 평가됨.

- BOP 조항의 원용을 이미 중단한 아국으로서는 별도의 대책 수립이 불필요함.

끝.

0220

UR協商 進展狀況 及 向後關聯對策

1991. 12

經濟企劃院

目 次

Ⅰ.「우루과이라운드」協商 進展狀況 및 展望

- 던켈 GATT事務總長은 지난 12月 20日 브랏셀 閣僚會議이후
  1년간의 協商結果를 종합한 7개분야 最終協定文案을 제시

  ㅇ 同 協定文案은 합의를 기초로 작성된 분야도 있으나 農産物
    등 一部 核心分野에서는 쟁점이 해소되지 않아 議長責任下에
    作成·提示

  ㅇ 던켈總長은 同 協定文案을 앞으로 3주동안 신중하게 검토한
    후 '92年 1月 13日 개최될 「UR 貿易協商委員會(TNC)」에서
    一括的으로 각국의 입장을 개진하여 줄 것을 요청

- 이번에 協定文案이 제시됨에 따라 앞으로 협상은 主要爭點에
  대한 政治的 妥結努力을 중심으로 전개될 전망이며 美國·EC의
  궁극적인 합의여부가 全體協商成功의 關鍵이 될 전망

  ㅇ 美國과 EC가 합의에 이를 경우 현재의 協定文案을 중심으로
    協商은 마무리 될 수 있을 것으로 예상

    · 美國·EC이외의 국가가 반대할 경우 일련의 折衷過程을
      거쳐 늦어도 '92年 上半期中에는 全體的인 協商妥結이
      可能할 전망

  ㅇ 美國과 EC가 합의에 이르지 못할 경우 UR協商은 '92年末
    또는 그 이후까지 延長될 것으로 예상

- 우리로서는 이상과 같은 두가지 協商展開可能性을 고려하면서
  '92年 1月初의 韓·美 頂上會談과 1月 13日 개최될 「UR 貿易
  協商委員會」에 대응하는 綜合的인 對策의 樹立이 필요

Ⅱ. 最終協定文案에 대한 評價

- 이번 協定文案은 우리의 最大關心事項인 農産物分野에서「例外 없는 關稅化原則」이 포함됨으로써 우리에게 큰 부담으로 작용

    ○ 政府는 最終段階에서 우리나라 單獨으로 또는 日本, 카나다 등과 공동으로 例外認定의 不可避性을 강조했으나 同 文案 에는 未反映

    ○ 다만, 農産物分野에서도 國內補助와 開途國 優待등에서는 우리의 立場이 상당부분 反映

- 금번 協定文案은 매우 광범위한 분야를 包括하고 있고 거의 모든産業에 영향을 미칠 것이기 때문에 보다 綿密한 分析이

    이루어져야 最終的인 評價가 가능할 것이나 農産物이외의 分野에서는 일단 全般的으로 수용에 무리가 없을 것으로 판단

    ○ 우리나라는 최근 수년간 關稅引下, 知的財産權의 保護, 서비스市場의 開放등을 통하여 國內的인 適應能力을 키워 왔을 뿐만 아니라 앞으로 지속적 발전을 위해서도

    開放政策의 꾸준한 追求가 불가피하기 때문에 이번 協定文案 에 제시된 市場開放水準은 수용가능

    ○ 특히 關稅引下, 纖維, 反덤핑등 분야에서는 그간 集中的인 협상노력의 결과 우리의 중요한 旣存利益을 確保하면서

    동시에 先進國의 恣意的인 貿易障壁을 낮추어 가는 긍정적 성과기대

- 基本協定이 만들어 지더라도 農産物, 서비스등 分野에서는 앞으로 추가적으로 있게 될 自由化約束 協商過程에서 實質的인

    開放化의 정도가 결정되므로 이 과정에서 우리의 實益을 최대한 확보할 수 있도록 철저한 對備가 필요

Ⅲ. 向後의 協商關聯對策

◇ 最終協定文에 대한 우리의 利害得失을 綿密히 點檢 · 評價
  하고 主要國의 動向 및 反應을 把握하여 汎部處次元에서의
  綜合的인 對策을 수립 추진 ◇

- 最終協定文案 제시이후의 主要國 反應 및 動向을 분석하여
  앞으로의 協商進行展望을 綜合的으로 판단

    ○ 제네바 및 在外公館에 駐在國動向을 즉서보고토록 旣措置

- 부시 美大統領 訪韓時 最終協定文案에 대한 美側의 立場을
  打診함과 아울러 우리의 立場을 보다 명확하게 傳達

    ○ 韓國이 그동안 農産物分野를 제외한 UR의 모든 분야에서
      상당한 寄與를 했으며 앞으로도 UR의 成功的 妥結을 위해
      적극적으로 協調할 方針임을 설명

    ○ 다만 農産物의 일부분야에 있어서는 우리의 政治 · 經濟 ·
      社會 · 文化的 特殊性으로 關稅化는 물론 最小市場接近도
      허용할 수 없다는 점과 農業分野에서의 開途國 認定에
      대해 美國의 理解와 協調를 요청

- 1月 13日「UR 貿易協商委員會」에 대비하여서는 1月初까지
  主要國의 보다 분명해진 立場을 종합적으로 판단 具體的인
  對應方案을 마련하여 별도 보고후 대처

    ○ 農産物分野에서의 旣存立場堅持를 위한 최선의 방안을
      강구

- 協商動向 및 協定文案의 內容을 국민들에게 충분히 알림
  으로써 UR協商全般에 대한 國民的 理解를 增進시킴과 동시에
  지난 5月에 마련한 UR關聯 國內後續對策을 본격적으로 추진

- 4-4 -

0225

長官 報告事項

報 告 畢

1991. 12. 24.
通 商 局
通 商 機 構 課 (75)

題 目 : UR 對策 實務委員會 結果 報告

> 91.12.24(火) 經濟企劃院 對調室長 主宰로 開催된 UR 對策 實務委員會
> 參席 結果를 아래와 같이 報告합니다.

---

1. 會議 內容

 ○ Dunkel 갓트 事務總長이 91.12.20 提出한 UR 協商 最終 協定 草案을 分野別로
   檢討한 바, 農産物 分野를 除外하고는 全般的으로 受容 可能하다는데 意見이
   모아짐.

   1次80 (손글씨)

2. UR 協商 進展狀況 청와대 報告

   大統領께 (손글씨)   *(經濟長官 配席)* (손글씨)

 ○ 經濟企劃院長官은 12.26 15:30 "92年度 經濟 運用 計劃" 報告時 UR 協商
   進展 狀況 및 向後 關聯 對策을 報告할 豫定 ~~(內容 別添)~~

 ○ *外務部長官 參席希望* (손글씨)

3. 向後 作業計劃 (92.1.13 UR/TNC 會議 對備)

 ○ 年末(12.30경) 및 年初(1.7경)에 各各 1회 UR 對策 實務委員會 開催

 ○ 1.10 對外協力委員會 開催, 我國 立場 樹立

 ○ 이와관련 主要國 動向을 면밀히 把握 및 分析

4. 言論 및 國會對策 : 該當 없음.   끝.

양 고 재	통 상 기 구 과	위 년 신 인 한	담 당	과 장	심의관	국 장	차관보	차 관	장 관
			안병수	(서명)	(서명)	(서명)			

0226

長官報告事項

報告畢

1992. 1. 7.
通 商 局
通商機構課(1)

題 目 : UR 對策 實務委員會 結果 報告

92.1.7(火) 開催된 UR 實務 對策委員會 參席 結果를 아래와 같이 보고합니다.

---

1. 會議 內容

    ~~가. TNC 會議時 我側 基調演說~~

    ○ 92.1.13(月) TNC 會議時 我側 首席代表 演說文(案)檢討

    - 最終議定書 草案이 5年間의 協商 結果를 反映하고 있는점을 評價하나,

      農産物 輸入國의 利害 反映이 ~~미흡한~~ 관심사항이 되지 않은 점등에 대해 異意를 提起하고 추가협상을 통해 균형된 해상결과가 도출되어야 한다는 제기

    - 그러나 UR해상의 방향적 마련을이저 논의방상에 계속 조정정을 확대한기인을 티청

    ~~나. TNC 會議 本部代表團 派遣~~

    ~~農林水産部及 本部代表를 派遣커로 暫定 合意~~ 검토

2. 對外協力委員會 開催

    ○ 對外協力委員會를 92.1.11(土) 午前 또는 92.1.9(木) 國務會議 直後 開催,

      我國 立場 確定後 제네바 代表部에 訓令 示達

3. 向後 對策

    ○ 92.1.13. TNC 會議 以後로 豫定된 農産物, 市場接近 및 ~~SVC~~ 서비스 兩者協商과

      關聯, 部處別로 資料 ~~收集~~ 작성, 논거 마련등 對策 樹立

4. 言論 ~~및 國會~~ 對策 : 經濟企劃院에서 別途 準備.   끝.

앙고재	통상기구과	92년1월7일	담당	과장	심의관	국장	차관보	차관	장관
			안영수	[서명]	[서명]				

0227

長 官 報 告 事 項

報 告 畢

1991. 12. 30.
通 商 局
通 商 機 構 課(76)

題 目 : UR 對策 實務委員會 結果 報告 (12.30)

1. 參 席 者 : 經濟企劃院 對調室長(會議 主宰) 및 外務部, 財務部, 農林水産部,
   商工部, 特許廳 關係局長

2. 討議內容 :

   ○ ~~91.12.20자~~ UR 協商 最終 協定 草案에 대한 主要國 反應 報告 (外務部)
     히여← (12.20자)

   ○ ~~92.1.13~~ TNC 對策 協議 (92.1.13)

     - 各國 動向 把握, 92.1.7. 實務委에서 對策案(言論對策 包含) 마련,
       1.13 以前 對外協力委員會에 上程

     - 農産物 分野에서 異見이 있음을 명백히 表明하는 것을 基本立場으로
       하되, 1.13 以前 美.EC間 合意 導出等에 對備한 別途 對策도 考慮

   ○ 農産物 協商 對策 報告 (農林水産部)

     - 쌀등 基礎食糧 品目에 대한 關稅化 例外 推進

     - 쌀에 대한 最小 市場接近 例外 推進

     - 開途國 優待 確保等

3. 國會 및 言論 對策 : 該當 없음.   끝.

공람	통상기구과	기안/심의/인	담 당	과 장	심의관	국 장	차관보	차 관	장 관
			서명	서명	서명				

0228

외 무 부

110-760 서울 종로구 세종로 77번지 / (02)720-2188 / (02)725-1737

문서번호 통기 20644- **01277**

시행일자 1991.12.31.(   )

수신 주 제네바 대사

참조

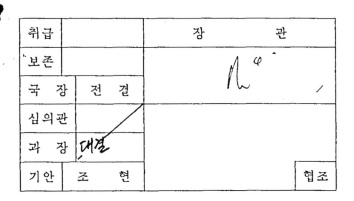

취급		장 관
보존		
국 장	전 결	
심의관		
과 장	대결	
기안	조 현	협조

제목 UR 대책 실무위원회 개최 결과

　　　91.12.24(화) 및 12.30(월) 개최된 UR 대책 실무위원회 결과 및 관련 자료를
별첨 송부하니 업무에 참고하시기 바랍니다.

첨 부 : 1. 12.24. UR 대책 실무위원회 개최 결과.

　　　　 2. 12.30. UR 협상 관련 대책(안).

　　　　 3. UR 농산물 협상 대책 자료.

　　　　 4. 12.30. UR 대책 실무위원회 개최 결과 보고서.

　　　　　　　　외 무 부 장 관

0229

경 제 기 획 원

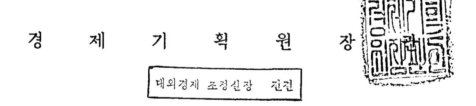

우 427-760 / 경기도 과천시 중앙동1 정부제2청사 / 전화 503-9149 / 전송 503-9141

문서번호 통조삼 10502-916

시행일자 1991. 12. 27.

수신 수신처참조

참조

선결			지시	
접수	일자 시간	91 . 12. 31 :	결재 · 공람	
	번호	43143		
처리과				
담당자				

제목 UR대책 실무위원회 개최결과 통보

　　　　UR대책 실무위원회 개최('91.12.24)결과를 별첨과 같이 통보하니 결정사항의
이행에 만전을 기해 주시기 바랍니다.

　　　첨부 : UR대책 실무위원회 개최결과 1부.　　끝.

경 제 기 획 원 　 장

대외경제 조정실장 전결

수신처 : 외무부장관(통상국장), 재무부장관(관세국장), 농림수산부장관(농업협력
　　　　통상관), 상공부장관(국제협력관), 특허청장(기획관리관)

0230

UR對策 實務委員會 開催結果

Ⅰ. 會議槪要

- 日時(場所) : '91.12.24(火), 10:00〜12:30
  (經濟企劃院 小會議室)

- 參席
  - ○ 經濟企劃院　對外經濟調整室長(會議主宰)
    　　　　　　　第2協力官
  - ○ 外　務　部　通商審議官
  - ○ 財　務　部　關稅局長
  - ○ 農林水産部　農業協力通商官
  - ○ 商　工　部　國際協力官
  - ○ 特　許　廳　企劃管理官

- 會議案件
  ① 分野別 UR/最終協定文案에 대한 檢討
  ② UR協商 進行狀況 및 關聯對策

Ⅱ. 會議結果

① 分野別 UR/最終協定文案에 대한 檢討

- 각 분야별 주무부처에서 제출한 분야별 1차 검토결과 및 향후협상재개(reopen) 여부등을 논의

- '92.1.13 TNC會議에서 제기할 우리의 구체적 입장은 추후 결정하기로 하되 다음사항을 우선적으로 검토

  - ○ 農産物協商에서 基準年度, 最小市場接近등에 관한 我國 立場을 구체화

0231

· 開途國은 Standstill義務가 적용되지 않았으므로 기준
년도에 伸縮性을 부여하여야 한다는 점과 關稅化에서
基準年度가 조정되지 않을 경우 漸進的 自由化推進을
위한 관세화제도의 근본취지에 맞지 않는 결과가
초래될 우려가 있는 點에 대한 논리를 개발하여 對應

· 最小市場接近에서 開途國 優待가 반영되지 않는 것은
일관성이 없다는 점을 들어 同 分野에서도 開途國
優待 반영주장

ㅇ 補助金/相計關稅에서 許容補助金의 範圍에 구조조정
등이 포함되도록 주장

ㅇ 反덤핑, 세이프가드, 相計關稅에서 제소자격, 피해판정
등의 계량화 필요성 강조

- 政府立場의 綜合調整을 위해 經濟企劃院에서 작성한 「UR/
最終協定文案에 대한 檢討(案)」을 關係部處別로 검토 보완
하여 '91.12.27까지 제출

② UR協商 進行狀況 및 關聯對策

- '91.12.26(木)에 靑瓦臺 報告는 關係部處의 意見을 반영하여
안건대로 보고

- 향후 UR協商에 대한 政府의 立場定立을 위해 다음 일정으로
추가 협의를 거쳐 政府立場調整

ㅇ '91.12.30(月) 및 '92.1.7(火) UR對策 實務委員會 추가
개최

ㅇ '92.1.10(金) 對外協力委員會 개최건의

- 外務部에서는 UR관련 정보를 종합하여 關係部處 신속전달

- 國內弘報는 協商內容을 충분히 알리되 協商에의 影響 및
對內外要因을 고려하여 신중하게 대처

- Green Room協議 중심으로 協商體制가 이루어 질 경우 對應
體制 검토

0232

UR協商 關聯對策(案)

〈 檢 討 課 題 〉

Ⅰ. 向後 主要協商日程關聯 對應課題

Ⅱ. 向後 追加協商課題(案)

Ⅲ. UR/海運서비스 事務局 提案關聯 對應

經 濟 企 劃 院
對外經濟調整室

0233

Ⅲ. UR/海運서비스關聯 事務局 提案關聯 對應

〈 經緯 〉

- 海運附屬書가 美國, 北歐 및 餘他國家들과 합의를 이루지
  못함에 따라 GATT 事務局에서 代案提示('91.12.15)

- 事務局案의 主要內容

  ① 海運서비스 自由化는 서비스협정 발효이후 일정기간경과후
     履行(예: 10년)

    ○ 國際海運規制事項의 현수준동결 및 10년내 철폐
      · 貨物分割 및 一方的 貨物留保措置 10년내 철폐
      · 國際海運航路 협정발효 5년후 자유화

    ○ 海運補助서비스에 대한 規制凍結 및 10년내 점직적 철폐

    ○ 협정발효 5년후 항만서비스에 대한 合理的, 非差別的
       接近保障등

  ② 個別國家의 MFN逸脫은 自由化 約束履行과 동일한 기간으로
     허용

〈 對應方案 〉

- 海運서비스分野에 있어 我國政府의 基本立場은 다음과 같음.

  ○ MFN原則은 다자화 규범의 초석으로 自由化約束에 대한
     협상에 앞서 우선적으로 적용

  ○ 海運補助서비스에 대해서는 현존규제동결 및 점진적 철폐

  ○ 港灣施設에 대해서는 즉각적인 접근 및 사용보장

- 금번 事務局이 제안한 단계적인 海運分野 自由化約束과 MFN
  原則 적용상의 猶豫期間認定은 아국의 기본입장보다 보수적
  이기 때문에 기본적으로 이를 받아들일 수는 없음.

- 다만, 앞으로의 協商에서 여타서비스와의 협상연계등을 고려
  하여 事務局案을 검토할 용의가 있다는 방향으로 대처하고
  세부적인 검토결과는 앞으로의 附屬書 協議過程에서 제시할
  것임을 표명하음.

0234

Ⅱ. 向後 追加協商課題(案)

◇ 앞으로 追加的인 協商이 가능할 경우 반영이 필요한 사항과 여타 분야에서의 立場强化를 위하여 입장견지가 필요한 사항을 선정

◇ 同 課題에 대해서는 우리의 입장을 보다 명료하고 합리적으로 주장할 수 있는 論理를 추가 개발·대응

< 農産物 >

- 基礎食糧으로써 국가별 민감품목에 대한 <u>關稅化 例外認定</u>
  (쌀에 대해서는 <u>最小市場接近保障</u> 제외)
- 開發途上國에 대해서는 關稅減縮 및 國內補助減縮에 있어 기준년도를 최근년도 적용
- 韓國에 대한 開發途上國(最小市場接近 포함) 인정

< 規範制定 >

- <u>構造調整關聯 補助金의 허용보조 인정</u>
- 상계조치 제소의 恣意的 運用防止를 위한 제도적장치 반영
- 일정기준이하의 덤핑마진율 및 市場占有率에 대한 덤핑조사 종결기준의 上向調整(덤핑마진율 2% → "x"%, 시장점유율 개별국 1% → "x"%)
- 緊急輸入制限措置에 있어 <u>Quota Modulation의 완전폐지</u> √

< 其他 提起可能事項 >

√ - 市場接近分野에서 關稅引下, 關稅無稅化 및 關稅調和, 非關稅措置讓許의 균형있는 책임분담
- 서비스分野에서는 MFN逸脫의 最小化 및 讓許協商의 균형 확보
- 其他 反덤핑, 金融附屬書, 知的財産權 협상에서 美國등이 현재의 協定文案에서 자국의 이익을 추가 반영코자 할 경우 이에 대한 대응방안 마련 대비
* 上記課題를 감안하여 具體的인 課題選定 및 對應論理를 開發 '92.1.6까지 최종안 제출

0235

I. 向後 主要協商日程關聯 對應課題

① '92.1.5 韓·美 頂上會談 關聯對策

　- '91.12.26 靑瓦臺 報告資料를 중심으로 대응
　- 長官 個別面談資料는 별도작성중

② '92.1.13 TNC會議 대책

　- 1월초 各國의 動向을 파악하여 우리의 최종입장을 정리하되
　　기본적으로 다음방향으로 대응

　　ㅇ 農産物分野에서 例外없는 關稅化原則과 기준년도 등에
　　　異見이 있음을 명백히 표명

　　ㅇ 餘他 協商議題에 있어서 우리가 再論이 필요하다고 판단
　　　되는 사항을 개진

　　ㅇ 이러한 문제들이 最終協商段階에서 균형있게 반영된다면
　　　韓國으로서는 현재의 협상문서를 기초로 한 協商妥結에
　　　적극 협조할 것임을 표명

　- 그러나 美國·EC가 1.13이전 합의를 도출하거나 餘他國에
　　責任轉稼를 하고자 하는 경우등에 대비한 별도 대응방안 준비

　　ㅇ 農産物分野의「例外없는 關稅化原則」반대국가들과의 공동
　　　대응방안 강구

　　ㅇ 우리의 立場이 전체협상의 진전에 障碍要因이 되지 않도록
　　　할 수 있는 伸縮性있는 代案 개발

　- 上記方案을 중심으로 具體案 마련('92.1.7 實務委) 對外協力
　　委員會에 상정

③ 市場接近, 서비스 讓許協商 대안마련 추진

　- 市場接近分野의 경우 관세인하 및 비관세조치 양허와 관련
　　수정 IRP의 작성등 關係部處와 함께 共同對應 필요

　- 서비스 讓許協商 대안관련 修正讓許表 作成(1월말 예정),
　　주요국에 대한 추가 Request 작성등 추진중

　- 市場接近, 서비스分野에 대한 종합적인 양허협상 대안마련
　　UR對策 實務委員會 上程(1월중순)

경 제 기 획 원

우 427-760 / 경기도 과천시 중앙동1 정부제2청사 / 전화 503-9149 / 전송 503-9141

문서번호 봉조삼 10502- 3

시행일자 1992. 1 . 6 .

수신 수신처참조

참조

선결			지시	
접수	일자 시간	92 : 1·8	결재·공람	
	번호	730		
	처리과			
	담당자			

제목 UR대책 실무위원회 개최결과 통보

　　　UR대책 실무위원회 개최('91.12.30)결과를 별첨과 갑이 통보하니 결정사항의
이행에 만전을 기해 주기 바랍니다.

　　　첨부 : UR대책 실무위원회 개최결과 1부. 끝.

경 제 기 획 원 장

수신처 : 외무부장관(통상국장), 재무부장관(관세국장), 농림수산부장관(농업협력
　　　통상관), 상공부장관(국제협력관), 특허청장(기획관리관), 해운항만청
　　　(해운국장)

0237

UR對策 實務委員會 開催

I. 會議槪要

- 日時(場所) : '91. 12.30(월), 15:00~16:00
              (經濟企劃院 小會議室)

- 參   席 : 經濟企劃院 對外經濟調整室長
              外 務 部 通商局長
              財 務 部 關稅局長
              農林水産部 農業協力通商官
              商 工 部 國際協力官
              特 許 廳 企劃管理官

- 會議案件

  ① UR協商動向(外務部)
  ② UR協商 關聯對策(案)(企劃院)
  ③ UR農産物 協商對策(農林水産部)

II. 會議結果

① UR協商動向

- '92.1.13 TNC會議에서의 표명할 我國立場을 확정하는데
  도움이 되도록 각국이 '92.1.13 TNC會議에서 밝힐 입장을
  사전에 파악하도록 노력

② UR協商關聯 對策案

- 韓·美 頂上會談에 대한 입장은 靑瓦臺 報告資料의 範圍內
  에서 대처

- '92.1.7 UR對策 實務委를 개최하고 '92.1.10경 對外協力
  委員會를 개최하여 '92.1.13 TNC회의에의 대응책 확정

- 向後 追加協商課題는 보고안건을 중심으로 '92.1.6까지
  關係部處에서 선정 經企院 제출

- 서비스협상관련 海運分野에서의 MFN逸脫主張은 철회하고
  12.15 제시된 GATT事務局의 海運附屬書 案에 대해서는
  우리의 旣存立場에 따라 대처하되 협의용의를 표명토록
  제네바 代表部에 훈령조치

0238

③ UR農産物協商

- 最小市場接近에 있어서의 開途國 優待原則 適用 및 基準年度
  등에 대한 보다 具體的인 論理 開發·補完

외교문서 비밀해제: 우루과이라운드2 2
우루과이라운드 협상 대책 관계부처 회의 2

초판인쇄 2024년 03월 15일
초판발행 2024년 03월 15일

지은이 한국학술정보(주)
펴낸이 채종준
펴낸곳 한국학술정보(주)
주 소 경기도 파주시 회동길 230(문발동)
전 화 031-908-3181(대표)
팩 스 031-908-3189
홈페이지 http://ebook.kstudy.com
E-mail 출판사업부 publish@kstudy.com
등 록 제일산-115호(2000. 6. 19)

ISBN   979-11-7217-104-9 94340
        979-11-7217-102-5 94340 (set)